Une déstalinisation manquée
Tchécoslovaquie 1956

Collection « Histoire du temps présent »

Responsable : Henry Rousso
Secrétaire d'édition : Gabrielle Muc

Objet de débats passionnés, l'histoire du temps présent occupe aujourd'hui une place importante dans la production scientifique, dans l'enseignement, dans l'espace public en général. Définie par tradition comme une séquence de l'histoire dont les acteurs sont vivants, elle est portée depuis quelques années par une réflexion nouvelle sur les rapports entre passé et présent, entre passé proche et passé lointain. Elle s'intéresse de manière privilégiée à l'événement, à sa représentation et à sa postérité. Elle a placé au cœur de sa réflexion des analyses sur la mémoire collective, les usages du passé, l'évolution des sociétés contemporaines dans leur rapport au temps. Elle couvre aussi bien l'histoire sociale ou politique que l'histoire culturelle ou l'histoire économique.
La collection « Histoire du temps présent », créée en 1998 par l'Institut d'histoire du temps présent, a vocation à publier des travaux entrant dans ce champ de réflexion, et couvrant l'histoire du monde contemporain, sans frontières thématiques ou géographiques.

« Ouvrage publié avec le concours
du Centre national du livre. »

© Éditions Complexe, 2005
ISBN 2-8048-0027-X
D/1638/2005/18

Muriel Blaive

Une déstalinisation manquée
Tchécoslovaquie 1956

Préface de Krzysztof Pomian

« Histoire du temps présent »

REMERCIEMENTS

La liste des personnes que je voudrais remercier pour leur aide et leur gentillesse est longue, ce qui reflète toute la chance que j'ai eue. Je remercie très sincèrement Krzysztof Pomian, mon directeur de thèse, à qui ce travail doit tant, Marie-Élizabeth Ducreux, Françoise Mayer, Jean-Pierre Ostertag, Gordon Skilling, les historiens et témoins qui ont bien voulu m'accorder un entretien, Eliška Poláková, Milan Drápala, Csaba Békés, Jiří Kovtun, Josef Škvorecký, Hugh Agnew, Pierre Grémion, Pierre Kende, Pierre Hassner, Jacques Rupnik, Eva Hahn, Laure Neumayer, Nicolas Maslowski, Anne Bazin, Georges Mink, Marie-Claude Maurel et Henry Rousso, ainsi que les nombreuses institutions qui m'ont accordé une aide financière ou logistique : ministères français des Affaires étrangères et de la Recherche, Collegium Budapest, Institut pour l'histoire de la révolution de 1956, The George Washington University Institute for European, Russian and Eurasian Studies, Hinnerk Bruhns et le Programme Europe du CNRS, Maurice Aymard et la Maison des Sciences de l'Homme, l'IHTP et sa chaleureuse équipe, ainsi bien sûr que Hana Netuková, Claire Mádl et le CeFReS au grand complet. Merci enfin à Nicolas Werth pour avoir encouragé la publication de ce manuscrit.

À la mémoire de mes grands-parents, Suzanne et Pierre Blaive.

SOMMAIRE

SOMMAIRE

Abréviations

KSČ	Parti communiste tchécoslovaque (Komunistická strana Československa)
CC KSČ	Comité central du Parti communiste tchécoslovaque
PCF	Parti communiste français
PCI	Parti communiste italien
PCUS	Parti communiste de l'Union soviétique
PCY	Parti communiste yougoslave
Politburo	Bureau politique du Comité central
StB	Police politique de l'État tchécoslovaque (Státní bezpečnost)
ÁVO	Police politique de l'État hongrois (Államvédelmi osztály)

Par souci de simplification, « parti communiste polonais » et « parti communiste hongrois » sont couramment employés en lieu et place des dénominations officielles, « Parti ouvrier unifié polonais » et « Parti des travailleurs de Hongrie ».

PRÉFACE
de Krzysztof Pomian

« Les pays de l'Est », disait-on pendant la guerre froide, sans trop s'embarrasser des nuances. Les temps ont changé, mais l'opinion majoritaire en France et probablement aussi chez ses voisins en reste toujours à cette vision indifférenciée de l'espace situé à l'est de l'Allemagne et au sud-est de l'Autriche. Cependant, pour ce qui est de la géographie politique, la notion de « pays de l'Est » est aussi peu pertinente que celle d'« Occident ». Dès qu'on regarde les choses d'un peu plus près, on constate, en effet, des différences nombreuses et profondes entre les pays situés de part et d'autre de la frontière qui sépare le christianisme latin, catholique ou protestant, du christianisme orthodoxe ou, si l'on veut, l'Europe centrale de l'Europe de l'Est. Et des différences non négligeables tant entre les pays qui appartiennent à l'une qu'entre ceux qui appartiennent à l'autre. S'agissant de l'Europe centrale, ce sont la Hongrie, la Pologne, la Slovaquie et la Tchéquie. Qu'ils manifestent des similitudes, est indéniable. Qu'ils soient fort différents les uns des autres, l'est tout autant. Quant aux poids respectifs des différences et des similitudes, ils varient selon les domaines et les conjonctures. Reste que les unes et les autres doivent être prises en compte, si l'on veut comprendre le comportement des opinions publiques de ces pays et celui de leurs hommes politiques.

Or, cela est devenu d'autant plus important, qu'ils sont désormais membres de l'Union européenne et que leurs voix comptent dans la prise des décisions qui peuvent avoir une incidence sur la vie de tous les citoyens de celle-ci. Soit un exemple : la guerre en Irak et le clivage qu'elle semble avoir introduit entre l'« ancienne » et la « nouvelle Europe » mais qu'elle n'a fait en réalité que révéler. On aurait évité bien des malentendus et quelques déclarations tonitruantes qui n'ont fait qu'aggraver la crise entre les deux Europe, si l'on s'était posé la question des racines historiques de la position proaméricaine, ou plus exactement pro-Bush, des quatre pays qui viennent d'être évoqués. Et si, pour y répondre, on s'était donné la peine de fouiller un peu leurs mémoires nationales. On aurait découvert alors une méfiance profonde et durable à l'égard de la France et de la Grande-Bretagne – mais surtout de la France. Méfiance qui remonte, dans le cas de la Hongrie, au traité de Trianon (1920) qui l'a amputée des deux tiers de son territoire, y compris de ses terres historiques ; dans celui de la Tchéquie, à la trahison de Munich (1938) qui l'a laissée seule face à Hitler libre désormais d'en faire le « protectorat de Bohême et Moravie » ; et, dans celui de la Pologne, à la « drôle de guerre » suivie par l'effondrement de 1940 et l'entrevue de Montoire – enterrement de l'espoir de voir la guerre se terminer vite par une victoire des démocraties.

Il est vrai qu'à Trianon, Lloyd George était à côté de Clemenceau, tout comme à Munich, Daladier était à côté de Chamberlain. Mais Churchill a continué la lutte et c'est à Londres qu'ont trouvé abri les gouvernements tchèque et polonais. D'où le contraste entre l'image de la Grande-Bretagne et celle de la France, accentué encore, dans l'immédiat après-guerre, par le sentiment répandu dans les opinions publiques de l'Europe centrale d'une divergence entre l'attitude française et l'attitude britannique face à l'Union soviétique, la première étant soupçonnée de complaisance à son égard. Quant aux États-Unis, ils ont non seulement accueilli une émigration considérable des pays de l'Europe centrale mais ils restent en outre, dans leur imaginaire, une terre promise et une puissance invincible à laquelle on attribue la victoire sur le communisme.

Tout cela justifie d'autant moins les prises de position des gouvernements de ces pays à propos de la guerre en Irak que les opinions publiques lui étaient majoritairement hostiles. Et qu'on est en droit d'exiger des hommes politiques qu'ils ne se laissent pas guider par les émotions et les souvenirs. Mais s'ils ne sont pas capables de satisfaire à une pareille exigence et si notre analyse est juste, le réflexe proaméricain et probritannique conjugué à une suspicion à l'égard des initiatives françaises risque de rester une constante de la politique de ces pays dans l'Union européenne. Les divergences qui s'y font déjà sentir, peuvent de ce fait se trouver amplifiées. Or, elles portent sur des questions essentielles qui touchent à l'avenir de l'Union et notamment à ses rapports avec les États-Unis et la politique étrangère et de sécurité commune, sans même parler des problèmes internes. Voilà qui aurait dû éveiller un plus grand intérêt pour les pays de l'Europe centrale. Pour le moment, nous en sommes loin.

Le livre de Muriel Blaive adopte d'emblée une perspective qui différencie les trois pays de l'Europe centrale, devenus quatre suite à la séparation de la Tchéquie et de la Slovaquie effective au 1er janvier 1993. Son objet : l'année 1956 en Tchécoslovaquie où, apparemment, il ne s'est rien passé au moment même qui a vu en Pologne un puissant mouvement social et en Hongrie la « première révolution antitotalitaire » (Raymond Aron) – oblige, en effet, à comparer tant l'état des pays concernés au cours de cette année que leurs trajectoires avant et dans une moindre mesure aussi après.

Au préalable, il faut toutefois établir les faits, c'est-à-dire répondre à la question : que s'est-il passé en Tchécoslovaquie en 1956, si tant est qu'il s'y soit passé quelque chose ? Question d'autant plus impérative que des auteurs par ailleurs respectables, qui ont vécu cette année à Prague, prétendent qu'on a assisté alors à des manifestations d'opposition au régime que celui-ci a réprimées sans que cela transpire à l'extérieur.

Toute la première partie du livre de Muriel Blaive traite par conséquent de l'année 1956 en Pologne, en Hongrie et principalement en Tchécoslovaquie pour arriver, au terme d'une étude des archives du Comité central du Parti communiste tchécoslovaque et de la police politique, à la conclusion qu'au cours de cette année il ne s'est rien produit qui eût traduit une contestation massive des dirigeants ou de leur politique, et que les désaccords qui s'exprimaient, faibles et dispersés, n'ont jamais été perçus par les responsables comme une menace, fût-ce virtuelle, pour le régime. D'où, deux questions. Comment et pourquoi le pouvoir communiste en Tchécoslovaquie a-t-il réussi à éviter, en 1956 et pendant les douze années qui ont suivi, le règlement des comptes avec la période stalinienne et notamment la remise en question publique et conséquente des répressions de masse et des procès à grand spectacle ? Comment et pourquoi tant les mémoires des personnalités politiques qui, après avoir milité dans le Parti communiste tchécoslovaque, ont rompu avec celui-ci suite à l'écrasement du « printemps de Prague », que les travaux des historiens tchèques et occidentaux, donnent-ils de toute la période allant de 1946 à 1968 une image contraire sur certains points importants à celle qui se dégage de la lecture des documents ?

Muriel Blaive répond à ces questions, ce qui a exigé de sa part beaucoup de ténacité et de courage. Ténacité, parce que cela l'a obligée d'entreprendre une recherche très poussée dans les archives tchèques et de se lancer dans un difficile travail comparatif qui avait pour condition nécessaire l'acquisition préalable de la maîtrise de plusieurs langues de la région ; en dehors du tchèque et du slovaque, aussi du hongrois, du polonais et du russe. Courage, parce que sa recherche l'a conduite à réviser plusieurs idées reçues sur la Tchécoslovaquie communiste et sur la spécificité des traditions tchèques, en particulier sur le rôle attribué aux habitudes démocratiques censées différencier les Tchèques des Hongrois et des Polonais.

Les révisions auxquelles procède Muriel Blaive et qui l'entraînent à s'opposer aux auteurs ayant acquis parfois le statut d'autorités sur l'histoire tchèque, sont une des contributions les plus importantes de son livre à l'historiographie de l'Europe centrale en général et, en particulier, à celle de la Tchécoslovaquie. L'histoire de celle-ci pendant les quarante ans du régime communiste en sort, en effet, renouvelée, libérée des mythes qui l'ont recouverte. Contrairement à des images répandues dans la littérature, il s'avère que la Tchécoslovaquie est effectivement restée calme en 1956. Et, comme Muriel Blaive le montre de façon convaincante, ce calme ne devient intelligible qu'à la lumière de l'histoire du Parti communiste tchèque, très différente de celle des partis polonais et hongrois dont le premier fut dissous par l'Internationale communiste et a vu ses cadres exterminés en URSS au cours de la « grande terreur », et le deuxième a été alors victime des purges ; à la lumière aussi du potentiel économique tchécoslovaque qui a permis aux dirigeants de satisfaire mieux qu'ailleurs les besoins de la population en 1956 ; à la lumière enfin du nationalisme tchèque qui s'exprimait dans le sentiment de supériorité de l'économie, de discipline sociale et plus généralement de civilisation par rapport aux pays tels que la Pologne et la Hongrie, sentiment que le régime a su remarquablement exploiter pour étouffer dans l'œuf toute manifestation de solidarité avec les voisins révoltés.

L'attitude critique dont fait preuve Muriel Blaive traduit le passage de la mémoire à l'histoire, rendu possible à la fois par l'ouverture des archives et par l'arrivée à la recherche d'une génération qui n'a pas à défendre son propre passé et peut par conséquent regarder à distance celui des pays qu'elle étudie. Aussi est-elle en mesure, comme en témoigne ce livre, de remplacer un point de vue apologétique, ethnocentrique et approximatif qui s'exprimait, par exemple, dans l'affirmation selon laquelle la répression était en Tchécoslovaquie plus cruelle et sanglante qu'ailleurs, par une étude de documents qui remet les choses à leur juste place. En ce sens, le livre de Muriel Blaive annonce, du moins faut-il l'espérer, une nouvelle historiographie des pays sortis du communisme. Une historiographie qui se donne pour but de démystifier le passé de ces pays, en montrant que ni la littérature produite par les régimes communistes ni celle qui l'a été par les dissidents ne donnent de ce passé une image satisfaisante, capable de soutenir la confrontation avec un regard critique posé sur les données des archives.

Mais l'apport de ce livre à l'intelligence de l'Europe centrale ne s'arrête pas là. Car il montre aussi, sur des données précises, ce qu'on sait d'une façon abstraite et sans en tirer les conséquences, à savoir que si tous les pays de cette région ont vécu pendant quarante-cinq ans sous le pouvoir communiste, ils l'ont vécu de manières fort différentes. Muriel Blaive identifie un certain nombre de facteurs qui ont infléchi dans chaque cas national le modèle de régime totalitaire imposé uniformément à tous les pays de son « bloc » par l'Union soviétique à partir de 1948 et l'abandon par Staline de l'idée des « voies spécifiques vers le socialisme ». Parmi ces facteurs, une place de choix revient à l'histoire du parti communiste avant son accession au pouvoir et à l'héritage des conflits internes qu'elle a laissés et qui ont rendu les dirigeants communistes plus ou moins réceptifs aux manifestations de mécontentement de la population. Le Parti communiste tchécoslovaque agissant avant la guerre en toute légalité, dans un pays démocratique, arrivait ainsi au pouvoir avec un passé incomparable à celui des partis hongrois et polonais marqués l'un et l'autre par plus de deux décennies de clandestinité et par les persécutions qu'ils ont eu à subir en URSS dans les années trente.

D'autre part, les manifestations de mécontentement populaire n'avaient dans les trois pays ni le même rythme ni la même intensité. Les comportements des populations tchèque, slovaque, hongroise et polonaise furent façonnés, en effet, par des histoires fort différentes. Cela concerne en particulier les rapports avec la Russie et l'URSS, une variable critique s'agissant tant des souvenirs des événements du XIXe siècle que des conflits consécutifs à la révolution bolchevique et des effets de la Deuxième Guerre mondiale : des exactions de l'Armée rouge et des services soviétiques de sécurité au moment de la libération, de la perte des territoires au profit de l'URSS, de l'exploitation économique par celle-ci dans l'immédiat après guerre. À la différence de la Hongrie et de la Pologne, tout cela n'a affecté la Tchécoslovaquie que d'une façon marginale, avec une influence directe sur les conditions de vie de la population, bien meilleures ici que là du fait également de la préservation de l'appareil productif et de la bien moindre dimension des pertes humaines. Une autre variable importante est le degré de sécularisation, autrement dit la place occupée dans la vie nationale par les Églises. Sous ce rapport, les pays tchèques – cela ne vaut pas pour la Slovaquie – étaient aux antipodes de la Pologne et s'écartaient grandement de la Hongrie.

Le livre de Muriel Blaive se présente donc comme un exemple rare d'une histoire comparative et différentielle. Tout laisse à penser que les résultats de l'application d'une démarche analogue à la situation présente seraient instructifs, au moment où nos quatre pays manifestent des différences flagrantes sur fond de similitudes qu'illustrent leurs réactions déjà évoquées à la guerre en Irak. Le fait que le Parti communiste tchèque, qui n'a même pas changé de nom, bénéficie aujourd'hui des faveurs d'environ 20 % de l'électorat, tandis que ses homologues hongrois et polonais se sont effondrés, fournit un objet intéressant à une telle analyse, tout en conférant une actualité inattendue à l'étude de l'année 1956.

1956 : L'INTÉRÊT D'UN « NON-ÉVÉNEMENT »

En 1945, la Tchécoslovaquie fut libérée de l'occupation nazie par l'Armée rouge, tandis que les troupes américaines se limitaient à une incursion symbolique sur le flanc occidental. Un gouvernement dit du « Front national », regroupant démocrates et communistes, fut mis en place. Le Parti communiste tchécoslovaque (KSČ) remporta une large victoire lors des élections libres de mai 1946 et son dirigeant historique, Klement Gottwald, devint président du Conseil. Dans ces premières années d'après-guerre, deux à trois millions d'Allemands des Sudètes, citoyens de la République tchécoslovaque avant 1938, furent expulsés dans des conditions parfois très brutales.

En février 1948, les communistes tirèrent avantage d'une manœuvre politique malheureuse des ministres démocrates du gouvernement pour les écarter et rester seuls au pouvoir. Quelques mois plus tard, alors que la répression sévissait déjà, le président Beneš, ultime représentant au pouvoir du camp démocrate, donna sa démission et leva le dernier obstacle constitutionnel à la mise en place d'un régime pleinement communiste.

Il fallut attendre jusqu'en 1968 pour que la population retrouve une pleine liberté de parole et de mouvement. Dès le 21 août de la même année, les troupes du Pacte de Varsovie, menées par les Soviétiques, mirent cependant fin à ce « Printemps de Prague » et laissèrent progressivement la place à un régime dit de « normalisation », ou encore de « socialisme réel », qui refréna jusqu'à sa chute la moindre tentative de démocratisation. C'est la révolution pacifique du 17 novembre 1989 qui finit par le balayer.

Dans cette chronologie en quatre temps de la Tchécoslovaquie d'après-guerre (1945, 1948, 1968, 1989), rares sont les observateurs qui s'arrêtent sur l'année 1956. Pendant que les Hongrois et les Polonais luttaient passionnément pour leur liberté, rien ne sembla susceptible de faire sortir la population tchécoslovaque de son apathie. Comme le fait remarquer l'intellectuel tchèque Petr Pithart, si tous s'étaient simultanément unis contre le communisme, l'histoire aurait peut-être pris un cours bien différent[1] ; mais en l'absence d'une glorieuse participation au mouvement révolutionnaire de 1956, la passivité tchécoslovaque n'occasionna qu'une considérable irritation chez les commentateurs de l'époque.

1956 : Hongrie, Pologne... et Tchécoslovaquie

Ainsi que le rapporta l'ambassadeur de France en Suisse, le correspondant du *Journal de Genève* à Bonn, par exemple, n'hésita pas à parler d'une véritable *« trahison morale »* d'un peuple qui se serait *« accommodé de la tutelle soviétique aussi bien que de l'occupation nazie »*. D'après ce journaliste, le gouvernement de Prague lui-même fut surpris du conformisme manifesté par l'opinion tchèque au cours des événements d'octobre et novembre 1956. Ce sont même 250 000 manifestants qui auraient acclamé l'ambassadeur soviétique à l'occasion d'une manifestation de fidélité à l'URSS. *« Prague reste le dernier bastion du stalinisme »*, concluait-il[2].

Les diplomates américains à Prague furent eux aussi déçus par l'absence de réactions au moment de la révolution hongroise. À la Noël 1956, ils qualifièrent ironiquement d'« événement de l'année » le retour en fanfare du « Petit Jésus », auquel le « Père-la-Gelée »[3] soviétique avait rendu la place après l'avoir mis au rancart pendant plusieurs années. Ils notèrent que ce geste politique accompagnait toute une série de mesures économiques destinées à empêcher la contagion des révolutions hongroise et polonaise : *« On peut donc dire sans exagérer, d'après les dernières évolutions de la situation, que la révolte hongroise a amené la disparition du Père-la-Gelée. »*[4]

Le décalage entre les aspirations des Tchécoslovaques et des Hongrois se mesure encore à l'anecdote suivante : un groupe de touristes tchécoslovaques en voyage en Hongrie se trouva par hasard à Budapest le 23 octobre 1956, au moment où éclata la révolution. Alors que les combats faisaient rage, le groupe, paniqué, semblait obnubilé par l'étoile rouge arborée au sommet de son autobus en se demandant comment éviter qu'elle ne soit arrachée. Le véhicule fut d'ailleurs pris d'assaut par les manifestants estudiantins et le chauffeur eut toutes les peines du monde à les écarter. À l'abri dans la cour de l'hôtel, il se résolut à démonter lui-même son étoile pour plus de précaution, un acte qui lui parut si osé qu'il ressentit le besoin de se justifier à son retour en expliquant que même l'ambassade de Tchécoslovaquie les avait mis en garde. Les participants à l'excursion étaient nerveux et craignaient que les insurgés *« ne s'en prennent à l'autobus en voyant l'étoile car ils détruisent toutes les étoiles rouges qu'ils voient, sans même se demander si cela peut causer des problèmes à quelqu'un »*[5]. À son grand dépit, elle lui fut néanmoins confisquée par le réceptionniste de l'hôtel qui avait remarqué son manège.

Une historiette de mauvais goût circula par la suite : « *En 1956, les Hongrois se sont comportés comme des Polonais, les Polonais comme des Tchèques et les Tchèques comme des cochons.* »[6] Si cette formule n'a guère de sens, elle montre le peu d'estime dans lequel étaient tenus les descendants de Jan Hus et des invincibles taborites. Autre exemple d'incompréhension, cette fois avec les Polonais : le 2 décembre 1956, un informateur de la police politique tchécoslovaque (StB) entra en contact avec les accompagnateurs d'un convoi de la Croix-Rouge polonaise en transit vers la Hongrie. Il recueillit la confidence suivante : « *Au total, vous vous portez mieux ici, mais nous au moins, les Polonais, nous sommes libres.* »[7] Lesdits accompagnateurs se plaignirent d'avoir été suivis par la StB depuis leur entrée sur le territoire tchécoslovaque et d'avoir subi des brimades malgré leur immunité de membres de la Croix-Rouge, telles qu'une nuit d'attente inutile à la frontière[8].

Ces relations quelque peu acides frôlèrent l'antipathie ouverte à un moment où les acteurs de la révolution hongroise et de l'« Octobre polonais » s'encourageaient mutuellement – la révolution hongroise débuta en effet, le 23 octobre, par une manifestation de soutien des étudiants aux revendications de leurs homologues polonais. La Tchécoslovaquie, en empêchant ses deux voisins de communiquer et de coopérer, servit de « tampon » stalinien, un rôle fort apprécié à Moscou et qui contribua à garantir la stabilité du bloc communiste en Europe centrale.

Une thèse courante, quoique rétroactive et surtout anachronique, est qu'il ne s'est rien passé en Tchécoslovaquie en 1956 parce qu'il devait se passer « quelque chose » en 1968. Mais en 1956, personne ne pouvait augurer du futur Printemps de Prague. En revanche, il convient de se demander pourquoi 1968 n'est pas arrivé en 1956 ; comment expliquer ces douze années de retard dans la remise en cause du régime stalinien ? Pourquoi les Tchécoslovaques ne demandèrent-ils pas de comptes à la direction communiste ? Pour reprendre la formule de Jacques Rupnik, pourquoi ce « *rendez-vous manqué* » de l'histoire[9] ?

L'absence de discussion académique autour de l'année 1956

C'est certainement à juste titre que les événements de l'année 1968 en Tchécoslovaquie suscitèrent un intérêt considérable dans le monde occidental. Le mouvement intellectuel et politique personnifié par Alexander Dubček polarisa largement l'attention des historiens, intellectuels et témoins qui s'exprimèrent sur la première phase du régime communiste. L'idéologie prometteuse du « socialisme à visage humain », la tragédie

MURIEL BLAIVE

de l'invasion, de la répression et de l'exode, la contextualisation du Printemps de Prague dans le mouvement communiste international, l'attrait
intellectuel du mouvement dissident ou encore la naissance de l'eurocommunisme continuèrent à monopoliser l'attention de dizaines de
contributeurs. Ce n'est que plus tard, au fil des années 1980 et au fur et à
mesure que ces enjeux idéologiques perdaient de leur actualité, que la
production historiographique sur la Tchécoslovaquie communiste en vint
progressivement à se tarir.

Mais dans les années 1960-1970, des chercheurs occidentaux pour la plupart éblouis par la richesse événementielle de l'année 1968, ne laissèrent pas
grande place dans leurs analyses à l'échec de l'année 1956. Les auteurs ne
consacrèrent en général que quelques pages aux années 1950, dont au mieux
quelques paragraphes à la fatidique année 1956. Gordon Skilling par
exemple, historien et politiste canadien spécialiste de longue date de la
Tchécoslovaquie, offrit une magistrale analyse du Printemps de Prague au
titre suggestif : *Tchécoslovaquie : la révolution interrompue*[10] ; mais malgré
sa volonté de détailler le contexte historique présidant au mouvement de
1968, il ne consacra que quatre pages sur neuf cent vingt-quatre aux événements de l'année 1956. Petr Hrubý, universitaire australien d'origine
tchèque qui était parti en exil en 1948, passe presque aussi rapidement sur
cette question (trois pages sur deux cent soixante-cinq) dans sa brillante analyse du rôle des intellectuels tchécoslovaques sous le régime communiste,
bien que la majeure partie de son ouvrage soit consacrée à la période 1948-
1968[11]. Il ne s'agit là que de deux exemples parmi des dizaines d'autres.

Les communistes tchécoslovaques réformateurs, qui avaient pris la tête
du mouvement de réforme en 1968, ne tentèrent pas plus de mettre en
lumière la passivité énigmatique de la population en 1956. Jiří Pelikán,
par exemple, ancien apparatchik devenu directeur de la télévision nationale en 1968, parti en exil après l'invasion, publia en 1969 un rapport
secret du Comité central du KSČ sur les procès politiques des années
1950 où il n'évoqua l'année 1956 que dans le contexte d'une commission
d'enquête portant sur lesdits procès[12]. Karel Kaplan, le plus grand spécialiste des années 1950 en Tchécoslovaquie et l'auteur d'une monumentale
bibliographie, ne consacre dans l'ensemble de son œuvre pratiquement
pas une ligne, lui non plus, à l'attitude de la population en 1956.

Les démocrates exilés qui publièrent leurs analyses à chaud, bien avant
l'irruption du Printemps de Prague, furent en fin de compte les seuls (et
rares) contributeurs à tenter de justifier ce qui apparut à l'époque comme
un fiasco. Ils furent cependant handicapés par l'impossibilité d'accéder aux
sources ainsi que, bien souvent, par leur degré d'implication personnelle et
leur militantisme en faveur de la démocratie tchécoslovaque : la plupart
d'entre eux, en effet, avaient eux-mêmes été engagés dans la vie politique
ou culturelle, comme par exemple l'ex-secrétaire du président Beneš,
Eduard Táborský[13].

Cependant, le manque global d'intérêt pour l'année 1956 traduit d'abord et avant tout l'insuffisance de recours à l'histoire sociale. Le contexte politique de la guerre froide, l'engagement personnel de bien des auteurs au moment où la plupart des travaux furent rédigés et l'absence de données sociales façonnèrent une vision surtout politique de l'histoire, où était privilégiée l'analyse des « événements » – en l'occurrence, ceux de 1948 et de 1968. Et pourtant, l'étude de ce « *point névralgique auquel personne ne s'intéresse* »[14], le « non-événement » de l'année 1956 en Tchécoslovaquie, n'en est pas moins fructueuse pour éclairer la « *face cachée des qualités tchèques* »[15], et plus généralement pour réfléchir aux relations entre la société tchèque et le communisme, à la confrontation entre une société démocratique de type occidental et un régime aux ambitions totalitaires.

L'objectif de cette réflexion sera, après avoir resitué l'événement fondateur du XXe Congrès et du « rapport secret » de Khrouchtchev dans le contexte de la déstalinisation menée depuis 1953 en Pologne, Hongrie et Tchécoslovaquie (chapitre I), de fournir les éléments d'une interprétation renouvelée à travers l'étude de trois thèmes décisifs, couvrant dans la mesure du possible les champs politique, social et économique :

– le suivi précis, grâce aux sources archivistiques nouvellement disponibles, de la situation politique en Tchécoslovaquie en 1956 (chapitres II et III). Que s'y est-il vraiment passé ? Quelles ont été les réactions des autorités, des membres du parti et de la population au XXe Congrès du PCUS et au fameux « rapport secret » de Nikita Khrouchtchev, ainsi qu'à la rébellion hungaro-polonaise d'octobre-novembre ? La passivité apparente a-t-elle été le produit d'une efficace propagande, de la politique de répression, de la situation interne au parti communiste ou d'autres facteurs encore ?

– L'exposé critique des explications proposées dans l'historiographie sur l'histoire tchèque des années 1950 (chapitres IV, V et VI), car la réflexion sur le passé, les historiens, et les relations que les seconds entretiennent avec le premier est aussi un moyen d'introduire une perspective d'histoire sociale dans l'analyse de la société tchèque. Sur quels points l'attention se focalisa-t-elle et quelles furent, au contraire, les questions passées sous silence et qu'il conviendra donc de réexaminer ?

– Au vu des éléments dégagés plus haut, l'analyse de la formation d'un lien social exceptionnel entre le parti communiste et la population entre 1945 et 1948 au travers de la question nationale en Europe centrale (chapitres VII, VIII et IX), avec en amont la problématique allemande depuis 1938, en parallèle le flottement des forces démocratiques entre 1945 et 1948, et en aval la situation économique de la Tchécoslovaquie jusqu'en 1956.

Nous nous efforcerons, en conclusion, de conceptualiser les rapports au sein de la société tchèque entre démocratie, nationalisme et communisme, en cette configuration unique qui façonna l'un des régimes les plus stables du « bloc de l'Est ».

I – LE XXᵉ CONGRÈS DU PCUS
ET SES CONSÉQUENCES
EN POLOGNE ET EN HONGRIE

Le XXᵉ Congrès du parti soviétique, qui se tint à Moscou du 14 au 25 février 1956, résonna comme un coup de tonnerre dans le monde de la guerre froide[16]. En Occident, les convictions des membres et dirigeants des partis communistes, ainsi que des intellectuels « compagnons de route », se retrouvèrent brutalement confrontées à une description irréfutable des crimes staliniens. Dans les pays satellites de l'URSS, la critique de la politique étrangère de Staline et la redéfinition des rapports entre centre et périphérie furent suivies avec d'autant plus d'intérêt que la domination soviétique y était généralement mal ressentie et que des volontés de réforme étaient déjà présentes.

Les critiques de Staline

Dès les premiers jours du Congrès, la sobriété des références au dictateur défunt trancha sur l'emphase qui n'aurait pu faire défaut quelques années plus tôt. Dans son discours d'ouverture, le Premier secrétaire du PCUS, Nikita Khrouchtchev, ne fit ainsi qu'évoquer « *Josef Vissarianovitch Staline* »[17]. Hélène Carrère d'Encausse remarque qu'une telle réserve confinait déjà à une insulte dans le langage communiste[18]. À la même page, Khrouchtchev se référait d'ailleurs à Lénine dans les termes : « *Notre génial guide et maître Lénine* » et « *Le grand Lénine* »[19].

En politique étrangère, le Premier secrétaire affirma que le socialisme, même « *destiné à la victoire* » dans sa compétition avec le système capitaliste, ne devait en rien mener les pays communistes à s'ingérer sur le plan armé dans les affaires intérieures des pays capitalistes : « *Nous avons toujours dit et nous répétons que l'établissement d'un nouveau système social dans tel ou tel pays est l'affaire intérieure des nations de ce pays.* »[20]

Khrouchtchev souligna ensuite l'importance de la collégialité dans la direction du parti et accorda une place importante à la critique du « culte de la personnalité »[21]. S'il ne cita pas nommément Staline, l'intervention de son collègue Mikoyan (membre du présidium du Comité central du PCUS) fut quasi transparente : le trait « *le plus caractéristique* » de l'activité du Comité central du PCUS aurait été que la direction collégiale du parti « *avait été restaurée après une longue interruption* » car « *pendant presque vingt ans, il n'a pas existé chez nous, en réalité, de direction collégiale* ». Le nouveau collectif aurait été formé de « camarades » ayant remis en vigueur les normes léninistes de la vie du parti « *ces trois dernières années* »[22].

Dans la nuit du 24 au 25 février, alors que le XXe Congrès était sur le point de s'achever, Nikita Khrouchtchev présenta enfin son « rapport secret » lors d'une session spéciale à huis clos réservée aux délégués du PCUS. Il se référa d'abord à un « *document politique d'une extraordinaire importance* », connu sous le nom de « testament de Lénine »[23]. Lénine y recommandait d'écarter Staline de la tête du parti à cause de sa brutalité[24]. Khrouchtchev s'en prit lui aussi à ce chef de parti qui avait semé la terreur dans ses propres rangs. Il fit voler en éclats la légende du « petit père des peuples » – chef militaire et documenta l'étendue de son incompétence en la matière, en particulier au cours de la Seconde Guerre mondiale[25]. De plus, il tourna définitivement une page dans les relations soviéto-yougoslaves en dénonçant une gestion stalinienne « *scandaleuse* » de la crise de 1948. « *L'"affaire yougoslave"*, estima Khrouchtchev, *ne comportait aucun problème qui n'eût pu être résolu par des discussions entre camarades du Parti. Il n'existait pas de base sérieuse au développement de cette "affaire". Il était parfaitement possible d'éviter la rupture de nos relations avec ce pays.* »[26] Staline lui aurait expliqué qu'« *il lui suffisait de remuer le petit doigt pour que Tito s'écroule* ». Pourquoi Tito ne s'était-il pas « écroulé » ? Parce que, expliqua Khrouchtchev, « *Tito avait derrière lui un État et un peuple qui avaient été à la rude école du combat pour la liberté et l'indépendance, un peuple qui soutenait ses dirigeants.* »[27]

Selon le Premier secrétaire du PCUS, la panacée à la situation désastreuse dans laquelle son prédécesseur avait laissé l'URSS était donc le retour à une ligne « *léniniste* », à un « *vrai centralisme démocratique* » et à la direction collégiale du parti. Il proposa aussi de « *condamner et d'extirper le culte de l'individu* » d'une manière « *bolchevique* »[28].

Les dirigeants tchécoslovaques, polonais et hongrois, en tant que membres de délégations étrangères, n'avaient pas été invités à écouter la lecture du « rapport secret ». Néanmoins, les sources concordent, quoiqu'avec certaines divergences, sur le fait qu'ils eurent l'occasion d'en prendre connaissance. Côté tchèque, l'historien Karel Kaplan affirme que Novotný, le Premier secrétaire, est le seul membre de la délégation tchécoslovaque qui ait eu accès au texte ; en effet, lui seul était resté à Moscou après le XXe Congrès, au moment choisi par Khrouchtchev, d'après Kaplan, pour informer les « partis frères »[29]. Côté canadien, en revanche, l'historien d'origine polonaise Leszek Gluchowski affirme que les Soviétiques fournirent une copie du « rapport » aux dirigeants de tous les « partis frères », dès le 24 février au soir ; de plus, il est désormais établi que les délégués polonais étaient tous au courant de l'existence et du contenu du « rapport » et qu'ils en rapportèrent même un exemplaire à Varsovie[30]. Quoi qu'en dise Karel Kaplan, on ne peut donc guère imaginer que les délégués tchécoslovaques n'aient rien soupçonné, alors même qu'il avait été mentionné lors de la vingtième et dernière session du Congrès, le 25 février, que la « session fermée » précédente avait été consacrée à l'audition du rapport du Premier secrétaire sur *Le culte de la personnalité et ses conséquences*. Qui plus est, il avait également été rappelé que le Congrès avait adopté une résolution à ce sujet, résolution par ailleurs publiée à Moscou[31]. Ajoutons enfin que même si les délégués tchécoslovaques avaient pu, par extraordinaire, rester insensibles à l'atmosphère enflammée qui présida au dernier jour du XXᵉ Congrès, le sort réservé au Kominform ne put manquer de les alerter. Depuis 1947, cet organe incarnait la mainmise de Staline sur les partis communistes qui lui vouaient allégeance. En 1948, il avait été l'instrument de la rupture entre Staline et Tito. Il était moribond depuis sa troisième conférence en 1949 mais son journal *Pour une paix durable, pour une démocratie populaire !* paraissait toujours. Pour bien symboliser les nouvelles relations entre centre et périphérie et pour effacer le mauvais souvenir de la mise au pas des PC par Staline, le Kominform fut dissous le 17 avril 1956.

La question de l'utilisation des « résultats du XXᵉ Congrès » était donc ouverte. Le contexte régnant en Pologne et en Hongrie au moment du XXᵉ Congrès et les raisons de l'effervescence qu'il y provoqua méritent ici d'être rappelés.

La Pologne

Le Premier secrétaire du parti communiste polonais, Bolesław Bierut, décéda le 12 mars 1956 à Moscou. Sa disparition laissa la porte ouverte à une lutte de succession opposant partisans et adversaires d'une flamboyante personnalité du communisme polonais : Władysław Gomułka. Le destin de ce dernier vint s'inscrire dans le cadre des tumultueuses relations historiquement entretenues entre son parti et le PCUS.

En effet, le parti communiste polonais avait été turbulent dès sa création. Il ne fut jamais véritablement soumis au Komintern et ses membres se fractionnèrent, dès les années 1920, sur le thème des relations avec Moscou[32].

Les conflits se polarisèrent sur la soi-disant « erreur de Mai », c'est-à-dire sur le soutien apporté par ces tenants de l'internationalisme prolétarien au putsch de Piłsudski en mai 1926, un soutien *a priori* contre-nature qui n'eut d'ailleurs pour résultat que l'emprisonnement des dirigeants communistes après la victoire du maréchal[33]. Staline était l'un des critiques les plus virulents de cette « erreur » et, comme presque tous les autres partis communistes de cette époque, le parti polonais reçut une lettre de sermon du Komintern en 1928. Certains membres du parti qui gardaient des sympathies pour Trotsky furent exclus et se divisèrent[34], tandis que les premières arrestations de communistes polonais exilés en URSS eurent lieu dès 1933[35]. Néanmoins, l'ensemble du parti resta rebelle à la discipline soviétique, suscitant les foudres de Staline et la prononciation d'une mesure de dissolution pure et simple par le Komintern en avril 1938. La plupart des réfugiés en URSS (dont quarante-six membres du Comité central et vingt-quatre suppléants) furent exécutés, les autres déportés[36]. Ce n'est qu'en 1942 que le parti fut autorisé à se reformer clandestinement dans la Pologne occupée. Ce traumatisme explique la circonspection des dirigeants communistes polonais dans leurs relations ultérieures avec les Soviétiques, prudence qui se manifesta par exemple dans le sort réservé à Gomułka. Comme Rudolf Slánský, celui-ci avait été secrétaire général du parti communiste après la guerre et, comme Slánský, il fut à un moment donné le protagoniste potentiel d'un grand procès. Mais contrairement à son *alter ego* tchécoslovaque, Klement Gottwald, Bierut se limita à des promesses : Gomułka fut bien arrêté et placé en résidence surveillée mais son procès fut constamment repoussé. Bierut aurait répondu pendant des années à un Staline impatient que l'enquête se poursuivait avec succès[37]. La pression exercée à partir de 1953 par le parti communiste polonais sur le PCUS pour la réhabilitation de ses membres exécutés en 1938 est encore un signe du pesant contentieux qui régnait entre les deux partis. Les survivants commencèrent à être libérés des camps soviétiques au printemps 1955 et c'est juste avant le XXe Congrès, le 9 février 1956, que les Polonais obtinrent totale satisfaction : un communiqué soviétique annonça l'abandon officiel des charges contre le PC polonais[38].

Pour en revenir à décembre 1953, quelques mois après la mort de Staline, le régime de terreur polonais fut sérieusement ébranlé par la défection à l'Ouest du colonel Józef Światło, un éminent dirigeant de la police secrète. À compter du 28 septembre 1954, il fut placé par les Américains devant un micro de *Radio Free Europe* pour décrire les crimes perpétrés par le régime, notamment le traitement infligé à certains prisonniers politiques. Ces émissions, suivies par un large public polonais malgré le « brouillage », provoquèrent une indignation populaire qui se traduisit par des remous à la direction et dans les services de sécurité[39]. Deux mois plus tard, Gomułka était relâché sans procès.

L'atmosphère sociale polonaise était très agitée au moment du XXᵉ Congrès. Le niveau médiocre de l'économie mécontentait la population, en particulier la classe ouvrière chère aux idéologues officiels. Des réformes étaient urgentes[40]. Dans ce contexte, le XXᵉ Congrès, le « rapport secret » et la mort subite de Bierut servirent de prétexte non seulement pour rouvrir le « dossier » Gomułka, mais aussi pour s'interroger sur l'ensemble de la période de terreur stalinienne. Les responsables de l'époque furent priés de s'expliquer. Jakub Berman par exemple, en charge au sein du Politburo de la terreur policière au début des années 1950, fut contraint de se justifier bien que lui-même, qui était d'origine juive, eût été mis en danger en 1952. Il affirma, à l'automne 1956, qu'il avait personnellement résisté aux pressions soviétiques, ainsi d'ailleurs que l'ensemble du Politburo, pour sceller le sort de Gomułka[41]. Edward Ochab, le successeur de Bierut, livra une version concordante de cette affaire, même s'il est vrai qu'elle fut recueillie quelque vingt-cinq ans plus tard et qu'il avait tout intérêt, comme Berman, à mettre en avant son rôle « protecteur »[42].

La priorité, après la mort de Bierut en mars 1956, fut d'élire un nouveau Premier secrétaire, tâche supervisée par Khrouchtchev en personne, qui avait accompagné la dépouille de Bierut à Varsovie, assisté à ses funérailles et procédé à une lecture décousue de son « rapport secret » devant le Comité central polonais. En sa présence et avec son soutien, Edward Ochab fut élu Premier secrétaire le 20 mars 1956[43]. À cette époque, Ochab était plutôt considéré comme un stalinien, un « dur ». Sa réaction face au problème posé par le « rapport secret » (tout au moins si l'on considère que son témoignage, apporté beaucoup plus tard, a quelque validité) en est d'autant plus intéressante : « *Le discours de Khrouchtchev constitua un choc pour nous tous et exigeait que nous prenions une décision. [...] J'ai pensé que nous n'avions le droit de cacher ni ces crimes, ni ce qui était arrivé au XXᵉ Congrès.* »[44]

Il est aujourd'hui acquis que c'est par le truchement des Polonais que le contenu du « rapport secret » fut transmis en Occident au terme d'un tortueux circuit[45]. Khrouchtchev l'a confirmé dans ses mémoires-entretiens[46]. Edward Ochab en témoigne lui aussi : « [...] *Le rapport fut envoyé à toutes les organisations du parti, où il fut lu et où il en fut débattu. Je sais aussi que c'est grâce à nous que des communistes de l'Union soviétique et d'autres pays socialistes eurent une chance de se familiariser avec lui.* »[47] D'après Ochab, Khrouchtchev affecta d'être « ennuyé » que ce matériel ait été distribué très largement et que tous les exemplaires ne soient pas revenus au Comité central. « *C'est vrai qu'il en manquait* », conclut-il[48]. Jan Nowak, qui dirigeait à cette époque la section polonaise de *Radio Free Europe*, rapporte une version amusante de cette affaire : la CIA aurait décidé de mettre à tout prix la main sur le « rapport secret » qui circulait à Varsovie et aurait acheté le texte intégral à un journaliste du parti pour une somme rondelette, bien qu'il eût été possible au même moment de le trouver pour cent zlotys au bazar de Varsovie[49]. Si cette histoire est vraie (elle est, en tout cas, plausible), la CIA aurait reçu le « rapport » de plusieurs sources.

Selon Leszek Gluchowski, qui se fonde sur des découvertes récentes dans les archives polonaises, l'intérêt du Premier secrétaire du PCUS pour la succession de Bierut au printemps 1956 s'explique par son choix d'un PC polonais particulièrement perméable à des « fuites » pour faire discrètement passer le document en Occident[50]. L'analyse d'Amalric Rossi, présentée en préambule à une publication annotée en français du « rapport secret », confirme que celui-ci était de toute façon destiné à n'être qu'un secret de Polichinelle. Rossi note en effet que, d'après une dépêche France-Presse du 19 mars 1956, le « rapport » avait été lu devant le personnel soviétique (membre ou non du parti communiste) employé dans les ambassades occidentales en URSS lors de réunions organisées par la Direction soviétique des services diplomatiques. De même, il aurait été lu devant les employés des journaux occidentaux et devant le personnel de l'Opéra de Moscou[51]. Attachés d'ambassade et correspondants de presse prirent donc certainement connaissance de l'essentiel de son contenu grâce au récit de leurs employés et collègues. Pour citer Amalric Rossi : « *Même en supposant qu'aucune copie ne se soit perdue en route, c'était assurément jouer avec le feu, surexciter l'intérêt des diplomates et de leurs services. Khrouchtchev avait déclaré : "Aucune nouvelle à ce sujet ne doit filtrer à l'extérieur" ; le moins qu'on puisse dire, c'est qu'il a lui-même pris bien des libertés avec cette consigne.* »[52] Ce n'est pas tout : l'auteur releva des traces du « rapport secret » non seulement en Pologne mais aussi en Yougoslavie : dans le journal *Borba*, on y trouve des allusions, dès le 20 mars, comme celle se référant au télégramme envoyé le 27 septembre 1936 par Staline et Jdanov pour demander la destitution de Yagoda et son remplacement par Yejov. Comme le souligne Rossi, il s'agissait d'une information absolument nouvelle qui n'avait jamais été divulguée ailleurs que dans le « rapport ». Il en conclut : « *Si le contenu du rapport peut paraître dans le quotidien du Parti communiste yougoslave, c'est sans doute qu'aucune consigne sérieuse de silence n'avait accompagné son envoi, et que la "fuite", peut-être, était escomptée.* »[53] D'après l'intellectuel Denis de Rougemont, il s'agissait d'une tactique de Khrouchtchev : laisser filtrer le « rapport » à l'Ouest pour qu'il soit publié par les Américains, « *se réservant ainsi le droit de le démentir, en cas de besoin, selon les effets produits par la publication confiée aux soins du State Department* »[54].

Pour en revenir à la Pologne, les « résultats du XXe Congrès » provoquèrent de vives réactions dans un monde ouvrier déjà en ébullition. Le secrétaire de la cellule de parti à l'usine varsovienne de Zerań, Leszek Gozdzik, témoigne d'une certaine panique après les premières révélations. Il décrit, par exemple, l'atmosphère de la conférence d'avril des responsables du parti de Varsovie : « *Cette conférence fut très orageuse. Il y eut beaucoup d'ac-crochages et beaucoup de grincements de dents. Mais c'était la première discussion après la période de silence et de mensonge, car les gens com-mencèrent à parler davantage et à parler franchement de ce qui se passait dans le Parti et dans le pays. À un tel point que de nombreuses personnes dans la salle en furent épouvantées jusqu'à devenir violentes.* »[55] Le gron-dement ouvrier et l'agitation politique se polarisèrent de façon croissante, à l'été 1956, sur la question des rapports polono-soviétiques. K. S. Karol, qui était parti étudier en France en 1948 et qui avait abandonné sa nationalité polonaise en 1949, obtint sans difficultés un visa en juillet 1956, un fait déjà remarquable en soi. Il raconta à son retour que tous les Polonais avec qui il avait pu parler, des chauffeurs de taxi aux dockers de Gdańsk martelaient le même leitmotiv : les « Russes » avaient exploité la Pologne. « *Les diri-geants du parti étaient critiqués, sinon discrédités pour leur docilité à l'égard de l'URSS. "Gomułka était le seul à avoir vu juste. S'il était resté au pouvoir, tout cela ne se serait jamais passé".* »[56]

Tout stalinien qu'il fût, Edward Ochab évita de s'acharner contre cette opposition montante. Même s'il n'était qu'un apparatchik sans relief parti-culier, la petite fêlure des dirigeants polonais dans leur loyauté au commu-nisme soviétique limita leur dogmatisme. Les partisans de Gomułka furent libérés, accompagnés par 30 000 prisonniers après une amnistie pronon-cée le 25 avril 1956. Les ministres de la Sécurité et de la Justice, ainsi que le procureur général, furent destitués. Deux hauts fonctionnaires de la Sécurité furent arrêtés[57].

Alors que les divisions allaient croissant dans le parti communiste, les événements de Poznań vinrent encore aggraver la tension. La grande usine Zispo avait en effet connu des livraisons de matières premières irrégulières au printemps 1956. Les ouvriers étaient réduits à une forme de chômage technique et avaient vu leurs salaires fortement réduits. Pour ajouter au mécontentement, la direction n'avait pas mis en œuvre les nouvelles direc-tives sur les salaires et continuait à leur appliquer une imposition excessive. Les ouvriers avaient protesté de façon répétée et vainement envoyé une délégation à Varsovie. Le 28 juin 1956, ils se mirent en grève et celle-ci tourna rapidement à la manifestation de rue sous la pancarte « Du pain et la liberté ! », remportant un franc succès auprès de la population[58]. Le cortège grossit en avançant vers le centre ville, tandis que le slogan « Les Russes dehors ! » faisait son apparition et que la manifestation dégénérait progres-sivement en protestation ouverte contre le régime. Le bilan officiel décompta cinquante-trois morts et trois cents blessés[59].

L'insurrection de Poznań joua un rôle symbolique important. Si les ouvriers furent en apparence défaits par le régime, elle constitua tout de même une victoire contre le « *règne du toc, de la fiction, du mensonge* »[60] et elle précipita la lutte pour le pouvoir. Dans cette confrontation, la retenue d'Edward Ochab fut décisive. D'après ses propres termes (dont la modestie, encore une fois, est peut-être feinte, surtout avec le recul du temps), ce dernier ne tenait pas à garder le pouvoir à tout prix en 1956 : « *Je traînais ce fardeau parce que je pensais que quelqu'un devait le faire mais je ne tenais pas du tout à garder mon poste. […] J'ai passé la main à Gomułka le cœur lourd parce que je le connaissais et parce que je savais que, étant donné les circonstances dans lesquelles il prenait le pouvoir, les trompettes sonneraient et le proclameraient sauveur de la Pologne. Je savais que cela serait une humiliation pour tout le parti.* »[61] Mais Ochab aurait été conscient du danger qui guettait également le parti hongrois : « *Il y aurait eu une division dans le parti. Et lorsqu'il y a une division, on obtient une situation différente : l'intervention.* »[62] Il est en tout cas probable que sa volonté de maintenir l'unité était sincère ; il fut d'ailleurs le seul des membres du nouveau Politburo, le 21 octobre 1956, à être élu à l'unanimité (au suffrage secret) par les soixante-quinze membres du Comité central[63].

La détermination à préserver l'indépendance de la Pologne régnait donc tant chez les alliés que chez les détracteurs de Gomułka. Revenu au pouvoir, celui-ci fut ainsi en position de résister aux exigences des Soviétiques. Lorsque Khrouchtchev atterrit à Varsovie en octobre 1956, accompagné d'une délégation du présidium du PCUS, il trouva un parti solide et des gardes ouvrières fermement mobilisées : en conséquence, il s'inclina.

La Hongrie

En Hongrie, des changements importants à la direction de l'État avaient eu lieu sous la pression des Soviétiques bien avant 1956. En effet, Imre Nagy, un réformateur, avait été investi Premier ministre dès le 4 juillet 1953, et avait annoncé un « nouveau cours » qui préfigurait la déstalinisation. Son programme incluait la fermeture des camps d'internement, l'arrêt de la collectivisation de l'agriculture, l'abandon des projets d'industrie lourde au profit de la production de biens de consommation, la revitalisation de l'artisanat privé et le respect de la « légalité socialiste »[64]. La division s'était déjà installée au sein des élites politiques hongroises dans la mesure où le Premier secrétaire du parti communiste, le stalinien Mátyás Rákosi, était fermement opposé à ces réformes.

Dès 1954, la lutte entre les deux hommes se cristallisa sur le sort à réserver à la mémoire de László Rajk, ex-ministre de l'Intérieur exécuté avec deux de ses soi-disant « complices » à l'issue d'un grand procès tenu en septembre 1949. Cette parodie judiciaire, l'une des premières du genre en Europe centrale, s'était tenue environ un an après l'expulsion des Yougoslaves du Kominform, ce qui explique que l'aspect « antititiste » y ait été privilégié. Un citoyen américain, Noel Field, y avait servi de principal témoin à charge, documentant le « travail » de Rajk pour les « impérialistes américains ». Il témoigna ensuite à Prague contre Slánský avant d'être renvoyé dans les geôles de Budapest[65]. Sa femme, son frère et sa fille adoptive, partis à sa recherche, avaient également été arrêtés à Prague, Varsovie et Berlin-Est[66]. L'« espion américain », naïf et idéaliste[67], servit de prétexte pour harmoniser la politique stalinienne de répression dans les satellites de l'URSS. Son double témoignage au procès Rajk puis au procès Slánský *« permit d'entretenir l'illusion d'un lien entre les deux hommes et partant, d'un réseau d'espionnage international »*[68].

Le chef des services de sécurité hongrois responsable des grands procès politiques, Péter Gábor, fut arrêté le 1er janvier 1953[69]. Si cette arrestation était plus liée à la campagne antisémite consécutive au procès Slánský qu'à une quelconque libéralisation politique, sa mise à l'écart favorisa une certaine détente après l'arrivée au pouvoir d'Imre Nagy. Tous les accusés du procès Rajk encore en vie furent relâchés le 1er septembre 1954[70] et réhabilités le 9 octobre de la même année, en compagnie d'un autre groupe de condamnés communistes, János Kádár et ses « complices »[71]. Le frère de Noel Field, Hermann, fut libéré par les Polonais le 25 octobre, tandis que lui-même recouvra la liberté le 17 novembre[72]. Tous deux furent réhabilités sur-le-champ. Parallèlement, le régime dut subir une rébellion croissante des intellectuels et de la presse. La réapparition en 1954-1955 de centaines de rescapés des procès préfabriqués qui constituaient *« autant de témoignages vivants de l'iniquité du régime »*, pour reprendre l'expression de l'historien d'origine hongroise Miklós Molnár, dopa le mouvement de contestation. Un mémorandum de cinquante-huit écrivains et artistes de réputation, tous communistes et empreints à ce titre d'un sentiment de culpabilité, fut remis au Comité central pour protester contre les mesures arbitraires qui avaient frappé la vie littéraire et artistique[73]. Le discrédit jeté sur le parti aboutit à la formation d'un vaste mouvement social en faveur d'Imre Nagy[74]. Les intellectuels n'avaient pas de pouvoir politique mais ils détenaient force moyens de propagande : journalisme, littérature, enseignement du marxisme, arts et activités libérales[75] ; du moment où ils se détachèrent des politiques, le régime commença à vaciller.

Mátyás Rákosi en était conscient. Deux épreuves de force l'opposant à Nagy furent arbitrées par les Soviétiques au profit de ce dernier, en juin 1953 et en janvier 1954. Mais en 1955, lorsque son protecteur Malenkov (Premier ministre de l'URSS) chuta, Nagy dut lui aussi quitter le pouvoir[76]. Néanmoins, il ne fut ni assassiné ni emprisonné, et il continua à incarner dans l'ombre une version nationale du communisme. Sa mise à l'écart, loin de renforcer le pouvoir de Rákosi, ne fit qu'aggraver la tension sociale. Retourner en arrière aurait été d'autant plus difficile que la réconcilia-

soviéto-yougoslave venait de porter un coup décisif à l'accusation de titisme portée contre Rajk[77] (et aussi contre Slánský).

C'est dans ce contexte que le XXe Congrès rouvrit le débat sur la nécessité du changement. D'après l'historien hongrois György Litván, Rákosi était à la fois détesté et vulnérable du fait de sa responsabilité personnelle dans la période de terreur : « *La population n'avait pas oublié la façon dont le "meilleur élève hongrois de Staline" s'était vanté en 1949 de ses nombreuses "nuits blanches" passées à démasquer les agents hostiles et les ennemis.* »[78] Sous la pression de la population, Rákosi fut progressivement amené à reconnaître sa culpabilité dans les grands procès. Lors d'une réunion des fonctionnaires du parti à Eger, le 27 mars 1956, il avoua que le procès Rajk avait été un grand procès manipulé sous les auspices de Staline et qu'il avait été fondé sur une « provocation ». Rajk fut officiellement réhabilité[79]. Lors de sa dernière intervention publique, le 28 mai 1956, Rákosi admit enfin sa responsabilité personnelle dans cette affaire[80].

Comme le note Raymond Aron, la révolution hongroise fut précédée par un phénomène de « *détotalitarisation* » imposée par le bas, comme en Pologne[81]. L'opposition populaire au régime se manifesta de façon croissante et les citoyens démontrèrent activement leur volonté de changement. Les débats passionnés du Cercle Petőfi au printemps et à l'été 1956 en sont un signe. Deux mille personnes assistèrent à la séance consacrée à la philosophie sous la direction de György Lukács et l'auditoire dut se déplacer jusqu'au plus grand hall de l'université. Sept mille personnes se présentèrent à la soirée sur la presse et l'information publique[82].

Le parti communiste hongrois se divisait de plus en plus. Rákosi fut destitué en juillet mais son départ n'apaisa guère les tensions dans la mesure où il fut remplacé par un autre stalinien, Ernő Gerő. Début octobre, la pression de la société civile contraignit le pouvoir à accepter des funérailles nationales en l'honneur de László Rajk, auxquelles assistèrent deux cents mille personnes. Imre Nagy, trônant en tête du cortège, donna l'accolade à la veuve de Rajk[83]. La manifestation était silencieuse mais la tension était perceptible. L'attente populaire hongroise était exacerbée par les nouvelles de Varsovie[84]. Le 23 octobre, une manifestation organisée par les étudiants en soutien aux événements de Pologne dégénéra en rébellion ouverte. Ce n'est qu'après six jours de révolution populaire, du 23 au 28 octobre, que le programme d'« unité nationale » d'Imre Nagy fut accepté par l'ensemble du parti[85]. D'après Miklós Molnár (lui-même communiste à cette époque), la désagrégation du parti n'était ni matérielle ni politique mais morale : « *Ce n'est pas le poids, pratiquement insignifiant, de l'insurrection, mais le poids du passé qui rendra impossible au parti d'affronter le peuple en colère.* »[86] Imre Nagy pouvait alors apparaître comme le dernier recours ; il représentait l'unique lien restant entre le parti et la population. Mais sa position était trop fragile. János

Kádár, retranché à Prague, préparait sa trahison de la révolution. Il ébauchait déjà son discours au peuple hongrois et composait la liste de son futur cabinet ministériel[87].

L'importance de la pression sociale

Les situations hongroise et polonaise de 1956 ont ainsi plusieurs points communs, en premier lieu l'importance du rôle joué par les intellectuels : Déry, Gimes et Lukács en Hongrie, Kołakowski, Ważyk et Woroszylski en Pologne, participèrent pleinement à la remise en cause du régime stalinien. Les Hongrois disposaient de *Irodalmi újság*, la gazette littéraire, et les Polonais de *Nowa kultura* et de *Po prostu*, le quotidien de la jeunesse. Ensuite, la direction du parti communiste se divisa en conséquence de l'hostilité manifestée par les militants mais aussi de l'exaspération ouvrière ou paysanne et de l'usage croissant de la liberté de parole. Des dirigeants staliniens considérés comme compromis (Rákosi en Hongrie et Ochab en Pologne) furent ainsi acculés à la démission. Enfin, leurs adversaires politiques (Nagy en Hongrie et Gomułka en Pologne), porteurs de tous les espoirs populaires, se trouvèrent promus de façon improvisée à la tête d'un vaste mouvement antistalinien et agirent, de ce fait, comme des antistaliniens.

La chronologie en fin d'ouvrage détaille les actions et réactions du pouvoir et de la population dans ces deux pays : dès la mort de Staline, en mars 1953, et l'abandon dicté par l'URSS de la politique de terreur de masse, à chaque mesure restrictive prise « en haut » correspond une réaction de protestation « en bas » ; à chaque vague de protestation « en bas » correspond tôt ou tard une concession « en haut ». La répression et les compromis s'enchaînent ainsi en dents de scie pas toujours régulières, mais créent à tour de rôle un peu plus de division « en haut » et un peu plus de liberté « en bas ». En Hongrie, par exemple, la réhabilitation de Rajk le 27 mars 1956 succéda à la première réunion du Cercle Petőfi le 17 du même mois ; les débats dudit cercle sur l'application des « résultats du XXᵉ Congrès » en mai furent suivis, quelques jours plus tard, par l'aveu de compromission de Rákosi dans l'affaire Rajk ; le discours de Tibor Déry sur la liberté de la presse, le 27 juin, toujours dans le cadre du Cercle, entraîna son expulsion du parti le 30 mais aussi, indirectement, le remplacement de Rákosi par Gerő le 18 juillet – et ce dernier mit un point d'honneur à déclarer que le dernier débat du Cercle Petőfi était un « mini-Poznań » ; les funérailles nationales de Rajk le 6 octobre furent suivies de la réintégration d'Imre Nagy au sein du parti communiste hongrois le 14 octobre, elle-même accompagnée de manifestations et meetings étudiants à Szeged le 18 octobre ; le 21 octobre, la radio nationale dénonça les responsabilités de Rákosi, ce qui renforça les mouvements étudiants du 22 octobre ; Gerő s'aventura à les dénoncer d'un ton menaçant le 23 octobre, ce qui entraîna l'éclosion immédiate de la rébellion ouverte. La spirale répression-contestation-concession accéléra ainsi son rythme.

Côté polonais, le processus est similaire. Il n'est d'ailleurs pas nécessaire de se limiter à l'année 1956. À la mesure gouvernementale de prise de contrôle des nominations au sein de l'Église le 9 février 1953 succéda une procession religieuse de masse dans les rues de Cracovie qui fit reculer les forces de sécurité ; en retour, le cardinal Wyszyński fut interné en septembre, tandis que l'évêque de Kielce était condamné pour espionnage ; mais au cours du IIe Congrès du parti communiste polonais en mars 1954, de vives critiques s'élevèrent contre la politique économique, et dès le printemps de la même année, c'est le « réalisme socialiste » qui fit l'objet de controverses dans la presse culturelle ; à partir du 28 septembre, les émissions du colonel Światło à *Radio Free Europe*, décrivant la corruption de la « nouvelle classe » et la bestialité des services de Sécurité, provoquèrent l'indignation du public ; dès le 25 octobre, Hermann Field, le frère de Noel, était libéré et dédommagé, tandis que la propagande officielle accusait « *l'agent américain Światło* » de l'avoir emprisonné et que le Politburo commençait à se diviser sur l'ampleur à donner à la libéralisation politique ; enfin, le 24 décembre, c'est Gomułka qui était libéré. L'année 1955 fut marquée par la publication de larges critiques du régime dans la presse culturelle, tandis que des hauts fonctionnaires de la Sécurité étaient arrêtés ; en août, un million de fidèles promenèrent le fauteuil du cardinal Wyszyński à Częstochowa ; quelques jours plus tard, après la parution d'un poème dévastateur d'Adam Ważyk sur le régime communiste, le comité de rédaction du périodique *Nowa kultura* était évincé mais les ouvriers d'un combinat important refusèrent de le dénoncer ; en conséquence, le 21 septembre, l'organe du Comité central du parti communiste, *Trybuna ludu*, reconnut que certains points de la critique de Ważyk étaient justifiés ; et ainsi de suite tout au long de l'année 1956. En somme, en Pologne comme en Hongrie, une pression sociale croissante accompagna la désagrégation des mécanismes de contrôle du parti communiste sur la société et le discrédit des conservateurs. Pression sociale et division des dirigeants ont incontestablement entretenu une relation intime.

Contrairement à la Pologne et à la Hongrie, le rôle actif des intellectuels, la division des élites communistes, l'exaspération populaire et un haut degré d'improvisation dans la direction du pays ne caractérisent en rien la situation tchécoslovaque de 1956. L'impact du « rapport secret » y fut bien différent. L'esprit de réforme venu d'URSS dut composer avec un conservatisme ambiant qui guida des préoccupations officielles d'une toute autre nature. C'est à un autre modèle de réaction au changement que nous allons ici nous intéresser.

II – LE PARCOURS DU « RAPPORT SECRET » EN TCHÉCOSLOVAQUIE ET LES FERMENTS DE CONTESTATION NÉS DU XXᵉ CONGRÈS

Les « résultats du XXᵉ Congrès », cette expression qui fit florès dans les colonnes du quotidien communiste national *Rudé právo*, s'inscrivirent à Prague dans un contexte des plus conservateurs. Le « nouveau cours » n'avait été que partiellement adopté et la politique tchécoslovaque s'était singularisée entre 1953 et 1956 ; au contraire des autres pays communistes, dont l'URSS, la presse et les dirigeants n'avaient pratiquement pas laissé filtrer d'appels à une « lutte contre le bureaucratisme » ou à d'autres « atteintes à la légalité socialiste ». Trois problèmes essentiels se posèrent donc à eux en cette année 1956 : que faire de la nouvelle du « rapport secret » ? Dans quelle mesure un débat public devait-il être autorisé ? Enfin, comment apparaître antistaliniens tout en restant gottwaldiens ?

La politique officielle concernant les « résultats du XXᵉ Congrès »

Au retour de la délégation tchécoslovaque du XXᵉ Congrès, le bureau politique manifesta une apparente mauvaise volonté à aborder le délicat sujet des « résultats ». Une réunion fut consacrée le 2 mars 1956 à la mise au point du compte rendu qui devait en être fait devant les régions par des délégués du Comité central. Le protocole signale que « *la première partie de la discussion s'est concentrée, pour l'essentiel, autour de la réduction du temps de travail et des questions de la productivité* »[88]. Ce n'est que dans un deuxième temps que « *le camarade Novotný a montré qu'il fallait poser des questions plus larges dans les exposés devant les réunions de fonctionnaires. Il a surtout attiré l'attention sur les questions de politique internationale, sur la coopération économique entre l'URSS et les pays socialistes, il a montré qu'il fallait parler dans ces réunions du culte de la*

*personnalité de Staline, qu'il fallait analyser la façon dont le travail devait
être mené par le collectif et non pas par un individu, qu'il était nécessaire
d'élever le niveau de travail des organes du parti, des réunions de
membres et des réunions plénières au niveau local. En lien avec cela, il a
proposé que nous abordions dans toute son étendue la question du culte de
la personnalité et surtout le fait que la force du parti est dans le peuple.* »[89]
En fin de compte, les « *Orientations du bureau politique du Comité central
du KSČ pour la campagne d'explication des résultats du XXᵉ Congrès du
PCUS* » témoignent de cette réticence à abandonner la langue de bois :
« *La sévère critique que le Congrès a porté sur le grave développement du
culte de la personnalité en URSS dans la période précédant le XIXᵉ
Congrès a attiré l'attention soutenue de notre société. Il est indispensable
de consacrer à cette question l'attention qu'elle mérite et de montrer cor-
rectement aux membres du parti et aux sans-parti la substance et la profonde nocivité du culte de la personnalité.* »[90]

De plus, les délégués du Comité central qui se chargèrent d'aller
détailler ces « orientations » étaient réputés pour leur passé stalinien[91].
Antonín Novotný, Zdeněk Fierlinger, Bruno Köhler, Antonín Zápotocký,
Alexej Čepička, Rudolf Barák, Jaromír Dolanský, Viliam Široký ou encore
Karol Bacílek avaient tous détenu des fonctions importantes à la tête du
KSČ et de l'État avant et après 1953, au pire moment du régime de terreur.
Même s'il ne nous a pas été possible de retrouver de protocole de ces discours explicatifs dans les archives, il est certain qu'ils évitèrent de faire
mention du « rapport secret ». Un rapport de Novotný du 17 mars 1956,
qui établit un bilan provisoire de cette campagne d'explications devant le
bureau politique, ne laisse aucun doute sur ce point[92]. Certains des
membres du Comité central qui s'étaient déplacés pour l'occasion n'auraient pas satisfait leur auditoire. Zdeněk Fierlinger, par exemple, qui fit
son exposé à Plzeň, aurait été critiqué pour son incapacité à répondre à la
question : « *Quand la critique de Staline a-t-elle commencé et quelles
fautes graves a-t-il commises ?* », ou encore : « *Qu'en est-il du culte de la
personnalité en Tchécoslovaquie ?* » Et Novotný de dire : « *Le camarade
Fierlinger a parlé de détails qui n'avaient que peu à voir avec les questions, […] comme par exemple le fait que le maréchal Rokossowski avait
lui aussi été arrêté, etc. Il a lié ceci à Béria, qui était l'homme de confiance
de Staline. Sur Staline, il a déclaré que ses fautes avaient été causées par
sa dureté, son âge avancé et sa maladie. Son explication a donné l'impression qu'il n'y avait pas grande différence entre Staline et Béria. […] Le
camarade Fierlinger a également déclaré qu'une des fautes de Staline
avait été de lever un impôt sur les arbres fruitiers des kolkhozes.* »[93] Dans
ces conditions, les fonctionnaires présents auraient décrété qu'eux-mêmes
refuseraient d'aborder la question de Staline dans leurs exposés tant que le
sujet ne leur serait pas mieux expliqué[94].

Les méthodes du Premier ministre, Viliam Široký, furent également mises sur la sellette. Lorsqu'il présenta son exposé lors d'une réunion des fonctionnaires slovaques à Bratislava, il leva la séance tout de suite après avoir fini, sans autoriser ni question ni débat, suscitant ainsi l'impression qu'il devait s'agir d'un ordre du Comité central pour l'organisation des réunions, « méthode » qu'un auditeur s'empressa d'imiter lorsqu'il dut lui-même participer à la campagne d'explications en Slovaquie orientale[95]. Dans d'autres cas encore, la campagne d'explications prit l'allure d'une débandade. Un fonctionnaire de la région de Prešov (Slovaquie) trouva comme seul prétexte pour ne pas répondre à des questions embarrassantes qu'il n'était pas un « travailleur politique », que sa spécialité était l'économie et qu'il n'avait fait que trois ans d'études secondaires[96]. Un de ses collègues de la région de Žilina fut jugé peu convaincant et « *donna l'impression que certaines questions n'étaient pas claires pour lui non plus* »[97]. Les régions rapportent que, dans quinze autres cas, les « camarades » se déclarèrent mécontents des explications apportées[98].

Or, ce n'est pas dans la revue théorique destinée aux intellectuels du KSČ, *Nová mysl*, qu'ils auraient pu satisfaire leur curiosité. Certes, celle-ci publia bien, dès le 6 mars 1956, le compte rendu *in extenso* et, promettait-on, « *intégral* » des travaux du XXe Congrès. Mais une « Remarque de la rédaction » en dernière page pouvait jeter le doute dans l'esprit d'un lecteur attentif : « *Par manque de place, la rédaction a procédé à quelques coupures dans certaines des contributions des délégués au XXe Congrès.* »[99] Une rapide comparaison avec la publication soviétique des travaux du XXe Congrès nous montre, sans surprise, que ces coupures tenaient au « rapport secret »[100]. C'est la vingtième et dernière session du XXe Congrès, le 25 février 1956, qui semble avoir posé le plus grand problème aux éditeurs tchécoslovaques. En effet, dans la version russe, mention est faite de la session extraordinaire de la veille au soir. Le texte débute ainsi : « *Le Congrès, lors de la session fermée, a écouté l'intervention du Premier secrétaire du Comité central du PCUS, le camarade N. S. Khrouchtchev, "Sur le culte de la personnalité et ses conséquences", et a adopté à ce sujet une résolution.* »[101] Le texte de cette « résolution » est d'ailleurs livré : « *[…] Après l'audition du rapport du camarade N. S. Khrouchtchev sur le culte de la personnalité et ses conséquences* », le Congrès « *recommande* » au Comité central du PCUS « *de mettre en œuvre l'élimination définitive du culte de la personnalité dans le marxisme-léninisme, la liquidation de ses conséquences dans toutes les sphères de la vie du parti, un renforcement du travail idéologique et l'application stricte dans le parti de la direction collégiale et des principes définis par le grand Lénine.* »[102]

Dans *Nová mysl*, c'est l'ensemble de la vingtième session qui est gommée. Les débats s'y arrêtent le 24 février. La revue ne donne d'ailleurs pas, et cette absence ne pouvait manquer d'attirer l'attention, les dates précises d'ouverture et de fermeture du Congrès : il est seulement indiqué « Février 1956 ». Pourtant, malgré un soi-disant « manque de place », la publication ne fait l'impasse sur aucune intervention jusqu'au 25 février, à l'exception du salut des pionniers soviétiques. Le recueil d'interventions proposé inclut ainsi, à longueur de page, les discours et télégrammes soporifiques de délégations communistes insignifiantes, telles celles du Japon ou du Luxembourg, sans parler des régions les plus reculées d'URSS.

Dans ces conditions, il est compréhensible que les bureaucrates envoyés en première ligne sans formation préalable pour diffuser les « résultats du XXᵉ Congrès » aient ressenti quelque difficulté. Même la presse officielle le rapporte : « *"J'ai la tête qui explose", proclama le président d'une organisation locale du parti dans le journal de Liberec*, Stráž míru. *"Il y a partout des discussions, les gens posent des questions, on doit donner des réponses à tout. Je n'ai même pas encore les idées très claires sur le sujet... On ne croirait jamais à quel point les gens sont curieux".* »[103]

Car dans le même temps et malgré toutes les précautions, la nouvelle du « rapport secret » se propageait. Même dans un pays aussi fermé que la Tchécoslovaquie, l'en empêcher se révéla impossible. Un résumé en fut par exemple diffusé par les radios occidentales à destination des pays d'Europe centrale (*Radio Free Europe*, dès le mois de mars 1956). L'historien Zdeněk Suda affirme même que c'est le « rapport secret » dans son intégralité qui fut parachuté en Tchécoslovaquie par les ballons de *Radio Free Europe*, dès le début du printemps[104]. Si ce dernier point n'est pas prouvé, les archives du ministère tchécoslovaque de l'Intérieur recèlent un exemplaire daté d'avril 1956 (n° 47) de la revue *Europe libre* (*Svobodná Evropa*) : « *Le mythe de Staline s'est effondré* », titre-t-elle en première page en détaillant tous les aspects du « rapport secret ». L'éditorial s'intitule : « *La fin du stalinisme* » et deux photos sont en première page : celle de László Rajk, « *Réhabilité* », et celle de Rudolf Slánský suivie d'un point d'interrogation[105].

Même si elle n'avait pas eu accès à ces informations précises, la population n'aurait pu ignorer, en mars 1956, que quelque chose de grave s'était produit. En effet, comme c'était la règle, la presse commenta avec abondance un événement aussi important qu'un congrès du PCUS. Les articles consacrés aux « résultats du XXᵉ Congrès » et à ses diverses applications dans le « travail quotidien », à la dénonciation du « culte de la personnalité » et au retour nécessaire à un esprit « léniniste » faisaient preuve d'un esprit si rafraîchissant que l'initiative ne pouvait en venir que du Kremlin. Rappelons que le « testament de Lénine » avait été distribué au XXᵉ Congrès. Les correspondants à Moscou avaient donc eu accès au document, même si la lettre de Lénine ne faisait pas partie de la somme des interventions compilée par *Nová mysl* dans son numéro spécial (il est vrai qu'elle ne fut pas non plus incluse dans la publication soviétique des travaux du XXe Congrès). En conséquence et quelles qu'aient été les réticences du bureau politique, le ton des éditoriaux changea dès le 27 février, date du retour de la délégation tchécoslovaque au XXe Congrès[106].

Novotný informe le Comité central

Sous la pression interne à son parti – ou peut-être externe au pays –, Novotný se décida à pleinement informer ses pairs des critiques khrouchtchéviennes de la « légalité socialiste » et à organiser une réunion extraordinaire du Comité central les 29 et 30 mars 1956. Son exposé, « *Le XXe Congrès du PCUS et les conséquences qui en découlent pour le travail de notre parti* »[107], fut classé « strictement confidentiel » car il y présenta la totalité du « rapport secret ». Comme Khrouchtchev, il en appela à un plein retour de la direction collégiale dans le pays et recommanda de revenir à la lettre de la constitution du KSČ, pour que le bureau politique ou les comités locaux ne résolvent plus les questions en cours sans même en informer leurs membres[108]. Il alla même assez loin dans l'autocritique collective : « *Le lien personnel entre les camarades dirigeants et la masse des travailleurs est faible, nous connaissons peu les gens d'en bas, leurs joies et leurs peines.* »[109] La délicate question du culte de la personnalité fut, elle aussi, abordée sans détour : « *Il faut dire clairement que nous avons tous accepté et même propagé le culte de la personnalité au sein du parti, surtout lorsque le rôle de celui-ci est devenu prédominant au sein de l'État. Les principes léninistes de fonctionnement ont été violés et nous avons copié et développé le système nuisible que Staline avait imposé pendant de longues années en URSS. Cette pratique a été le fait de la direction même du parti et ce système progressivement mis en place a agi de manière néfaste sur toute la vie du parti et de la société.* »[110] Quant au « Staline tchécoslovaque », Gottwald, il ne fut pas épargné : malgré ses « *incontestables mérites* » et sa « *modestie bien connue* », certains « *succès* » appartenant « *au parti et aux masses* » lui avaient été attribués ; une « *atmosphère d'invulnérabilité* » s'était ainsi créée, ce qui avait « *affaibli la direction collégiale* », un « *état de fait* » qui se serait manifesté dans l'« *automatisme* » avec lequel les membres du Comité central acceptaient « *tout ce qui leur était proposé* ». Et Novotný de conclure : « *Nous percevons encore aujourd'hui dans notre parti des survivances de ce culte de la personnalité.* »[111] Contrairement au « rapport secret », ces paragraphes sur Gottwald et le « culte de la personnalité » furent publiés dans *Rudé právo*[112]. Novotný insista également sur le fait qu'il était néfaste que des statues soient érigées à des dirigeants encore en vie ou que des rues, écoles et usines prennent leur nom. Ces pratiques allaient parfois si loin, ajouta le Premier secrétaire, que certains officiels (il pensait à Alexej Čepička, gendre de Gottwald et ministre de la Défense nationale) faisaient accrocher leur portrait dans les bureaux de leur administration[113]. Afin que les choses changent, que l'esprit critique devienne une pratique courante au sein du KSČ et que les appréhensions soient surmontées au niveau local, Novotný recommandait une autocritique « *en haut* ». D'après lui, seul un tel exemple était susceptible de modifier les pratiques et les mentalités « *en bas* »[114].

Restaient à évoquer les délicates questions des procès politiques, de la rupture soviéto-yougoslave et de la réhabilitation des condamnés. Comme Khrouchtchev, Novotný dénonça les « *manœuvres de Béria* »[115], imputa la responsabilité de la rupture soviéto-yougoslave au seul Staline[116], reconnut que les interbrigadistes ayant combattu en Espagne avaient été condamnés à tort et admit que les ferments antisémites des grands procès étaient « *incorrects* »[117]. Dans cette perspective, il évoqua le nom des condamnés tchécoslovaques dont le cas venait d'être révisé par une commission spéciale du Comité central : Marie Švermová, Josef Smrkovský, Artur London, Eduard Goldstücker, Pavel Kavan et Karel Dufek, reconnus innocents de la plupart des chefs d'accusation qui les avaient visés, devaient être libérés. Mais pour la responsabilité du régime de terreur, pas question de compromis : d'après lui, c'est Slánský qui avait « *importé* » les « *méthodes* » de Béria en Tchécoslovaquie ; en effet : « *Au cours d'une réunion des travailleurs de la Sécurité, il proclama que ceux-ci devaient s'inspirer de l'expérience des appareils policiers capitalistes, y compris de la Gestapo.* »[118] L'ex-secrétaire général aurait donc été responsable de la falsification des preuves ayant conduit à porter de « *graves accusations* » et à condamner « *injustement* » certaines personnes[119] – une version qui ne dit pas par quel tour de force il parvint à se faire lui-même exécuter sur la base d'aveux recueillis sous la torture.

Néanmoins, l'intervention de Novotný provoqua un vif émoi dans la salle, ce dont attestent les réactions (consignées par écrit) de presque tous les orateurs[120]. Deux témoins se souviennent en outre qu'elle fut « *unanimement* » considérée comme « *innovante* » et « *courageuse* », en particulier la critique « *très sévère* » de Gottwald[121]. L'un d'eux raconte qu'un membre du Comité central était venu le voir après le XXe Congrès et lui avait confié sa conviction que Staline était un « *Hitler rouge* ». D'après lui, les intellectuels et le « *sommet du parti* » débattaient ouvertement de la responsabilité de Staline et des dérives inhérentes à l'idéologie communiste. Pour eux, le stalinisme n'était pas qu'une « *erreur passagère* ». Mais Novotný aurait considéré ces discussions comme « *hérétiques* » : « *Il croyait vraiment à sa propre version* », conclut notre témoin[122].

D'après Novotný, les discussions au sein du KSČ n'avaient pas été aussi vives depuis 1945[123]. C'est pourquoi il décida de convier une seconde réunion au mois d'avril[124]. Celle-ci, qui se tint les 19 et 20 avril 1956, n'apporta rien de bien nouveau mais confirma l'émotion soulevée par son discours du 29 mars. Son aveu de la responsabilité collective du Comité central dans l'affaire du « culte de la personnalité » de Gottwald avait décidément fait sensation. Et pourtant l'ex-guide suprême du communisme tchécoslovaque, à la différence de Staline, restait pour le KSČ le « camarade Gottwald ».

La lecture du « rapport secret » devant les membres de base du parti

D'après Jiří Pelikán, qui dirigeait à cette époque l'Union internationale des étudiants[125] et qui bénéficiait donc d'un statut d'apparatchik assez élevé, Novotný décida d'informer jusqu'aux membres de base du KSČ des critiques portées à l'encontre de Staline. Un « résumé des accusations » (Pelikán) aurait été lu dans chaque cellule du parti. Les représentants du Comité central auraient eu à leur disposition une brochure numérotée, qu'ils devaient lire sans ouvrir de débat et restituer dans les plus brefs délais. Les réactions auraient été très fortes : « Une véritable explosion s'ensuivit : les gens s'effondrèrent en larmes, surtout les femmes et les vieux communistes pour qui Staline était à la fois le symbole absolu de la révolution, de la Libération et même de leur propre vie... D'autres, qui avaient surmonté avec peine la nouvelle de sa mort, n'étaient nullement prêts à entendre dire que l'idole de toute leur vie n'était en réalité qu'un maniaque et un criminel. »[126]

Ni ces réunions orageuses, ni même l'ordre de lire à tous les niveaux du KSČ une brochure numérotée ne semblent avoir laissé de traces dans les archives du Comité central. Cependant, il est exact que Novotný y fait allusion. Le 19 avril, il déclara devant le Politburo que son discours du 29 mars avait été critiqué « en bas » car il « n'explique pas assez comment on a pu arriver à une telle situation au début des années 1950 et qui en est responsable »[127]. Le 2 mai, il précisa : « D'après les rapports régionaux, l'exposé prononcé lors de la réunion de mars du Comité central a été étudié dans la grande majorité des organisations de base du parti. »[128] Enfin, le 11 mai, il évoqua à nouveau le débat suscité au sein du KSČ par son exposé du 29 mars : « Une minorité certaine des membres [...] cherche à accentuer le caractère sensationnel de l'exposé et de la résolution et leur intérêt se centre autour du culte de la personnalité. »[129] De plus, certaines interventions à la seconde réunion du Comité central, celle des 19 et 20 avril 1956, font état des réactions de la « base » à la lecture du rapport du 29 mars, comme ici Josef Korčák (futur Premier ministre après l'invasion des troupes du Pacte de Varsovie en 1968) : « *Les faits sur Staline sont si graves que la seule lecture du rapport ne suffit pas à beaucoup de membres de notre parti pour leur permettre d'en saisir pleinement la portée.* »[130] Zdeněk Fierlinger, le président du Parlement, en témoigne également : le « *peuple tchécoslovaque* », en prenant connaissance des circonstances entourant le culte de la personnalité, condamné avec « *une telle fermeté* » par le XXe Congrès du PCUS, « *a, après ses premières impressions face à la pleine révélation de toutes les circonstances objectives, du mal à la vivre* »[131]. La dernière intervention en ce sens est celle de Vasil Biľak, autre futur thuriféraire de Moscou après 1968 : « *Nous avons connu des cas où les membres du KSČ ont refusé d'écouter la partie de l'exposé où les fautes de Staline étaient critiquées. Quelques membres du parti et des sans-parti critiquent le Comité central du PCUS, notre Comité central et certains de ses membres ; ils persuadent leur entourage et se persuadent eux-mêmes que c'est quelqu'un d'autre qui est coupable, que tout le monde est coupable, pour que ce ne soit pas aussi grave que cela en a l'air, pour que le seul coupable ne soit pas Staline.* »[132]

L'affirmation de Jiří Pelikán apparaît donc très vraisemblable. Partant, la forte impression produite par le discours de Novotný sur les membres du parti n'atteste pas tant de son caractère « osé » que de l'atmosphère archi-stalinienne qui régnait encore au sein du KSČ. Que les conséquences assez timides tirées par Novotný pour le régime tchécoslovaque aient produit une telle sensation, alors qu'il se disait au même moment (et depuis longtemps) des choses bien plus radicales en Pologne et en Hongrie, montre la différence d'appréhension de la déstalinisation dans les trois pays. Le seul « événement » imputable de façon directe aux « conséquences du XXe Congrès » semble relativement trivial : la radio tchécoslovaque cessa de diffuser l'hymne soviétique à la fin de ses émissions pour ne plus diffuser que l'hymne national[133].

La clef du « succès » de Novotný ?

Comment Novotný réussit-il à rester en place en 1956 alors que ses homologues hongrois et polonais avaient été balayés par un mouvement de contestation ? Certains analystes soulignent l'importance de sa date d'arrivée au pouvoir (1953). La continuité stalinienne régnant à Prague pourrait tenir au fait que la succession de Gottwald avait été assurée « *de suite à la tête du parti* », avant même que celle de Staline n'ait été décidée à Moscou, et que « *la rivalité Khrouchtchev-Malenkov créait à la périphérie occidentale de l'Empire un espace suffisant permettant la contestation de l'inté-*

rieur des équipes staliniennes au pouvoir »[134]. Antonín Novotný, un homme d'appareil qui avait « *activement contribué à envoyer bon nombre de ses collègues en prison et même à la potence* », n'aurait ainsi eu aucun intérêt, en 1956, à s'intéresser de trop près aux soi-disant « *empiétements à la légalité socialiste pendant la période du culte de la personnalité* »[135].

Ces éléments d'explication se heurtent toutefois à la complexité de la succession Gottwald. En effet, les changements consécutifs à sa mort ne furent pas exactement entérinés « *de suite* » mais après une semaine, un délai qui aurait pu paraître anodin si Paul Barton n'avait noté, dès 1954, qu'il était inhabituel dans de telles circonstances et qu'il indiquait certainement l'existence d'une âpre bataille de succession[136]. De plus, Novotný fut bien chargé d'assumer provisoirement la direction du secrétariat du KSČ mais il ne fut pas élu Premier secrétaire immédiatement ; cette fonction ne lui fut attribuée que six mois plus tard, en septembre 1953. La différence est de taille car Béria avait alors disparu de la scène politique et la rivalité Khrouchtchev-Malenkov existait déjà. Plus important encore, Novotný était plutôt moins coupable des « empiétements à la légalité socialiste » que Rákosi, par exemple, vanté comme le « meilleur élève hongrois de Staline ». Il aurait même pu se servir de son étiquette de communiste de « deuxième génération », post-gottwaldienne, pour éluder ses responsabilités et tirer le bénéfice politique d'une libéralisation. Rákosi était sans doute tout aussi désireux que lui de maintenir l'ordre post-stalinien dans son pays et de tourner le dos au passé, mais la grande différence réside dans la situation socio-économique, politique et morale des deux pays. La forte pression de la société hongroise, notamment des intellectuels, contraignit Rákosi à reconnaître sa responsabilité dans le procès Rajk. Il s'inclina sans véritable résistance – comme Ochab et Gerő, du reste –, mais Novotný n'en fit pas autrement lorsque son tour fut venu, en janvier 1968 (d'ailleurs sous une pression comparable de la société et des intellectuels).

Il semble donc ici opportun de rappeler l'importance de la pression sociale sur les dirigeants des partis communistes. Les disparitions de Rákosi et de Bierut de la scène politique, dès 1953, n'auraient certainement pas suffi à étouffer les humeurs révolutionnaires en 1956, dans la mesure où la contestation populaire s'ancrait solidement sur une base socio-économique. Leurs successeurs ne survécurent d'ailleurs pas plus de quelques mois lors de cette fatidique année 1956 (de mars à octobre pour Ochab et de juillet à octobre pour Gerő), alors que Novotný resta Premier secrétaire du KSČ pas moins de douze années supplémentaires. Cette longévité renvoie à la faiblesse du désir de contestation dans la société (ou à l'assise du régime) ; c'est une piste de recherche qu'il nous conviendra d'explorer plus loin.

La diffusion du « rapport secret » au sein de la population

Les citoyens non membres du parti communiste n'avaient pas directement accès au texte du « rapport secret ». Les radios occidentales représentèrent donc pour eux la seule source d'information. Les documents d'archives montrent que les autorités tchécoslovaques consacrèrent une énergie considérable à lutter contre le pouvoir déstabilisant de *Voice of America* et surtout de *Radio Free Europe*. Non contente de diffuser des informations en langue locale au moyen d'émetteurs surpuissants, celle-ci distribua par ballon des millions de tracts, ce qui provoqua une vaste campagne de protestation menée de Prague[137]. Les dirigeants affectaient de s'indigner du danger posé à la circulation aérienne et aux simples citoyens, « *surtout aux enfants* », venus les ramasser[138].

Les sources policières donnent une idée du niveau d'écoute des stations occidentales, dans la mesure où la StB disposait d'un réseau de « confidents », c'est-à-dire d'espions, qui écoutaient et rapportaient ce que les citoyens disaient en privé comme en public, et qui envoyaient quotidiennement leurs rapports[139]. Pour des raisons évidentes, le contenu de tels rapports est *a priori* sujet à caution. Cependant, l'écoute des radios occidentales peut être considérée comme un point assez « neutre ». Même si l'on peut douter de leur sincérité, certains citoyens, par exemple, n'admettaient l'avoir écoutée que pour mieux la dénoncer et se poser en partisans du régime : ainsi, « *Zdenek Firer, de Litomerice, ouvrier, a dit : "Hier je me suis mis à écouter* Radio Free Europe *à 22 h 30. À 23 heures je l'ai éteinte, ce sont des provocations et on ne peut pas écouter ça. Rien de concret, que des bavardages ; ma femme a dit que si elle tombait un jour sur le rédacteur de* Radio Free Europe, *elle se jetterait sur lui d'une telle façon qu'il faudrait la retenir"* » (Ústí-nad-Labem, 6 novembre 1956)[140]. Dans la même veine, un rapport peut être hautement suspect sur le plan du contenu tout en mentionnant les radios avec une certaine vraisemblance : « *Il a été observé qu'on écoute plus qu'avant les radios étrangères, surtout Vienne. Quelques personnes ont précisé qu'elles prenaient avec réserve les nouvelles de l'Ouest, car elles savent qu'elles sont au service de la propagande des États occidentaux* » (Gottwaldov, 30 octobre 1956)[141]. Ou encore celui-ci : « *L'informateur Smrcek dit que beaucoup des fausses nouvelles répandues au sein de la population viennent du fait que les gens écoutent la radio de Vienne mais ne parlent pas bien allemand et propagent ensuite des nouvelles déformées* » (Brno, 8 novembre 1956)[142]. Dans d'autres cas, en revanche, l'aveu d'écoute des stations occidentales a pu servir à informer de l'« activité ennemie » de telle ou telle personne : par exemple, « *Zdenek Slavik, koulak exproprié, a comparé le camarade Staline à Hitler. [...] Il a dit qu'il n'y avait que* Radio

Free Europe *qui disait la vérité* » (Ústí-nad-Labem, 19 novembre 1956)[143]. D'autres citoyens encore prouvent leur écoute de l'Occident en faisant état d'informations indisponibles dans les médias tchécoslovaques : « *Antonin Holly, de nationalité allemande, à la retraite, né en 1890, a dit que les Russes déportaient par wagons entiers les Hongrois en Sibérie. De son récit on peut déduire, et il le dit lui-même, qu'il écoute la radio de RDA et de RFA* » (Ústí-nad-Labem, 22 novembre 1956)[144]. Au total, les exemples sont assez nombreux pour montrer que l'écoute des stations occidentales était un phénomène réel[145], d'autant que le ministre de l'Intérieur lui-même reconnut devant le bureau politique que le brouillage n'était plus suffisant pour couvrir les émissions de *Radio Free Europe* en ondes longues en Bohême occidentale[146]. La mention de ces radios dans les rapports de police servait surtout à évaluer l'efficacité du « brouillage ». L'enjeu était de mieux localiser les émetteurs occidentaux, d'en évaluer la puissance et de mieux positionner les stations de brouillage. L'attention accordée à cette question par les ministères de l'Intérieur et des Communications atteste de son importance[147].

Puisque ces radios répercutèrent largement la nouvelle et le contenu du « rapport secret », une grande partie de la population en entendit parler et la rumeur acheva de propager ce secret de Polichinelle. Le public n'allait pas rester sans réactions après de telles révélations. Tour à tour, les membres du KSČ, les écrivains et les étudiants se firent remarquer au cours de cette année 1956 par une volonté de réformes empreinte du fameux « esprit du XXᵉ Congrès ».

Les revendications des membres du KSČ

Dans un discours du 12 mai 1956, le Premier ministre Viliam Široký donna un premier signe d'insatisfaction : selon lui, la « *bourgeoisie* » et les « *forces réactionnaires* » avaient « *abusé* » de « *l'esprit de critique né du XXᵉ Congrès* ». Même s'il « *fallait s'y attendre* », poursuivit-il, ce n'était pas une raison pour autoriser « *diverses personnes critiques* » au sein même du parti à « *prendre le point de vue de l'ennemi, de l'anarchisme, du programme du libéralisme et du nationalisme bourgeois* », et à s'en prendre ainsi aux « *possibilités sociales offertes au peuple* »[148]. En fait, les réactions de la base, à la lecture du rapport Novotný, avaient déplu à la direction. Certaines des cellules avaient demandé la convocation d'un congrès extraordinaire en plus de la conférence nationale du parti prévue en juin et Novotný lui-même admit qu'elles n'appréciaient pas d'avoir été qualifiées pour cela de « *trotskystes* »[149]. Il s'agissait surtout d'« *organisations non productives »*, *« intellectuelles »*, praguoises pour l'essentiel[150] : facultés de l'université Charles, maisons d'édition, revues, quotidiens, administrations, grandes écoles ou instituts de recherche et même la quatrième cellule du parti au ministère des Affaires étrangères[151], sans oublier le ministère de la Défense nationale et l'« administration politique » de l'armée[152]. Novotný déplora le manque d'« *éducation partisane* » de ces « *diplômés de diverses écoles* » issus des « *rangs de l'intelligentsia* » et « *sans expérience de la vie et du parti* »[153]. Certes, d'après les chiffres qu'il avança lui-même, seules 235 organisations de base sur 47 000, c'est-à-dire 0,5 % d'entre elles, représentant 15 000 membres du KSČ sur 1 400 000, soit à peine plus de 1 %, avaient envoyé une telle « résolution »[154]. Néanmoins, il proclama avec force qu'il importait de ne pas sous-estimer ces « *tendances à la partialité* »[155] et proposa un programme en treize étapes de combat musclé alliant conviction et répression. Parmi les points sensibles, on peut noter qu'il recommanda de vérifier l'« *origine de classe* » des étudiants, de mettre fin à l'« *avilissement* » des membres de la direction du KSČ, de ridiculiser la propagande ennemie dans la presse et à la radio, mais aussi de prendre des mesures immédiates dans les domaines critiqués par les ouvriers (bureaucratie et administration), ou encore de « *lutter contre les doutes lorsqu'il s'agit de l'aide de l'Union soviétique* » et contre le « *nationalisme bourgeois* » en Slovaquie, sans oublier de justifier l'expulsion des Allemands des Sudètes en 1945 en tant qu'« *acte historique de notre révolution nationale et démocratique* »[156].

Si les tentatives d'opposition au sein du KSČ furent ainsi désamorcées, cet épisode révèle-t-il néanmoins un début de divorce entre les intellectuels et le régime ? La question peut d'autant plus se poser que, d'après Jiří Pelikán, « *les sections du parti qui ne voulurent pas retirer leur demande furent dissoutes* » et leurs membres « *impitoyablement exclus* »[157]. Mais même à supposer que cette affirmation soit exacte (les archives ne semblent pas le mentionner), l'exclusion de quelques membres du KSČ n'aurait certainement pas suffi à dissuader l'ensemble de la base de demander des comptes si l'esprit de contestation au sein du KSČ en 1956 avait eu une réelle ampleur. Alors que les dissensions entre les intellectuels et le pouvoir en Pologne et en Hongrie mûrissaient entre 1954 et 1956, il n'existait aucun équivalent à Prague des phares oppositionnels qu'étaient les journaux littéraires de ces deux pays. Il fallut attendre 1967-1968 pour voir apparaître la spirale « contestation/tentatives d'interdiction/renaissance de la contestation sous d'autres formes ». Les origines du Printemps de Prague sont d'ailleurs bien utiles à rappeler : la tension monta de façon croissante dans la seconde moitié des années 1960 entre les écrivains et les dirigeants. Le IVe Congrès de l'Union des écrivains, en juin 1967, vit une confrontation ouverte entre l'idéologue Jiří Hendrych et les écrivains Ludvík Vaculík, Pavel Kohout, Antonín Liehm, Ivan Klíma, Václav Havel et d'autres. Après plusieurs déclarations orageuses de Novotný et de Hendrych et une réunion du Comité central en septembre, Vaculík, Liehm et Klíma furent exclus du KSČ[158]. Mais, contrairement à 1956, cette expulsion ne fut pas suivie d'une remise au pas des intellectuels. Bien au contraire, les revendications et le conflit avec le KSČ se durcirent jusqu'à l'éviction de Novotný, en janvier 1968, et la réintégration des insoumis le 5 avril de la même année. Il se passa, en 1968, en Tchécoslovaquie un processus de contestation intellectuelle parfaitement comparable à celui qu'avaient connu la Pologne et la Hongrie en 1956. Mais le deuxième Congrès des écrivains tchécoslovaques d'avril 1956, quoique mettant à jour certaines velléités d'indépendance, fut loin d'être aussi tumultueux.

Les intellectuels se manifestent avec courage, mais entre eux

Le Congrès se réunit du 22 au 29 avril 1956, pour la première fois depuis 1949. Comme dans les autres pays communistes, l'Union des écrivains tchécoslovaques avait été « stalinisée » à partir de 1948 et malgré le « dégel », ses membres ne s'étaient guère manifestés entre 1953 et 1956. Ce passé difficile fut rappelé par František Hrubín et Jaroslav Seifert, tous deux poètes de grand renom[159].

En introduction, Hrubín remarqua qu'il aurait pu tenir le même discours trois, cinq ou même neuf ans plus tôt, n'eût été l'atmosphère *malsaine et étouffante* qui planait alors sur la littérature tchèque[160]. En tant qu'écrivain non communiste, il estimait donc que son *devoir* était désormais venu de parler et il s'autorisa à critiquer le régime et les conditions de vie des écrivains, rappelant en particulier le sort réservé à Jiří Kolář, un poète *d'origine prolétarienne* qui avait été *durement attaqué* par l'hebdomadaire culturel *Tvorba* et qui s'était retrouvé isolé du monde littéraire. À en croire Hrubín, cette situation *inhumaine* n'était que l'arbre qui cachait la forêt et il ne mâcha pas ses mots : « *Ceux qui se promènent, qui écrivent en paix, qui perçoivent sereinement leurs honoraires et qui s'endorment en toute quiétude, ceux qui font comme s'il ne se passait rien et ne clament pas qu'il s'agit d'une injustice sont des égoïstes petits-bourgeois qui se voilent la face. Quant à ceux qui cultivent leur honte en silence, ce sont des lâches. Nous aurons toujours la tentation d'enfouir, de dissimuler, d'occulter la réalité. Notre indignité n'en est que plus grande. Si nous n'avons pas honte de nous-mêmes aujourd'hui, ce sont nos enfants qui auront honte de nous demain.* »

Quant au discours de Jaroslav Seifert, il débute presque comme un poème : « *Que nous, écrivains, soyons vraiment en cet instant la conscience du peuple. Car, j'en ai peur, il y a bien des années que nous ne l'avons pas été, que nous n'avons pas été l'étendard de la conscience, de la conscience de millions de gens, et je crains que nous n'ayons même pas été notre propre conscience. »*[161] L'écrivain ne pouvait se contenter d'être l'« ingénieur des âmes humaines » dont rêvait Staline : *« Ne sommes-nous vraiment que des producteurs de vers, de rimes et de métaphores ? Ne sommes-nous que des conteurs d'histoire et rien de plus, incapables de nous poser de temps à autre la question de notre statut d'écrivain ? »* Ces appels eurent des résultats parfois inattendus. Ainsi, la réaction de Zdeněk Fierlinger, le président de l'Assemblée nationale, est étonnante : n'évoqua-t-il pas à la tribune – peut-être dans un sursaut de culpabilité – les *« nombreux bureaucrates* [de la littérature], *imprégnés de part en part par le culte de la personnalité »*, qui avaient été *« prêts à marcher sur des cadavres »* pour faire avancer leur carrière[162] ?

Le secrétaire à l'Idéologie, Jiří Hendrych, réagit de façon bien plus orthodoxe dans son rapport au Politburo ; Hrubín fut jugé relativement inoffensif, un être dont la *« vision noircie des années passées »* ne tenait qu'à ses *« sentiments subjectifs »*[163] mais Seifert, lui, posait problème : les *« relents démagogiques »* de son discours[164] ne pouvaient s'expliquer que par son *« passé »* [il avait quitté le KSČ en 1929 pour manifester son refus de la « bolchevisation »]. Hendrych constata avec irritation que Hrubín et Seifert étaient de ceux qui avaient reçu le plus de voix lors de l'élection du Comité central de l'Union des écrivains[165], même si les staliniens y restaient présents et surtout dominants avec, par exemple, Jan Drda, Marie Majerová et Marie Pujmanová (le Politburo était d'ailleurs globalement satisfait de cette nouvelle composition)[166].

S'il convient avant tout de saluer le courage personnel de Hrubín et Seifert, notons que le débat qu'ils suscitèrent resta limité dans son ampleur et surtout confiné au milieu intellectuel. Bien que leurs discours (et même la réaction de Fierlinger) aient été publiés dans leur intégralité par *Literární noviny*, ni les écrivains dans leur ensemble, ni la population ne prirent fait et cause pour eux. Non seulement le régime ne fut pas remis en question, mais le journaliste Tad Szulc affirme même que František Hrubín dut présenter des excuses publiques en 1957 lors d'une réunion de l'Union des écrivains. Seifert aurait quant à lui refusé de s'excuser[167].

La « révolution en pyjama » :
les étudiants tchécoslovaques en 1956

Le dirigeant de l'Union des étudiants en 1956, Ladislav Němec, était candidat au KSČ, un statut intermédiaire avant l'entrée complète au parti. Il fut invité à une réunion d'explication à la faculté de mathématiques et prit donc officiellement connaissance du contenu du « rapport secret »[168]. Il était connu pour sa franchise, d'autant que sa conviction communiste était encore incertaine[169], et ne laissa donc pas ses camarades de la faculté de chimie dans l'ignorance du plus grand événement de l'année. De toute façon, de nombreux étudiants écoutaient régulièrement les radios occidentales et avaient déjà entendu parler du « rapport secret »[170]. La nouvelle se répandit de meeting en meeting, gagnant les facultés de géologie, de physique et de mathématiques.

Les étudiants étaient mécontents à plusieurs égards de la situation dans le pays. Ils décidèrent donc de participer à l'« esprit du XXᵉ Congrès » en publiant une *Résolution* qui devait mettre en forme leurs revendications. Michal Heyrovský, protégé par sa filiation avec l'un des plus grands savants tchèques de l'époque, la lut à haute voix le 24 avril 1956 devant une salle comble. Il en résume ainsi les objectifs : « *Nous demandions entre autres une relation d'égal à égal avec l'Union soviétique, nous voulions avoir accès à la littérature occidentale et nous refusions que la radio occidentale soit brouillée (nous considérions le brouillage comme indigne). Ensuite, nous voulions que l'hymne soviétique ne soit plus diffusé à la fin des émissions de la radio tchèque, nous voulions que les étoiles rouges soient enlevées des locomotives et nous voulions que le parti communiste mette en œuvre son rôle dirigeant à travers la concertation, l'exemple et la discussion, plutôt que par des directives. Nous avions formulé tout cela en vingt-quatre points.* »[171]

D'après l'historien slovaque Ivan Kamenec, qui entra à l'université de Bratislava à l'automne 1956, on parlait alors de « révolution en pyjama » : en effet, c'est au sein des cités universitaires, les dortoirs des étudiants, que cette *Résolution* suscita les plus vives discussions[172].

De plus, le 20 mai 1956, eurent lieu les Majáles, un carnaval étudiant populaire qui se tenait traditionnellement à cette époque mais qui avait été interdit depuis 1946 (et qui le fut à nouveau de 1957 à 1965). Jiří Pešek, un étudiant qui participa au défilé, a conservé de nombreuses photographies de l'événement[173]. Des étudiants portent par exemple une fausse bibliothèque barrée de la mention « À l'index ». D'autres sont déguisés en dinosaure censé représenter les officiels du régime. L'animal est surmonté de deux pancartes : « Voilà ce qu'on mange au restau U » et « J'ai la peau aussi épaisse que le min. de l'Éducation » (« min. » pouvant être interprété comme « ministère » mais aussi comme « ministre »). En effet, c'est surtout le ministre de l'Éducation, František Kahuda, qui concentra les critiques. Jiří Skopec, un autre étudiant, était déguisé en vieux moine appuyé sur une canne et portait la pancarte : « En avant pour la réforme de l'éducation ! » Un autre encore arborait le slogan : « Vive le ministre Kahuda ! Poisson d'avril ! » Le staff du quotidien de l'Union de la jeunesse, *Mladá fronta*, était représenté par un groupe d'étudiants aux yeux bandés. Enfin, en tête du défilé de Bratislava figurait un cercueil orné de l'inscription :

« La liberté de penser »[174]. Les actualités cinématographiques montrent également de brèves images des Majáles à Prague. La participation populaire semble importante mais non massive, l'atmosphère apparaît joyeuse et libre, sur un mode plus spontané que les manifestations officielles comme celle du premier mai[175].

Nombre d'Occidentaux jugèrent à l'époque, au vu de ces événements exceptionnels, qu'il s'agissait d'un mouvement social puissant, l'équivalent des mouvements hongrois et polonais[176]. Un tract de *Radio Free Europe* envoyé par ballon affirme par exemple : « *Novembre 1939, Février 1948, Mai 1956 :* [...] *Les manifestations à Prague et à Bratislava entrent dans notre histoire comme un événement important. Elles sont le premier exemple d'une opposition organisée anticommuniste. Les étudiants se sont ralliés à la grande armée des combattants anonymes qui luttent autour du globe pour la liberté commune. Le monde libre a tout de suite compris l'importance de cette manifestation et a réagi avec une grande vigueur.* »[177] Un ancien rédacteur de *Radio Free Europe*, John Matthews, soutient encore aujourd'hui la thèse selon laquelle c'est le mouvement étudiant tchèque qui inaugura la vague révolutionnaire d'Europe centrale en 1956[178].

Mais comme dans le cas des écrivains, il semble surtout que la tentative de contestation a échoué à remporter l'adhésion du plus grand nombre. D'après Ivan Kamenec, la *Résolution* fut accueillie avec méfiance en Slovaquie car des rumeurs couraient sur l'expulsion de plusieurs étudiants. D'après lui, la flamme de la contestation retomba dès la rentrée 1956[179]. Un autre étudiant slovaque, Saša Mangel, interrogé par John Matthews, avait décidé d'envoyer la *Résolution* par lettre à quatre de ses camarades de Bratislava. À son retour au pays, un an plus tard, il fut vertement réprimandé par le responsable étudiant de la faculté de physique-chimie pour les avoir « *mis en danger* »[180]. Le correspondant du *New York Times* à Varsovie, Sydney Gruson, qui s'était rendu à Prague pour observer les Majáles, remarque d'ailleurs que la manifestation était joyeuse et colorée mais qu'« *aucun effort n'a été fait, au contraire de la rumeur qui circulait à Prague, pour transformer cet événement en une manifestation anticommuniste de masse* »[181]. Michal Heyrovský explique, pour sa part, que les étudiants n'avaient pas l'intention d'être le fer de lance d'une révolution : « *Notre résolution était une action spontanée. Nous avions certes étudié dans nos cours de marxisme-léninisme la tactique des partis communistes et la façon dont le parti devait être en contact avec la classe ouvrière et l'intelligentsia avant d'organiser la lutte, mais nous n'avions rien de tout cela à l'esprit ! Nous avions simplement ressenti la nécessité de ventiler, d'une façon ou d'une autre, nos désillusions par rapport aux idéaux communistes.* »[182] Jiří Skopec souligne lui aussi le pacifisme des étudiants : « *Nous avons surtout participé à ce cortège pour nous amuser, pour dire ce qui ne nous plaisait pas dans nos conditions d'étude, ce n'était pas politique. Nous n'avons pas essayé de contacter les ouvriers. »*[183] Jiří Pešek, enfin, va dans le même sens : *« Les Majáles n'étaient pas politiques [...]. Nous voulions juste exploiter la faiblesse passagère du régime. Nous voulions faire la fête. Il y avait encore une grande peur parmi les gens. C'est pour cela que les étudiants n'ont pas cherché à entrer en contact avec les ouvriers. »*[184]

Selon les informations des diplomates américains en poste à Prague, certains étudiants auraient été expulsés de l'Université le 20 mai avant d'être arrêtés le 21 ou le 22 mai. L'ambassade fit état de *« rumeurs persistantes »* selon lesquelles trente d'entre eux auraient été mis en état d'arrestation[185]. Pourtant, les archives du Comité central du KSČ ne font aucune mention de troubles, d'agitation, d'arrestations ou de problème particulier à cette occasion. Un rapport de Rudolf Barák, le ministre de l'Intérieur, se contenta de préciser, quelques jours avant la tenue de la fête, que des *« provocations »* lors de la préparation du défilé avaient été remarquées et que le bureau politique était prêt à prendre les mesures adéquates[186]. Les archives du ministère de l'Intérieur ne mentionnent pas non plus d'arrestations ou d'exclusions d'étudiants, et on y trouve au contraire une lettre du même ministre aux unités de la Sécurité, qui les remercie pour un défilé sans incident[187]. Les archives de la ville de Prague, enfin, où sont déposées les archives du comité national local du KSČ, ne contiennent pas non plus d'informations à ce sujet, d'après les archivistes, pas plus que celles de l'université Charles.

Sur la base des données accessibles aujourd'hui, il convient donc de conclure à une probable exagération des rapports qui ont circulé en Occident sur ce sujet. Ladislav Němec, le dirigeant d'alors de l'Union des étudiants, aurait d'ailleurs toujours été convaincu qu'aucun étudiant n'avait été arrêté. D'après lui, ces rumeurs avaient été propagées par les autorités pour effrayer les étudiants et la population[188]. Les mesures de rétorsion se seraient limitées à quelques brimades, comme l'interdiction de participer à un voyage prévu en Allemagne de l'Est pour certains étudiants de la faculté de chimie[189]. C'est sans doute Němec lui-même qui fut le plus touché : il fut exclu du statut de « candidat au KSČ » et dut partir un an en usine pour se « rapprocher des masses », quoiqu'il ait été autorisé à reprendre ses études par la suite[190].

Quelle conclusion porter donc aujourd'hui sur cette agitation ? Même si les actions estudiantines méritent d'être saluées, elles doivent aussi être relativisées. D'abord, les protagonistes eux-mêmes démentent avoir voulu lancer une action d'ampleur. Au moment de la révolution hongroise, par exemple, Jiří Skopec se souvient que les étudiants *« soutenaient »* les Hongrois mais qu'ils ne se disposaient en rien à les aider de façon concrète. Lubomír Blažek explique que les étudiants *« croisaient les doigts pour les*

Hongrois et observaient la situation » mais ne militaient pas pour une intervention en leur faveur[191]. Jiří Pešek a sa propre interprétation de cette attitude bienveillante mais passive : « *Dans les années 1960, une délégation étudiante fut invitée au Château. Au cours de la visite au président Novotný, celui-ci demanda à une jeune étudiante s'il était possible que se produisent chez nous des événements comme en Hongrie. Elle répondit laconiquement qu'elle ne croyait pas qu'il puisse se passer quelque chose de semblable car les Tchèques étaient connus pour être une nation molle comme des quenelles.* »[192]

Si cette « explication » n'a aucun caractère scientifique (et provoqua la mauvaise humeur de Novotný), elle a le mérite de rendre compte de l'immobilisme qui prévalait à l'époque. Quelques étudiants auraient bien fomenté des projets politiques contestataires, mais ils restèrent très minoritaires.

Le second et dernier point à retenir dans le cas de la *Résolution* étudiante est qu'elle ne provoqua aucune réaction visible dans la société. Comme dans le cas des intellectuels, les quelques personnes actives durent s'en tenir au constat qu'elles étaient complètement isolées du reste de la société.

Le virage du printemps 1956 dans le discours officiel

La propagande tchécoslovaque se mit tout entière, au printemps 1956, au service de la lutte contre le « révisionnisme ». Pendant qu'elle s'adonnait à cet exercice tout en nuances néo-staliniennes, rappelons que le régime était en train de sombrer en Pologne et en Hongrie : dès le mois d'avril, Rákosi reconnut sa culpabilité dans le procès Rajk. Mais Novotný était bien loin des préoccupations de Rákosi. Son discours, lors de la conférence nationale du KSČ en juin 1956, eut clairement pour objectif d'isoler encore un peu plus les intellectuels et les étudiants contestataires. Il s'en prit par exemple à la façon « *formaliste* » d'envisager le « *centralisme démocratique* » dans « *certains cercles* »[193]. Même s'il reconnut que ces voix n'étaient « *pas nombreuses* », cela ne l'empêcha pas de dramatiser la situation. Certains « *travailleurs idéologiques* », des « *personnes qui ont toujours subi l'influence de l'idéologie petite-bourgeoise et bourgeoise, qui manquent de maturité d'un point de vue politique et de classe, et qui sont donc facilement perméables à des opinions étrangères, par exemple certains étudiants, certains membres de l'intelligentsia ou certains travailleurs de divers instituts* »[194] auraient mis en doute les « *bases mêmes* » du marxisme-léninisme, ce qui justifiait une lutte sans merci contre ces « *opinions trotskystes* »[195].

Le fait que ce « révisionnisme » ait en fait été quasi absent de la scène politique et sociale était marginal. L'important était de faire comprendre à la population que le KSČ avait suffisamment pris en compte les résultats du XXᵉ Congrès. Des arrestations furent effectuées pour l'exemple au sein des groupes isolés de la population qui montrèrent quelques velléités d'action au moment de la révolution hongroise. Quelques personnes avaient par exemple prévu de lancer une manifestation sur la place Venceslas le 28 octobre 1956[196]. Cailloux en poche, leur intention était de casser quelques vitrines. Mais un étudiant qui logeait chez l'une d'entre elles apprit l'existence de ce plan ; sa femme alla tout raconter à la police et les « organisateurs » furent arrêtés[197].

Un rapport de Rudolf Barák daté du 28 décembre 1956 dresse également le bilan des « actions anti-État » soi-disant menées par des jeunes gens en relation avec la révolution hongroise[198]. Six étudiants de la Haute École de chimie écoutaient ainsi *Radio Free Europe* en groupe et auraient prévu de lancer une « *provocation* » au moyen de balles explosives lors de l'anniversaire de la Révolution d'octobre, le 7 novembre 1956[199]. Deux étudiants de l'École des hautes études techniques de Prague auraient organisé des auditions de groupe de *Radio Free Europe* en allemand, séances au cours desquelles ils « *insultaient notre République, notre régime, le KSČ et l'Union soviétique* »[200]. Trois étudiants de Prague auraient omis de dénoncer le plan de deux individus qui voulaient s'enfuir vers l'Autriche[201]. Quatre lycéens de Nymburk auraient peint des « *slogans anti-État* » dans leur classe, par exemple « *À mort l'URSS* », « *Mort au communisme* » ou encore « *Nous voulons la liberté.* »[202] Un groupe de sept étudiants de la Haute École de chimie de Pardubice aurait écouté la « *radio ennemie* » et préparé des « *provocations directes* » dans le but de susciter un « *soulèvement* » et des « *manifestations* »[203]. Quatre étudiants en médecine de Plzeň propageaient les nouvelles de *Radio Free Europe*, auraient amassé des armes et « *volaient la propriété nationale* », surtout des médicaments et des instruments chirurgicaux[204]. Cinq étudiants et lycéens de Nitra auraient diffusé pendant la révolution hongroise deux revues « *dirigées contre notre État et contre l'URSS* », se seraient armés et auraient prévu de « *renverser le régime de démocratie populaire* » pour réinstituer le « *soi-disant État slovaque* »[205]. Enfin, quatre étudiants en médecine de Brno se seraient entendus pour créer un groupe « *anti-État* » et participer les armes à la main à une éventuelle « *contre-révolution* »[206].

Au total, ces rapports ne font ainsi mention que de trente-cinq étudiants, donc trente-quatre étaient déjà sous les verrous. De plus, les accusations de préparation de complots contre le régime manquent singulièrement de crédibilité. Où ces étudiants (à supposer qu'il s'agisse bien d'étudiants) auraient-ils trouvé les armes et autres balles explosives évoquées par les rapports ? Comment auraient-ils pu neutraliser des policiers en armes ?

Comment auraient-ils pu « diffuser des revues » ? Les « actions ennemies » semblent surtout avoir consisté à critiquer les dirigeants en privé et à écouter *Radio Free Europe*. Ces arrestations montrent, en tout cas, que la police politique avait une longueur d'avance sur les opposants potentiels et qu'elle pouvait compter sur un vaste réseau de dénonciateurs. En d'autres termes, le régime restait implanté de façon solide.

Il est sans doute emblématique de la situation tchécoslovaque que la presse, parue dans le sillage du XXᵉ Congrès, n'ait pas reflété une indignation publique spectaculaire mais plutôt une certaine perplexité. Son ton trancha ainsi nettement dans les articles et éditoriaux enflammés que l'on trouvait à la même époque à Varsovie et Budapest. La curiosité manifeste – quoique paisible – du public incita Novotný à reprendre la situation en main et à proférer diverses menaces, qui se révélèrent d'ailleurs suffisantes. Cependant, les effets du « rapport secret » s'étaient étendus jusqu'à la difficile période de la terreur et des grands procès et ils rendirent indispensable une réévaluation historique officielle. Le moment était venu de régler certains comptes avec le passé.

III – 1948-1956 : LES FANTÔMES DU PASSÉ

En 1945, Rudolf Slánský, communiste de longue date qui avait passé la guerre à Moscou avec Klement Gottwald, fut nommé secrétaire général du KSČ. S'il prit grand soin de s'en tenir officiellement à une ligne politique modérée vis-à-vis des classes moyennes entre 1945 et 1948, il aurait particulièrement bien saisi, d'après la légende historique qui l'entoure, les nouveaux défis offerts à son parti après que ce dernier eût pris le pouvoir en février 1948. Élève en apparence docile de Staline et de Gottwald, il leur emboîta immédiatement le pas après la rupture entre l'URSS et la Yougoslavie et se chargea de traquer l'« ennemi » dans la société puis au sein du parti communiste, assumant ainsi la responsabilité de la politique de répression. Mais en 1951, il fut démis de ses fonctions puis arrêté et bientôt accusé d'avoir fomenté un vaste complot dirigé contre l'État, le parti et le président Gottwald. Jugé en compagnie de treize autres accusés, tous fonctionnaires des plus hautes instances, il fut condamné à mort en novembre 1952 et exécuté quelques jours plus tard. Ce sombre destin était donc comparable à celui de László Rajk en Hongrie et de Władysław Gomułka en Pologne, deux cas qui, ainsi que cela a été évoqué plus haut, suscitèrent en 1956 de sérieuses batailles politiques dans leurs pays respectifs. Dans ces conditions, comment les Tchécoslovaques auraient-ils pu éviter de revenir sur le procès Slánský ?

De fait, ce n'est pas seulement le cas Slánský mais toute la politique de répression et le rôle des services de sécurité au début des années 1950 qui exigeaient d'être réexaminés, ne serait-ce qu'en conséquence des révélations khrouchtchéviennes sur la gestion de la crise entre Tito et Staline ; l'invalidité nouvellement proclamée des accusations de « titisme » exigeait de revoir les actes d'accusation de Slánský comme de Rajk. La situation était d'autant plus embarrassante pour les autorités de Prague que les frères Field furent relâchés et réhabilités (Noel Field devait même obtenir sa carte de membre du parti communiste hongrois en 1956)[207]. En outre, d'après le rapport de la commission Piller établie en 1968, dans le cadre du Printemps de Prague, pour réviser les procès politiques, deux cent quatre-vingt-huit plaintes concernant les grands procès et demandes de réhabilitation furent déposées entre 1953 et 1956[208]. Novotný se sentit donc contraint de réagir. Le 10 janvier 1955, il ordonna au bureau politique de former une commission d'enquête sur les abus commis pendant la période du « culte de la personnalité », une commission qui portait le nom du ministre de l'Intérieur, Rudolf Barák.

La commission Barák

Rudolf Barák avait été nommé ministre de l'Intérieur en 1953. En tant que ministre héritier de la Sécurité nationale (transférée au ministère de l'Intérieur cette année-là), c'est lui qui était chargé de mettre un point d'orgue aux grands procès, c'est-à-dire de faire arrêter, condamner et le cas échéant exécuter, sur approbation de Novotný, les personnalités citées comme témoins dans les grands procès, en particulier dans le procès Slánský. C'est donc sous son ministère qu'eut lieu à la mi-mars 1954 la dernière mise à mort de l'ère stalinienne, celle du colonel Osvald Závodský, ancien dirigeant des services de sécurité[209]. Toujours sous sa férule, le dernier grand procès politique, celui des « nationalistes bourgeois » slovaques, se tint du 21 au 24 avril 1954, avec des peines allant de dix ans de prison à la perpétuité[210]. Mais en même temps, c'est à Barák, ministre de l'Intérieur, qu'échoua la tâche de présider la commission d'enquête sur la révision de ces mêmes procès. Aussi surprenant que cela puisse paraître, le ministre s'occupait donc pratiquement au même moment de mettre les gens en prison et de les faire réhabiliter.

Dans ces conditions, les perspectives de l'« enquête » décidée en 1955 n'étaient guère prometteuses. La ligne directrice établie par le Politburo, le 21 mars 1955, énonça tout bonnement que le verdict concernant le procès Slánský devait rester valide et ne pouvait être contesté[211]. L'existence même de la commission Barák fut gardée secrète non seulement du grand public, mais des membres du KSČ et même du Comité central. Ainsi, aucune pression ne put être exercée sur elle et elle ne demeura qu'un instrument du Politburo[212]. Dans son rapport d'activité de l'année 1955, elle conclut sans surprise à la justesse du verdict prononcé à l'issue des grands procès, surtout du procès Slánský [213].

L'« enquête » permit cependant de mettre sous les verrous les enquêteurs de la Sécurité les plus impliqués dans les grands procès, Bohumil Doubek et Vladimír Kohoutek, ainsi que quelques hauts fonctionnaires du ministère de l'Intérieur. Toutefois, leur destin fut loin d'être aussi sombre que celui de leurs victimes. Bohumil Doubek, par exemple, fut arrêté en 1955 et condamné en 1957 à neuf ans de prison pour avoir utilisé des

« *méthodes illégales* », mais il fut libéré dès 1958 et obtint un excellent poste administratif à Čedok, l'agence de voyage officielle[214]. De plus, si quelques-unes des personnalités les plus impliquées furent mises à pied, elles ne subirent la plupart du temps pas la moindre sanction disciplinaire[215]. Barák aurait souligné que mettre en cause des agents de la Sécurité minait l'autorité de la Sécurité tout entière et même du KSČ. Cette entreprise était d'autant plus inutile, d'après lui, que des « *centaines d'experts soviétiques* » avaient surveillé la « *bonne marche* » des procès[216].

Le dernier résultat de l'« enquête » fut la libération discrète de quelques-uns des survivants des grands procès : Eduard Goldstücker, Artur London et Vavro Hajdů (deux des trois survivants du procès Slánský), ainsi que Marie Švermová, l'ancienne collaboratrice de Slánský. En outre, un ressortissant israélien dont la condamnation avait été censée prouver l'activité « sioniste » de Slánský, Mordekhai Oren, fut relâché en 1956 et expulsé de Tchécoslovaquie[217]. La commission Barák cessa toute activité le 2 octobre 1957. Elle avait revu six mille cent soixante-quinze cas, dont seuls cinquante-deux d'entre eux avaient été reconnus injustifiés ; dans deux cent treize autres cas, il avait été estimé que la sentence avait été trop sévère. Pour le reste, les accusations et les jugements avaient été estimés corrects[218].

Les effets de la réconciliation soviéto-yougoslave

Malgré les incitations khrouchtchéviennes, le changement de ton vis-à-vis de la Yougoslavie fut en outre bien long à prendre effet à Prague. Les communistes tchécoslovaques suivirent la « réconciliation » avec d'autant plus de léthargie que, comme le fit perfidement remarquer Tito en personne, « *les morts ne peuvent être ressuscités* »[219]. La presse tchécoslovaque traita par exemple la visite spectaculaire de Khrouchtchev en Yougoslavie au mois de mai 1955 avec une retenue confinant à l'absurdité. Sous le titre « *Arrivée de la délégation du gouvernement soviétique en Yougoslavie* », un article en page trois de *Rudé právo* se gardait bien de tout commentaire imprudent et se contentait de détailler la composition de la délégation soviétique, puis de la représentation qui l'avait accompagnée à l'aéroport de Moscou[220]. Suivait une nouvelle description détaillée de la délégation soviétique à l'aéroport de Belgrade, une description détaillée du comité de réception yougoslave et quelques considérations sur l'aéroport (« *L'aéroport était couvert de drapeaux yougoslaves et soviétiques* »). L'article se concluait sans aucun commentaire par le discours de Khrouchtchev à l'aéroport de Belgrade.

Il fallut attendre le discours du Nouvel An 1956 du président Antonín Zápotocký pour que mention soit faite de « *l'activité de diversion de l'ennemi* » qui avait propagé de « *fausses informations* » sur l'activité « *titiste* » des condamnés tchécoslovaques[221]. Un long silence sur ce thème délicat fut ensuite rompu par une nouvelle extraordinaire dans le *Rudé právo* du 5 mai 1956 : sous la direction de Zdeněk Fierlinger, le président de l'Assemblée nationale, une délégation « amicale » venait de partir en visite en Yougoslavie à l'invitation de Moša Pijade. Or, comme le rappelle Jacques Rupnik, Moša Pijade n'était nul autre que le contact supposé de Slánský au sein du parti communiste yougoslave, un homme vilipendé en 1952 comme ennemi de la République tchécoslovaque, et dont le simple nom avait été synonyme de preuve d'activité « titiste » et « criminelle » de Slánský[222]. Pourtant, cet article de mai 1956 rappela dans un style fleuri la « *vieille tradition d'amitié* » entre les deux pays et les « *excellentes* » relations diplomatiques et commerciales de l'entre-deux-guerres, n'omettant pas non plus de saluer les « *amis yougoslaves* » venus prêter main-forte à la Tchécoslovaquie lors de la mobilisation générale de 1938[223].

La délégation tchécoslovaque fut cependant déçue par l'accueil de Moša Pijade et rapporta au bureau politique qu'il n'avait pas été très chaleureux. La visite s'était même déroulée dans un climat parfois tendu[224]. De toute évidence, l'encombrante nouvelle « amitié » avec les Yougoslaves n'était dictée que par les impératifs de la solidarité avec Moscou. Dès la révolution hongroise et la dégradation des relations soviéto-yougoslaves, le correspondant de l'agence de presse tchécoslovaque à Belgrade s'empressa de dénoncer le « révisionnisme » yougoslave[225]. En effet, la presse praguoise, qui mettait en garde contre le « putsch contre-révolutionnaire » hongrois, fut traitée en Yougoslavie de « *propagande à bon marché* » au moment où un commentaire officiel yougoslave du 4 novembre 1956 critiquait « *l'ingérence soviétique dans les affaires intérieures hongroises* »[226].

Mais au début de l'année 1956, les événements continuaient à suivre leur cours en URSS et dans les pays voisins. Dès le mois de janvier, la réhabilitation de László Rajk était dans l'air et les Tchécoslovaques savaient que les Soviétiques commençaient à s'intéresser au cas Slánský : la composition de la délégation tchécoslovaque au XXe Congrès dut même être revue pour y inclure Rudolf Barák, les Soviétiques ayant prévenu qu'ils l'interrogeraient sur ce procès[227]. C'est le 30 mars 1956, dans un petit entrefilet en page trois, que *Rudé právo* rendit compte de la réhabilitation effective de Rajk. *Mladá fronta* du même jour souligna même en page deux que ce procès avait été une « *provocation* ». Le bureau politique prit également connaissance de la révision du procès Kostov en Bulgarie, de la résolution du parti communiste bulgare sur les « résultats du XXe Congrès » et de la mise à l'écart du Premier secrétaire Červenkov[228]. Ainsi, après la Hongrie, c'est la Bulgarie qui prenait des mesures pour la révision des procès de l'ère stalinienne. Les accusations portant sur le « titisme » de Slánský étaient de moins en moins crédibles.

En conséquence, un nouveau schéma explicatif fut proposé par le bureau politique. Les premières mises en forme en remontaient à novembre 1955 – un signe supplémentaire du fait que la politique de l'après-XXᵉ Congrès, en 1956, ne fut pratiquement en rien modifiée et qu'elle resta imprégnée du farouche conservatisme des années précédentes[229]. Le rapport de la commission Piller de 1968 précise en effet que c'est après les premières révélations de Doubek, arrêté en 1955 dans le cadre du travail de la commission Barák, qu'*« une nouvelle thèse fut mise au point, selon laquelle Slánský était en réalité la cause de tous les abus, fautes et distorsions. Il apparaissait que Slánský n'était pas le Rajk, mais le Béria tchécoslovaque et que c'est Slánský lui-même qui avait mis en marche le moulin de l'illégalité qui devait en fin de compte le "broyer". »*[230] Le 28 janvier 1956, peu avant de partir pour le XXᵉ Congrès, Novotný reprit globalement cette thèse devant le Politburo, même s'il reconnut : *« Nous n'avons pas de preuve que Slánský ait été un collaborateur de Béria mais cela n'est pas une question fondamentale »* ; l'important était que Slánský *« ait agi comme Béria »*[231]. Comme le Premier secrétaire s'embrouillait quelque peu, il se lança sur un « terrain » plus prometteur : Slánský aurait attendu la mort de Gottwald *« comme une hyène »* et aurait profité de la *« grave maladie de cœur »* de ce dernier (qui, d'après Karel Kaplan, était syphilitique et alcoolique à un stade avancé)[232] pour l'« abuser » et le tenir à l'écart du Comité central sous prétexte de le protéger[233]. Novotný conclut sa démonstration par un vibrant hommage à son prédécesseur : *« Nous nous souviendrons toujours du camarade Klement Gottwald avec respect et amour. »*[234] Le ministre de l'Intérieur, Rudolf Barák, perfectionna encore ce raisonnement lors de la réunion du Comité central des 29 et 30 mars 1956 en y ajoutant la « trouvaille » de sa commission d'enquête : *« Et il n'est que dans la logique des choses que Slánský ait fini par tomber lui-même dans la fosse qu'il avait creusée pour les autres. »*[235]

Les seules concessions de Novotný consistèrent à « réhabiliter » la Yougoslavie et à innocenter les membres de la « bande » de Slánský qui avaient été condamnés sur la seule base d'une activité « titiste » (comme par hasard, ceux qui n'avaient pas été exécutés étaient innocents). Pour le reste, rien n'avait changé. Le procès des *« nationalistes bourgeois slovaques »*, par exemple, restait *« nécessaire et justifié »*[236].

Au début du mois d'avril 1956, Novotný créa néanmoins une nouvelle commission chargée de réexaminer le procès Slánský, une « seconde commission Barák » (la « première commission » poursuivant ses activités). Les résultats devaient en être transmis au bureau politique au plus tard le 20 mai 1956[237]. La commission Piller de 1968 estima que les motifs présidant à sa création tenaient à l'*« impossibilité évidente »* de justifier certains des aspects de la thèse générale avancée par Novotný [238]. La nouvelle évaluation devait servir à la justifier en modifiant des points mineurs. Novotný fut chargé de remodeler le discours qu'il devait prononcer à la conférence nationale du KSČ en juin et qui était destiné à être largement diffusé[239]. Même si Slánský restait officiellement coupable et si le Premier secrétaire prévenait qu'il n'y aurait pas de réhabilitations en Tchécoslovaquie[240], il reconnut au moins publiquement que tous les éléments concernant le « rôle de la Yougoslavie » étaient à exclure de l'accusation et que les frères Field, en particulier, devaient être reconnus innocents[241].

Il est bien possible que Slánský ait été le dirigeant communiste de haut niveau le plus haï dans le pays au moment de son arrestation[242] – contrairement à Gottwald, par exemple, qui bénéficia jusqu'à sa mort d'un certain capital de sympathie. Novotný comptait donc certainement sur l'approbation tacite de la population pour rejeter tous les torts du KSČ sur Slánský. Il espérait, et il semble qu'il ne se soit pas trompé, que sa « clarification historique » serait suffisante aux yeux de la « classe ouvrière » pour éviter d'ouvrir le débat sur des questions plus délicates. Ceci fut pour lui une aide d'autant plus précieuse que bien des points de l'histoire récente tchécoslovaque restaient mal élucidés pour le grand public. Le moindre d'entre eux n'était pas le rôle de Gottwald, justement, pendant la période des grands procès.

La défense équivoque de Gottwald

Les explications de Novotný et de Barák sur les débuts de la terreur et le rôle de Slánský étant pour le moins embrouillées, ceux-ci auraient pu choisir de se retourner contre le maître d'œuvre de ces « abus » : Klement Gottwald. En effet, ce dernier avait fait bien plus que donner un accord de principe à l'entrée en action des référents soviétiques. D'après le rapport publié par Jiří Pelikán, l'arrestation de Slánský s'effectua sur la base d'interrogatoires tronqués menés par des policiers frustrés qui ne trouvaient aucune preuve à leur thèse d'une grande conspiration. Le président Gottwald l'aurait su mais aurait désinformé le Comité central[243]. De plus, d'après Karel Kaplan, il approuva tous les interrogatoires, annota les procès-verbaux et aida les enquêteurs. Il se fit passer les bandes enregistrées des interrogatoires de Slánský, corrigea l'acte d'accusation et écouta avec attention la retransmission du procès. Enfin, il proposa la peine de mort pour l'ancien secrétaire général du KSČ et refusa de lui accorder la grâce présidentielle[244]. Pour reprendre les termes de l'ancien communiste français Pierre Daix : « *Si capitulation il y a – et dans l'état actuel des informations, il faut bien user du terme –, cette capitulation est d'abord le fait de Gottwald.* »[245]

Les deux réunions du Comité central consacrées à la question du « culte de la personnalité », en mars et avril 1956, offrirent une bonne occasion de s'interroger sur cette responsabilité, une chance que sut saisir Július Ďuriš. De nationalité slovaque, il était membre du Comité central du KSČ depuis 1936 et connu du public, car il avait été ministre depuis plus de dix ans (de l'Agriculture entre 1945 et 1951 et des Finances depuis septembre 1953)[246]. Il n'est guère resté dans l'histoire du KSČ mais son intervention à la première réunion du Comité central, en mars 1956, se distingua par son esprit critique : « *Il faut dire ouvertement que le camarade Gottwald a su être menaçant après 1948 et qu'il a progressivement restreint la direction collégiale du présidium. Je ne vais pas donner d'exemples à ce sujet et je ne veux même pas comparer le camarade Gottwald à Staline, mais l'analyse des erreurs et de leurs causes est une méthode nécessaire, surtout quand il en va de principes aussi importants pour notre parti.* »[247] De plus, il inclut ses collègues du Comité central dans ses critiques : « *Camarades, nous avons tous entretenu, rendu possible et souffert de ce culte nuisible de la personnalité.* »[248]

Cette évaluation plutôt sèche contrastait avec l'hommage triomphal d'une dizaine de pages que le ministre de l'Information venait de rendre au dit objet de « culte ». Václav Kopecký « *s'associait pleinement* » à la condamnation de Staline mais il rappela que le KSČ « *avait toujours été léniniste* », de Šmeral et Zápotocký « *jusqu'à Gottwald* »[249]. D'après lui, Gottwald n'avait « *jamais* » rompu le principe de la direction collégiale et le « *camarade Khrouchtchev* » parlait de lui « *avec grand respect, comme d'un grand bolchevique* »[250]. Il ne fallait donc pas confondre Gottwald et Staline, le premier étant un « *homme courageux et sage, dont la pensée était originale et profonde et la volonté personnelle ferme* »[251], en somme un « *camarade modeste et simple* »[252].

Si le discours de Ďuriš ne suscita guère plus que l'émoi de ses pairs et ne fut concrètement suivi d'aucun changement de la politique officielle, la responsabilité de Gottwald fut néanmoins mise en avant à trois reprises supplémentaires au printemps 1956. Ainsi que cela a été évoqué plus haut, la Tchécoslovaquie ne pouvait rester tout à fait à l'écart devant la vague de réhabilitations qui parcourait l'Europe de l'Est. Outre Bohumil Doubek, l'un des membres de la police politique qui avait personnellement torturé les prisonniers, des dirigeants de haut niveau (membres du Politburo) en vinrent à être « inquiétés » : le ministre de la Défense Alexej Čepička et l'ancien ministre de la Sécurité nationale Karol Bacílek. Dans l'espoir de se défendre, tous trois, Doubek, Čepička et Bacílek, choisirent de reporter la responsabilité des grands procès sur Gottwald. Et puisqu'il était de bon ton de sacrifier un dirigeant de haut niveau, c'est Alexej Čepička qui était le mieux placé : gendre du défunt Gottwald, il était également détesté.

Le renvoi d'Alexej Čepička

Le nom de Čepička, qui avait été ministre de la Défense nationale depuis 1950, était en effet lié aux plus graves excès du régime. Pendant les événements de février 1948 et jusqu'en avril 1950, il avait été secrétaire général du comité d'action chargé d'« épurer » les organisations non communistes. En tant que ministre de la Justice entre 1948 et 1950, il avait mené la lutte contre l'Église catholique et s'était chargé des premiers grands procès. Depuis mai 1949, il était membre du Comité central et depuis 1954, du bureau politique. Depuis avril 1950, il était également à la tête du ministère de la Défense nationale, où il avait propagé de façon notoire le « culte » de sa propre personnalité[253]. Il constituait donc un bouc émissaire de choix. Július Ďuriš ne se priva d'ailleurs pas de le critiquer dans sa contribution à la Conférence nationale du KSČ en juin[254].

Le 5 avril 1956, le Politburo somma Čepička de s'expliquer. Celui-ci lui adressa une réponse écrite destinée à « *faciliter le travail de la commission d'enquête* »[255] (sans doute la « seconde commission Barák »). Dans l'espoir de minimiser sa propre culpabilité, il accablait le « *camarade Gottwald* » qui l'aurait envoyé comme émissaire à Moscou, dès juillet 1951, pour négocier avec Staline au sujet des grands procès. Au vu des dossiers que son beau-père lui transmit alors et qu'il passa en revue avec lui, Čepička aurait déjà compris « *qu'il s'agissait d'un complot de grande envergure dont le chef potentiel n'était pas Švermová, comme cela avait été dit au début, mais Slánský* »[256]. À Moscou, le « *camarade Staline* » lui aurait expliqué qu'il était nécessaire de démettre ce dernier de la fonction de secrétaire général du parti au motif qu'il ne savait pas juger les gens et qu'il causait de grands torts au parti : « *Ensuite, Staline m'a fait savoir que cette résolution serait rédigée dans une lettre et que ma tâche serait de la transmettre en mains propres au camarade Gottwald* »[257], lequel lui aurait ordonné de garder le silence le plus complet sur cette affaire avant d'informer le « *camarade Zápotocký* » et de lui demander son avis pour la suite[258]. C'était l'époque (juillet 1951), raconte Čepička, où la préparation des festivités pour le cinquantième anniversaire de Slánský battait son plein.

Le second acte aurait été la venue à Prague de Mikoyan à l'automne 1951. Gottwald invita Čepička à dîner et lui aurait confié en privé que Mikoyan avait été envoyé par Staline pour demander l'incarcération de Slánský. Il aurait refusé et Mikoyan serait reparti en informer son chef[259]. De retour un peu plus tard, l'émissaire soviétique aurait alors rapporté à Gottwald et Čepička que Staline insistait et « *avertissait le camarade Gottwald de sa lourde responsabilité* » dans l'éventualité d'une fuite à l'étranger de Slánský. Gottwald aurait alors tenté de résister une seconde fois mais se serait finalement incliné en soulignant que « *le camarade Staline* » était « *toujours de bon conseil* ». Dès le lendemain, il aurait informé Zápotocký du tour pris par les événements[260]. La compromission de Gottwald – et pour faire bonne mesure, de Zápotocký – était complète.

Ces « révélations » de Čepička (dont l'exactitude n'a jamais été ni questionnée, ni confirmée) restèrent cependant strictement confidentielles. Čepička lui-même fut écarté en douceur et sa frustration circonscrite avec soin : s'il perdit son poste de ministre et sa place au bureau politique le 26 avril, il garda des fonctions au KSČ et fit une réapparition publique dès le 18 juillet 1956. D'après les diplomates français, il avait l'air « *en pleine forme* »[261] et il reçut peu après un poste économique avantageux. Ce n'est qu'en 1963, lors de la réouverture de l'enquête sur les réhabilitations, qu'il fut exclu du KSČ [262]. En 1956, non seulement aucune mesure disciplinaire sévère ne fut prise contre lui mais les critiques de Ďuriš ne furent pas du goût de Novotný et le Premier secrétaire exprima une franche contrariété devant ses pairs du bureau politique : l'intervention du « *camarade Ďuriš* » aurait « *jeté le trouble* » dans la conférence et les « *camarades de toutes les délégations* » se seraient demandé « *où il voulait en venir* »[263]. En réalité, Novotný avait bien compris que ce discours était « *dirigé en substance contre le camarade Gottwald* » et il était d'autant plus furieux que le public, loin de se « poser des questions », avait applaudi Ďuriš [264].

Les cas de Doubek et Bacílek

Le bureau politique n'en avait pas terminé avec les accusations contre Gottwald. À la fin du mois de juin 1956, c'est Bohumil Doubek, l'un des « enquêteurs » principaux du procès Slánský, qui s'impatienta. En prison depuis un an, il attendait d'être jugé et il écrivit une lettre à Novotný dans l'espoir d'accélérer la procédure eu égard à « *sa famille et ses quatre enfants en bas âge* », même s'il « *n'avait pas l'intention de se soustraire à ses responsabilités* »[265].

D'après lui, le rôle des référents soviétiques avait été très important dans le procès Slánský[266]. Il confirma que la privation de sommeil, l'interdiction de s'asseoir dans la cellule, la très longue durée des interrogatoires et « *autres moyens destinés à briser la résistance physique et morale du prisonnier, etc.* » [*sic*] avaient été employés[267]. En outre, il fit endosser une lourde responsabilité à Ladislav Kopřiva (ministre de la Sécurité nationale entre 1950 et 1952) et à Karel Švab (vice-ministre de la Sécurité qui finit cependant par être incarcéré et par comparaître avec Slánský avant d'être exécuté)[268]. Mais d'après lui, c'est Gottwald qui avait tout décidé en dernière instance dans la préparation du procès Slánský : « *Par exemple, lorsque nous avons protesté* [avec son collègue Karel Košťal] *contre la décision d'arrêter plusieurs personnes en liaison avec la poursuite de l'enquête sur Šling, le ministre Kopřiva a téléphoné devant nous au président de la République et il a demandé leur arrestation sans même en présenter les motifs ; d'ailleurs il a été suivi.* »[269] Doubek et Košťal auraient également protesté contre l'utilisation par les référents soviétiques de certains témoins au cours du procès Slánský : « *Bien que Kopřiva ait été d'accord avec nous, il a dû téléphoner au président de la République pour avoir son accord et s'opposer ainsi à l'opinion des référents.* »[270]

Kopřiva ne souffrit en rien de ces accusations. Il avait disparu de la vie politique en 1953 et ne fut plus jamais inquiété ; il est d'ailleurs étonnant que Novotný n'ait pas saisi cette occasion de se défausser à bon compte sur un responsable. Mais Karol Bacílek n'eut pas cette chance. Il avait remplacé Kopřiva entre janvier 1952 et septembre 1953 et était membre du Politburo depuis juin 1954. Sa position devint donc délicate en 1956[271]. Invité à effectuer son autocritique, il s'exécuta de la façon la plus basse lors du plénum d'avril, affirmant qu'il « *n'était au courant de rien* » et qu'il était innocent, se déchargeant successivement sur Prchal, qui avait été son vice-Premier ministre et qui aurait « *dansé dans les bars* »[272], Doubek, qui aurait falsifié les procès-verbaux des interrogatoires avant de les lui transmettre[273] et enfin Gottwald : « *Le camarade Gottwald, lors d'un entretien personnel, a avancé comme l'une des raisons principales justifiant ma nomination au poste de ministre de la Sécurité nationale le fait que j'étais un membre de longue date du KSČ, qui n'avait pas collaboré avec Slánský dans le domaine de la sécurité et qui était digne de confiance.* »[274] Son degré général de sincérité peut être mesuré à cette déclaration : « *Il faut peut-être dire, pour plus de précision, que la force physique n'a pas été employée au cours de l'interrogatoire de Slánský et de ses complices, ce dont témoignent non seulement mon expérience propre mais même les résultats de l'enquête menée ces derniers temps par le camarade Barák et les membres de la commission.* »[275]

Comme l'on pouvait s'y attendre, les membres de base du KSČ, sans même parler du grand public, ne purent prendre connaissance ni de la lettre de Doubek, ni de l'intervention de Bacílek, ni même du discours « anti-Čepička » de Ďuriš à la Conférence nationale du KSČ, qui fut en partie censuré dans *Nová mysl*. Après la reconnaissance du caractère infondé de l'accusation de « titisme » portée contre Slánský, le renvoi de Čepička fut la seule concession accordée par Novotný en 1956. Gottwald était suffisamment compromis par la mise à l'écart de son gendre et il resta protégé de toute attaque personnelle en cette année 1956.

L'unité « en haut » et la faiblesse du mécontentement « en bas »

L'absence d'un dirigeant « charismatique » pouvant représenter une alternative crédible au pouvoir en place singularisa la Tchécoslovaquie en 1956. Il a été soutenu que ce phénomène pouvait s'expliquer par l'ampleur des purges ayant frappé le KSČ dans la période 1948-1954 : c'est l'argument de Paul Barton[276] voire, dans une moindre mesure, de l'historien Hugh Seton-Watson[277]. Mais le taux de renouvellement des élites invoqué par ces deux auteurs est peut-être dû à des causes moins suspectes qu'il n'y paraît au premier abord. Le cas de Klement Gottwald en est un exemple puisqu'il n'a jamais été prouvé qu'il est mort dans des conditions suspectes. Certes, Karel Kaplan laisse entendre, sans doute sur la base du témoignage du médecin personnel du dirigeant (il ne fait pas de référence bibliographique), que les Soviétiques ne furent pas étrangers à ce décès puisqu'ils le mirent dans un avion après les funérailles de Staline à Moscou alors que son état de santé ne lui permettait pas de supporter les variations de pression atmosphérique ; il avait d'ailleurs effectué le voyage aller en train sur ordre de son médecin[278]. Mais cette suggestion ne tient pas lieu de preuve. Le témoignage du médecin de Gottwald, apporté en 1968, est-il digne de foi sur ce sujet ? Si Gottwald savait qu'il ne devait pas monter dans un avion, pourquoi accepta-t-il de le faire ? Doit-on en déduire qu'il s'agissait d'un suicide ? Le mystère subsiste mais le mauvais état de santé du président tchécoslovaque (peut-être aggravé par le choc de la mort de Staline) semble un élément d'explication plus convaincant que ces manœuvres soviétiques présumées et dont on voit mal l'utilité.

Les chiffres avancés sur la répression envers les élites politiques communistes en comparaison avec la Pologne et la Hongrie manquent de précision et ne prouvent d'ailleurs rien[279]. Le niveau des purges au sommet du KSČ ne peut donc servir à justifier l'absence de remise en cause de la politique de Novotný en 1956.

En revanche, l'attitude de la population semble avoir été décisive : il convient de rappeler que les écrivains qui lancèrent une critique du régime prêchèrent dans le désert non seulement face à leurs collègues, mais aussi face à la population ; les étudiants furent plus unis dans la contestation mais celle-ci demeura à un niveau relativement modeste et surtout, encore une fois, ne recueillit aucun écho au sein du public ; enfin, les tentatives de « rébellion » plus violentes restèrent excessivement marginales. Et pourtant, nous avons déterminé avec certitude que non seulement l'élite du KSČ mais aussi les membres de base et surtout la population dans son ensemble avaient eu de multiples occasions de prendre connaissance du « rapport secret » et de la révolution idéologique lancée par Khrouchtchev.

Si la passivité des Tchécoslovaques ne peut donc être mise sur le compte du verrouillage du pays par le régime communiste, elle ne fut pas non plus la conséquence de la répression, dans la mesure où celle-ci ne connut aucune progression notable en 1956 : le nombre d'arrestations semble avoir été relativement limité, tandis que les représailles « politiques » restèrent peu nombreuses et modérées (interdiction de voyager pour certains étudiants, interdiction provisoire d'étudier pour un seul d'entre eux, exclusions possibles du parti communiste et remontrances uniquement verbales à l'encontre de Hrubín et Seifert, ainsi qu'à l'encontre de Ďuriš).

Certes, la population continuait certainement à éprouver de la peur et n'avait aucun moyen de savoir à l'avance que sa contestation éventuelle ne serait pas lourdement sanctionnée. Mais la dimension comparatiste permet ici de rappeler que les événements de Pologne et de Hongrie de 1956 ne s'expliquent en rien par la disparition du régime de terreur. Les contestataires furent punis et ce, d'une façon parfois dramatique : faut-il rappeler qu'environ soixante-dix personnes trouvèrent la mort en Pologne lors des événements de Poznań, sans parler des dizaines de milliers de morts de la révolution hongroise. La contestation commença à s'exprimer malgré la peur et c'est seulement par la suite que celle-ci commença à reculer.

L'analyse de Raymond Aron sur l'importance de l'unité dans le parti communiste semble ici très judicieuse : « *Le caractère du parti communiste me paraît la cause principale du cours pris par la déstalinisation dans les différents pays d'Europe orientale. Dans les régimes bureaucratiques, les forces politiques, les sentiments des masses s'expriment dans la lutte des factions, jusqu'au moment du moins où les émotions populaires se transforment en action.* »[280] Cette « lutte des factions » est filtrée par les enjeux internes de l'appareil jusqu'à en devenir parfois méconnaissable, mais la pression sociale entraîne inévitablement des conflits au sommet : le parti communiste « *n'est pas un tout homogène qu'on peut légitimement tenir pour un sujet collectif exerçant le pouvoir* »[281]. Or, l'absence de « lutte des factions » renvoie dans le cas tchécoslovaque à l'absence de « sentiments des masses ». Si Július Ďuriš avait remporté un succès tonitruant avec ses critiques de Gottwald et de Čepička, si la Conférence nationale du KSČ au mois de juin 1956 l'avait acclamé et si la foule l'avait attendu à l'extérieur pour lui faire une ovation, il aurait été un opposant à Novotný tout à fait crédible. Cela n'a pas été le cas et les causes ne sont pas à en chercher dans les arcanes du pouvoir mais bien dans l'attitude de la population. Ce n'est pas l'absence de critique de Novotný au sommet qui empêcha les sentiments contestataires de la population de s'exprimer, mais bien l'inverse : l'absence de sentiments contestataires dans la population se traduisit par l'absence de critique au sommet.

Encore une fois, il ne s'agit pas de nier que la peur existait et ce, à juste titre ; mais elle ne fit que masquer une certaine faiblesse de la volonté de contestation du régime. Il apparaît donc nécessaire de s'intéresser de plus près à cette société apparemment si peu encline à s'exposer. Les travaux d'histoire sociale sur cette période sont quasiment inexistants mais l'historiographie « classique » peut constituer un objet d'étude intéressant ; la réflexion sur le passé (et donc sur les historiens) est en effet partie prenante d'une analyse de la société tchèque dans son ensemble.

IV – L'« HÉRITAGE DÉMOCRATIQUE » : DU KSČ À LA SOCIÉTÉ TCHÈQUE

Avant-propos :
les années 1950 dans l'historiographie

L'étude de l'historiographie qui s'est consacrée sinon à l'année 1956, du moins à la Tchécoslovaquie d'après-guerre et, en particulier, à la première phase du régime communiste (1948-1968) ouvre des perspectives d'autant plus intéressantes que les traits analytiques de la société tchèque dessinés dans les années 1950, 1960 et 1970 ont largement résisté à la « révolution documentaire »[282] de 1989. Le contexte historique de cette production doit toutefois être bien replacé dans l'ère de la Guerre froide puis de la rivalité entre les deux « Grands », époque dont la césure fut marquée par le double événement du Printemps de Prague et de son écrasement par les chars soviétiques le 20 août 1968.

Avant d'en entamer toute étude détaillée, rappelons que cette historiographie est loin d'être le produit des seuls universitaires. Pour reprendre les termes de Krzysztof Pomian, il serait *vain et arbitraire* » de nier que la *« définition du contenu et des frontières de l'histoire n'est pas l'apanage des historiens de métier »* dans nos sociétés[283]. Les passions idéologiques de la seconde moitié du XXe siècle au sujet de l'Europe de « l'Est » ont exacerbé les volontés de participer à l'écriture et à la réécriture de l'histoire. Ainsi, une grande partie des auteurs ne sont pas historiens professionnels mais anciens acteurs politiques, journalistes, intellectuels, politistes ou politologues dont le parcours et les liens personnels avec le régime communiste étaient ou avaient été extrêmement variables. De plus, les historiens professionnels se divisent eux-mêmes entre historiens du régime ayant écrit dans les années 1960, ex-réformistes en rupture après 1968 et travaillant souvent en exil, et historiens occidentaux plutôt anti-communistes mais parfois sympathisants, à des degrés divers, d'une idéologie de « gauche ». Enfin, nombre d'auteurs travaillèrent dans la mouvance de médias antisoviétiques comme *Radio Free Europe* ou *News from behind the Iron Curtain*. Le rapport négatif ou positif, lointain ou récent, entretenu par chacun de ces individus avec l'idéologie communiste au moment où ils publièrent leurs travaux n'est pas, loin s'en faut, la seule logique à l'œuvre dans la production historique ; mais malgré sa complexité, c'est l'une de celles qui est la plus intéressante à étudier, d'autant que les ouvrages les plus importants sont le produit d'auteurs tchèques ou d'origine tchèque exilés en Occident et qui ont vécu dans leur chair le rejet ou le soutien du régime de Klement Gottwald et d'Antonín Novotný. L'ensemble quelque peu disparate de ces écrits constitue cependant une historiographie de niveau inégal, qui ne satisfait pas toujours aux canons universitaires et qu'il convient aujourd'hui de considérer aussi comme un objet d'histoire culturelle.

Contrairement à la soviétologie ou encore aux études sur le nazisme, la production historique sur la Tchécoslovaquie, surtout pour la période qui nous intéresse, est relativement limitée : nous n'avons pu recenser qu'une petite centaine d'ouvrages et quelque cent cinquante articles ou études se consacrant au régime communiste de la fin de la Seconde Guerre mondiale aux débuts du Printemps de Prague (écrits pour l'essentiel entre 1950 et 1995). Avant 1968, les contributions les plus remarquables furent essentiellement dues aux démocrates tchèques exilés en Europe occidentale ou aux États-Unis, qui avaient souvent joué un rôle intellectuel ou politique dans la période 1945-1948 et qui s'efforcèrent d'analyser le développement de leur pays à partir du peu d'informations disponibles. Après 1968, leurs rangs furent gonflés par toute une série d'intellectuels et d'historiens tchèques qui avaient tenu une place dans les structures officielles et qui, pour la plupart, s'étaient engagés aux côtés d'Alexander Dubček. Fervents défenseurs du « socialisme à visage humain », ils avaient en général rompu avec le régime de normalisation mais restèrent souvent partisans de conceptions allant du trotskysme à la social-démocratie en passant par le communisme réformateur et l'eurocommunisme[284]. S'y ajoutèrent de nombreux universitaires occidentaux éblouis par la promesse intellectuelle du Printemps de Prague.

Malgré cette diversité, le trait le plus étonnant qui caractérise l'ensemble de cette historiographie – et qui apporte une justification particulière à cette étude – est le relatif consensus qui anima les auteurs pendant des décennies dans leurs thèses portant sur le régime d'après 1948 et qui continue à largement dominer le champ des interprétations historiques. On peut certes parler, comme le fit Nicolas Werth à propos de la soviétologie, d'« *hypothèses contradictoires formulées par une riche historiographie, conflictuelle et réactive* »[285], mais deux éléments d'explication essentiels se retrouvent peu ou prou dans la presque totalité des travaux, notamment dans ceux d'entre eux qui font autorité : la tradition démocratique du pays d'une part, et le niveau de terreur subi par la société dans la première moitié des années 1950 d'autre part. L'ouverture des archives, ou plutôt leur réouverture puisque nombre d'études avaient pu être menées dans les années 1960, peut inciter à réévaluer la pertinence de ces argumentaires ; elle permet surtout de mettre à jour les présupposés qui les sous-tendent et dont il convient de bien cerner les tenants et aboutissants avant de pouvoir offrir une explication du comportement de la population en 1956.

La référence à une tradition démocratique supposée de la société tchèque constitue l'un des points d'ancrage les plus fédérateurs de la production historique. Même si la démocratie n'eut que vingt ans pour se développer en Tchécoslovaquie, entre 1918 et 1938, elle correspondait à une aspiration profonde et ancienne de la culture nationale. D'une certaine façon, elle était même concomitante à l'identité nationale : le premier président du pays, Tomáš Masaryk, n'affirma-t-il pas : « *Un Tchèque, c'est un homme, un démocrate modèle !* »[286] Nombre d'auteurs s'évertuèrent donc à retracer l'incidence de cet héritage au sein du KSČ comme de la société dans son ensemble et ce, des années 1920 jusqu'aux années 1960.

Le KSČ et les institutions politiques de la Première République

Puisqu'un environnement démocratique régnait en Tchécoslovaquie lorsque naquit et se développa le KSČ, d'aucuns tentèrent d'en mesurer l'influence sur le comportement des militants. Ce thème récurrent sera étudié ici à quatre moments-clefs de l'histoire : sous la première République (1918-1938), entre 1945 et 1948, dans les années 1950 en général et en 1956 en particulier.

Pour certains auteurs, le parti communiste tchécoslovaque se développa ainsi dès l'origine en porte-à-faux entre le contexte démocratique qui en avait vu la naissance et son devoir d'adhésion à Moscou. D'après Barbara Wolfe Jancar (politiste américaine qui passa l'année 1968 à Bratislava et qui s'imprégna de l'atmosphère du Printemps de Prague), cette ambiguïté se manifesta encore plus après 1948 puisque le KSČ, héritier des institutions démocratiques de la première République auxquelles il avait pris part, se trouva dans la position d'un parti dictatorial au pouvoir[287]. Il aurait donc été soumis à un conflit interne entre ses tendances démocratiques, issues de son développement entre les deux guerres, et ses tendances autoritaires qui l'avaient conduit à prendre le pouvoir par la force.

Cet argument tire sa substance de la thèse que le KSČ fonctionnait avant 1938 sur un modèle différent de celui qui régissait les autres partis communistes du Komintern. D'après Eduard Táborský (secrétaire du président Beneš entre 1939 et 1945, parti en exil en 1948), par exemple, la culture autoritaire bolchevique s'était en effet heurtée à Prague aux intérêts de la culture démocratique dominante. Ceci aurait contribué à former des habitudes étonnantes : les militants auraient non seulement hésité à sacrifier leur vie à la révolution, mais même leurs soirées libres[288]. Mis à part quelques joutes verbales de Gottwald au parlement, poursuivit Táborský, le KSČ ne paraissait pas menaçant pour les institutions car il était bien intégré dans la vie politique. La « défense du prolétariat » se serait limitée à des jets de briques au cours de quelques grèves et manifestations que les communistes avaient réussi à retourner en leur faveur, à un coup de poing occasionnel ou encore à quelques jets d'encriers en session parlementaire. En somme, d'après Eduard Táborský : « *Au cours de la première République, le KSČ ne réussit pas une seule fois à convaincre ses membres de base de mener une action à laquelle on puisse attribuer un caractère révolutionnaire.* »[289]

Cette présentation quelque peu candide du KSČ a pourtant été sérieusement contestée. Tout d'abord, on pourrait y opposer le compte rendu d'un témoin direct, par exemple celui d'Ota Hromádko, un militant communiste de la première heure. Dans la première partie de ses mémoires, intitulée « *Sur la route de l'histoire* », il décrit ses activités sous la première République : des batailles rangées contre les groupes fascistes et la police, de nombreux emprisonnements, des déboires avec la justice et une radicalisation progressive témoignent de plus d'une « soirée de libre » consacrée à la « révolution »[290].

De plus, d'autres travaux historiques mettent en avant une activité communiste n'ayant rien de pacifique. C'est même de violence révolutionnaire inspirée par la gauche marxiste dont on peut parler à propos de la Tchécoslovaquie des années 1919-1921. Une lutte fratricide opposait en effet la gauche à la droite du parti social-démocrate pour la création d'un parti communiste, et la première décida de déclarer une grève générale en décembre 1920. Même si elle ne fut pas suivie partout, la situation devint très tendue et prit parfois des aspects « *quasi insurrectionnels* », surtout dans les régions de Kladno et de Most[291]. Les arrêts de travail et manifestations, ainsi que les occupations d'usines et d'immeubles publics par les ouvriers, amenèrent les classes moyennes à croire à un projet de coup d'État de la gauche marxiste et la tentative de grève générale fut écrasée dans le sang[292]. Quelque trois mille personnes furent arrêtées et inculpées de haute trahison, tandis qu'un nombre plus réduit d'entre elles étaient jugées sans le recours d'un jury, surtout en Slovaquie et en Ruthénie où la loi martiale avait été décrétée[293]. D'après l'historien Victor Mamatey, le « jet de quelques briques » dont parlait Táborský coûta la vie à treize ouvriers[294] ; dans un discours au Parlement, le 13 janvier 1921, Bohumír Šmeral, le premier dirigeant du parti communiste tchécoslovaque, parla quant à lui de « *dizaines de morts* »[295]. Ce n'est pas tout : côté slovaque, une République des Conseils fut proclamée à Prešov en juillet 1919 à l'instigation des communistes de la minorité hongroise et sous l'influence de la révolution de Béla Kun en Hongrie. Même si elle s'effondra après la défaite de ce dernier, il s'agissait de l'une des toutes premières tentatives d'exportation de la révolution communiste en Europe centrale[296].

En outre, les mouvements sociaux ne peuvent être traités avec plus de légèreté au tournant des années 1930. Toujours d'après Victor Mamatey, la crise de 1929 suscita de graves tensions, qui se soldèrent par des confrontations sanglantes entre les ouvriers au chômage et la police à l'occasion de grèves, licenciements et ventes publiques de biens pour non-paiement de dettes et impôts. Entre 1929 et 1933, vingt-neuf personnes furent tuées et cent une blessées[297] : « *Comme partout ailleurs*, conclut Mamatey, *la crise économique stimula la croissance de mouvements politiques radicaux. Les communistes cherchaient inlassablement à exploiter le malaise social de la classe ouvrière afin de détruire le système démocratique du pays.* »[298]

La vision qu'Eduard Táborský offre de ces événements est donc trop simpliste. Son modèle d'explication sous-estime sérieusement ces quelques phrases prononcées par Gottwald après son élection au Parlement en 1929 : « *Nous sommes le parti du prolétariat tchécoslovaque et notre état-major se trouve à Moscou. Nous allons à Moscou pour apprendre des bolcheviks russes comment vous tordre le cou. Et comme vous le savez, les bolcheviks russes sont passés maîtres en la matière.* »[299] De plus, si la faiblesse de l'engagement du prolétariat qu'il met en avant acquit quelque réalité à des périodes bien définies de la première République (dans les années 1920 et après 1935), était-ce bien à l'« influence démocratique » qu'il convenait de l'attribuer ? S'il n'y eut plus de grands mouvements sociaux dans les années 1920, ne fut-ce pas plutôt le fait des concessions économiques importantes arrachées au gouvernement après la grève de 1920 ? Et s'il n'y en eut plus après 1935, ne faudrait-il pas plutôt y voir l'effet du changement de stratégie du KSČ, devenu loyal envers l'État tchécoslovaque pour des considérations de politique extérieure ? La soi-disant « influence démocratique » est plus que malaisée à mesurer. De fait, son utilisation a souvent été le fruit d'une confusion avec un autre débat, plus complexe, sur la « dualité » des partis communistes.

Le débat sur la « dualité » du KSČ

L'origine des thèses d'Eduard Táborský et de Barbara Wolfe Jancar réside en grande partie, en effet, dans le débat historique sur la « dualité » d'un KSČ déchiré entre son héritage social-démocrate et une bolchevisation particulièrement accomplie. Cette « dualité » expliquerait les nombreux atermoiements de sa politique et ses divisions[300]. La difficulté méthodologique consiste cependant ici à bien opérer la distinction entre la profondeur des racines social-démocrates du KSČ, qui sont indéniables et qui lui assurèrent une assise de masse dans la société tchèque, et le contexte démocratique dans lequel il opéra au cours des années 1920 et 1930, dont l'influence est en revanche, comme nous l'avons vu plus haut, bien plus douteuse.

Il est exact que le KSČ connut, dès l'origine, comme le souligne Fred Eidlin[301] (historien canadien qui vécut plusieurs années en Tchécoslovaquie pendant et après le Printemps de Prague et qui connut même la prison en compagnie des dissidents), une tension entre ses racines ouvrières nationales et les orientations imposées par Moscou. Jacques Rupnik détaille les conflits nés du processus de « bolchevisation » du KSČ par Gottwald : l'affaire Bubník en 1925[302], la lutte contre l'aile réformiste en 1925-1928[303], l'expulsion de Guttmann en 1933[304] ou encore l'affaire Kalandra en 1936[305]. Dans chacun de ces cas, les partisans d'un communisme tchécoslovaque réformateur et modéré, critique du stalinisme, furent éliminés au profit des tenants de la voie « dure » soutenus par Moscou. Les dirigeants du Komintern eux-mêmes donnèrent à penser que le KSČ souffrait encore plus que les autres du conflit entre ses traditions et la politique imposée par les Soviétiques ; ils écrivirent une lettre ouverte à ses adhérents en 1928 dans laquelle ils précisaient : *« C'est précisément parce que le KSČ a un important héritage social-démocrate et ne s'est pas forgé dans les luttes révolutionnaires qu'il doit élaborer sa propre ligne bolchevique. »[306]*

Mais dans les années 1920 et 1930, la division se révéla être dans la nature même des partis communistes, d'autant qu'elle reflétait la lutte pour le pouvoir qui se déroulait à Moscou. La mainmise du Komintern sur l'organisation et la tactique des partis ne fut facile à accepter pour personne et le cas du communisme tchécoslovaque n'eut rien de spécifique. Rappelons l'histoire du parti communiste hongrois au tournant des années 1930 avec l'affrontement entre les « Thèses Blum » de György Lukács, les « Thèses Robert » de Béla Szántó et les thèses de Gyula Alpári reprises par József Révai ; le Komintern envoya d'ailleurs une lettre ouverte similaire à ses adhérents[307]. L'histoire du PC français au même moment est comparable : un groupe d'élus communistes dénonça le sectarisme de la direction, fut exclu et créa un parti dissident ; la direction était déchirée et le PCF fut désigné dans la lettre ouverte à tous les comités centraux du Komintern du 7 décembre 1930 comme l'une des sections les plus fautives du Komintern. En bref, il était, d'après Annie Kriegel, *« le plus mauvais élève de la classe communiste »[308]*.

La palme de la *« pire section de l'Internationale communiste »[309]*, si elle avait existé, aurait sans doute été disputée entre les partis polonais, hongrois et yougoslave. Tous trois subirent en effet les foudres du Komintern dans les années 1930[310], les deux premiers étant même dissous par ses soins – le parti hongrois en 1936[311] et le parti polonais en 1938[312]. Le dernier n'échappa à ce sort que grâce à la personnalité de Tito, mais au prix d'une épuration zélée de ses propres rangs[313]. Dans les trois cas, les membres du Comité central en exil à Moscou furent exterminés[314]. L'on ne peut guère parler d'authentique « héritage démocratique » pour la Pologne, la Hongrie et la Yougoslavie, et pourtant l'historien Miklós Molnár résume parfaitement les atermoiements d'un parti hongrois « *tour à tour révolutionnaire, sectaire, déchiré par une révolution, novateur et réformiste à nouveau* » et qui connut une « *histoire mouvementée* »[315].

Il convient donc d'établir une nette distinction entre la « dualité » de chaque parti communiste et l'histoire spécifique de chaque pays, qui inclut dans le cas tchèque un contexte démocratique. Jacques Rupnik analyse d'ailleurs une certaine similitude entre le PCF et le KSČ : « *Le fait d'opérer dans l'entre-deux-guerres dans un régime de démocratie parlementaire eut pour le PCT [KSČ] et le PCF la conséquence d'avoir à "résister" à la perpétuelle tentation de la voie réformiste, mais il donnait aussi à la politique frontiste, populaire puis nationale, une dimension qu'elle ne pouvait avoir ailleurs. D'où le mélange, dans la politique et l'idéologie des deux partis, d'un jacobinisme nationaliste et centralisateur et d'un attachement inconditionnel à l'Union soviétique.* »[316]

Pour en revenir à l'argument de Barbara Wolfe Jancar présenté plus haut, le conflit invoqué du KSČ entre ses tendances « démocratiques » et ses tendances « autoritaires » – et donc l'« ambiguïté » de sa position après 1948 – semble d'autant plus hypothétique que l'existence même de son caractère démocratique interne était douteuse. L'argument fut pourtant poussé encore plus loin pour rendre compte de l'histoire tchécoslovaque du début des années 1950.

Les « racines démocratiques » du KSČ : 1948-1956

En 1945, le KSČ suscita beaucoup d'espoir. Pourtant, d'après Barbara Wolfe Jancar, dès qu'il se retrouva au pouvoir, une « *logique du monopole absolu* » dont le centre était situé en URSS l'aurait forcé à adopter « *la même position* » que Gottwald dans les années 1930, lorsqu'il avait bolchevisé le parti[317]. En d'autres termes, pour rester au pouvoir, les communistes sacrifièrent « *l'expérience tchécoslovaque* » et s'en remirent à Moscou ; parallèlement, ils auraient tenté de consolider leur position dans le pays en identifiant « *de manière surtout fallacieuse* » l'État communiste aux traditions démocratiques. Le résultat en aurait été le désastre de la répression :

« *La réponse de Gottwald à la nouvelle position de pouvoir du KSČ fut une rigidité et une orthodoxie encore plus conservatrices que celles de l'État soviétique.* »[318] Outre le fait que l'auteur ne justifie par aucune donnée cette surprenante dernière affirmation, elle surestime sans doute la générosité d'âme de Gottwald. Une certaine naïveté envers les penchants démocratiques supposés du dirigeant tchèque l'amène d'ailleurs à écrire : « *Même si Gottwald avait vraiment planifié la prise du pouvoir à travers l'exploitation consciente des traditions démocratiques tchécoslovaques, il n'est absolument pas certain qu'il ait envisagé le nouveau système politique comme un monopole absolu, ni qu'il ait réalisé ce que son rôle deviendrait en toute logique.* »[319]

Pourtant, il n'y a aucun doute sur le fait que Gottwald avait prévu d'instaurer le monopole communiste du pouvoir avec toutes les conséquences qu'une telle entreprise impliquait. Que Jacques Rupnik, par exemple, signale lui aussi l'importance du tournant de 1928-1929, avec une rupture entre la tradition du mouvement ouvrier tchèque et la nouvelle subordination du KSČ à la politique de Moscou[320], ne l'empêche pas de dépasser le faux débat portant sur la sincérité de Gottwald entre 1945 et 1948 : « *Il est superflu de spéculer sur la sincérité ou la perfidie des individus. Ce qui compte, c'est la fonction et la limite de* [sa] *politique dans la stratégie globale de Staline en Europe au lendemain de la Deuxième Guerre mondiale.* »[321] L'auteur décrit d'ailleurs la formation stalinienne de Gottwald, son passage par l'école de la discipline bolchevique et son asservissement total à Moscou dès les années 1930. Plus important encore, il souligne que le KSČ avait pris *de facto* le pouvoir non pas en 1948 mais dès 1945 : il détenait l'appareil d'État, inséré dès la libération dans la sphère d'influence soviétique, il contrôlait les organisations du groupe social le mieux organisé, la classe ouvrière, et il agissait en accord avec la stratégie du mouvement communiste international[322].

Vlastislav Chalupa (démocrate exilé après 1948, qui assuma des fonctions à la tête d'une organisation d'exilés tchèques à Chicago) souligna également l'aspect tactique de la politique communiste entre 1945 et 1948, à travers une étude des institutions politiques tchécoslovaques d'après-guerre. D'après lui, le régime de « démocratie populaire » instauré, après 1945, était déjà suspect dans la mesure où la prise de décision avait été retirée des experts et des administrations pour être attribuée aux hommes politiques : « *L'unité de l'État* […] *est remplacée dans la "démocratie populaire" par l'unité de la* volonté politique, *qui ne peut, bien sûr, être maintenue que par la répression de l'opposition et de la critique. Elle rend insignifiante la décentralisation du système judiciaire et exécutif.* […] *Cela ne veut pas dire que toute critique est exclue et inadmissible ; la critique des moyens par lequel le but peut être atteint est possible ; mais la critique du but lui-même ne l'est pas.* »[323] Si les opinions politiques ne pouvaient se différencier que par la force, on devait aboutir soit à un changement de grande ampleur du système politique, soit à son évolution vers l'absolutisme ; le verdict de Vlastislav Chalupa est donc sans appel : « *Le parti communiste créa ce système de compromis, chargé de contradictions internes, comme point de départ délibéré de son cheminement vers la dictature.* »[324]

Robert Evanson jette également un regard intéressant sur ce qu'il tient pour une politique conciliante du régime après 1948. Il part de la même constatation que Barbara Wolfe Jancar : l'État communiste semblait s'être identifié aux traditions démocratiques. Néanmoins, il rend compte avec plus de finesse de la politique communiste en remarquant que la tentative apparente du pouvoir de coopérer avec de vastes segments de la société, de maintenir un semblant de continuité avec les traditions démocratiques parlementaires et de limiter l'usage de la terreur contre les opposants était surtout destinée à décourager la résistance : « *Plutôt que de s'aliéner des millions de gens à travers une discrimination sévère et un gouvernement sectaire, la direction gottwaldienne incita le peuple à lui donner son soutien volontaire.* »[325]

Comme le souligne Miklós Molnár, que de nombreux militants communistes européens aient cru aux discours communistes de l'après-guerre est possible et même vraisemblable, aussi bien parmi les dirigeants qu'à la base. Néanmoins, conclut-il, « *cela ne permet pas de parler d'un courant démocratique au sein des partis communistes* »[326]. Le changement de politique intervenu en 1948 fut indéniablement dicté par Moscou, tout comme l'avait été la politique conciliante de 1945 à 1948, et Gottwald se révéla un dirigeant discipliné. Si Barbara Wolfe Jancar se réfère à l'expression de l'historien tchèque Jan Kozák, « *split personality* », pour qualifier les membres du KSČ soi-disant déchirés entre leur loyauté envers Moscou et celle envers leur propre pays[327], il convient de souligner, en tout cas, qu'ils n'étaient pas les seuls à en souffrir : on peut penser aux communistes polonais, qui avaient toutes les raisons de se méfier du communisme soviétique tout en en étant dépendants.

Les arguments de Barbara Wolfe Jancar sont en fait caractéristiques des thèses historiques défendues lors du Printemps de Prague ; la recherche des racines historiques du « socialisme à visage humain » mena en 1968 à réévaluer avec indulgence l'action de Gottwald – voire à en dissimuler autant que possible les aspects fortement négatifs. Ce qu'il est particulièrement intéressant de noter dans ce contexte est la relative unanimité à laquelle parviennent des auteurs de courants politiques fort différents ; outre cette universitaire américaine, des contributeurs importants à l'historiographie de la Tchécoslovaquie d'après-guerre soutinrent eux aussi une thèse clémente, voire charitable, envers la première phase du régime communiste : Eduard Táborský, que nous avons déjà rencontré, Jiří Pelikán (qui, après avoir été secrétaire général de l'Union internationale des étudiants dans les années 1950, dirigea la radio-télévision tchécoslovaque sous Dubček) ou encore Evžen Löbl (condamné à la prison à perpétuité dans le cadre du procès Slánský en 1952).

Avec quelques années d'avance (1960 contre 1971), Eduard Táborský avait déjà, en effet, anticipé sur l'indulgence de Barbara Wolfe Jancar vis-à-vis de Gottwald. Il s'était référé à la « *répugnance* » des communistes tchécoslovaques à en venir, après 1948, à une soviétisation totale des institutions politiques. D'après lui, c'était la conséquence de « *leurs liens, conscients et inconscients, avec les traditions occidentales qui avaient laissé une marque indélébile sur eux* »[328]. Quant à Jiří Pelikán, il écrivit : « *Plus tard, lorsque nous fîmes tout ce que nous avions dit précédemment ne pas vouloir faire, je me suis demandé si Gottwald et la direction du Parti pensaient sincèrement ce qu'ils disaient ou bien s'ils trompaient sciemment la population et même les militants du Parti. Personnellement, je crois qu'à cette époque, Gottwald était sincère et que c'est plutôt la convergence de différents facteurs qui détruisit son idée initiale.* »[329] Enfin, selon Evžen Löbl, la Constitution de 1948 montrait l'attachement des communistes aux valeurs tchèques de civilisation[330].

Mais si la Constitution de 1948 protégeait effectivement les droits des citoyens sur le papier, s'agissait-il d'autre chose que d'une « *simple floraison de propagande* »[331] ? Zdeněk Kryštůfek rappelle que Löbl lui-même fut pourtant arrêté et condamné à la prison à perpétuité en toute innocence ; sa conclusion est donc simple mais pleine de pertinence et vaut tout aussi bien pour Eduard Táborský et Jiří Pelikán : « *Les phrases pleines d'humanité de la nouvelle Constitution ne limitèrent en rien l'arbitraire de la police et de la justice après février.* »[332]

Les « traditions démocratiques », le KSČ et l'« opinion publique »

La présentation historique qui souligne l'influence de l'héritage démocratique sur les mœurs du KSČ s'attache aussi à expliquer un décalage chronologique supposé de la Tchécoslovaquie par rapport à ses voisins dans le processus de stalinisation. La thèse du « retard » à la soviétisation se fonde, pour l'essentiel, sur le fait que le régime de terreur fut en apparence mis en place avec un certain décalage à Prague, ce que l'on peut mesurer, par exemple, à la date des grands procès : 1950 pour le procès Horáková et 1952 pour le procès Slánský, alors que les procès Rajk (Hongrie), Dodze (Albanie) et Kostov (Bulgarie) s'étaient tenus dès 1949.

Zdeněk Suda, politiste tchèque parti en exil en Occident après 1948 et professeur à Stanford, estima que les causes de ce « retard » devaient être recherchées dans le *« cadre idiosyncratique de la culture politique nationale »*. En effet, d'après lui, c'est l'expérience des communistes acquise sous le régime de démocratie pluraliste qui expliquait ce qu'il tint pour des *« appréhensions de leur part sur les conséquences potentielles d'une révision majeure de leur politique »*. De façon plus précise encore : *« Parmi les partis communistes au pouvoir, seul le KSČ était conscient du pouvoir de l'opinion publique. »*[333]

Soulignons tout d'abord que, au-delà des apparences, la thèse du « retard » n'est techniquement guère pertinente. À certains égards en effet, la Tchécoslovaquie fut plutôt en avance sur ses voisins : une Constitution sur le modèle socialiste y fut adoptée dès le 9 mai 1948 contre le 7 août 1949 en Hongrie et le 22 juillet 1952 en Pologne ; la nécessité de la « dictature du prolétariat », qui marqua un tournant essentiel dans l'instauration de la dictature communiste, fut affirmée dès février 1948 en Tchécoslovaquie, contre le 15 décembre 1948 en Pologne et le 26 décembre 1948 en Hongrie ; enfin, la fusion entre les partis communiste et social-démocrate, qui porta le coup de grâce à la pluralité politique, fut imposée dès le mois de juin 1948 en Tchécoslovaquie, comme en Hongrie, alors qu'elle ne le fut qu'en décembre de la même année en Pologne.

Mais plus décisif encore, la thèse de l'aveuglement supposé des communistes hongrois et polonais entre 1953 et 1956 pèche par ignorance. L'interview d'Edward Ochab citée dans la première partie montre que le risque de la déstalinisation était chez lui parfaitement compris et mesuré. De plus, le KSČ n'était certainement pas le seul parti à être conscient du pouvoir de l'« opinion publique » (à supposer que l'on puisse employer ce terme dans le cadre d'un régime communiste en pleine phase stalinienne) : au contraire, les partis communistes hongrois et polonais y étaient d'autant plus sensibles que leur pouvoir était mal assuré. La chronologie détaillée de la période 1953-1956 montre que la politique des partis communistes fut toujours plus fluctuante au moment d'une pression populaire ascendante (voir *infra*) : toutes les concessions du pouvoir en Pologne et en Hongrie furent le résultat d'une pression populaire – et non d'un manque de « sagesse » de leurs dirigeants.

La « culture politique nationale » fut pourtant invoquée par un autre grand auteur, qui alla jusqu'à soutenir que c'étaient les traditions démocratiques qui avaient freiné de façon significative l'expression du mécontentement populaire : Ivo Ducháček (député du parti populaire entre 1945 et 1948, exilé après 1948) situe ainsi la *« sobriété sophistiquée des opposants, ancrée dans les traditions de la démocratie et de ses méthodes non violentes d'action »* comme un facteur essentiel permettant d'expliquer l'absence de résistance de la population tchécoslovaque dans les années 1950[334]. Celle-ci aurait été, au fond, paralysée par son niveau culturel ; le seul pays d'Europe centrale à avoir connu la démocratie entre les deux guerres serait resté impuissant face à un régime antidémocratique, ses citoyens étant incapables d'utiliser une autre arme que leur bulletin de vote. Ducháček crut pourtant déceler de forts sentiments anticommunistes au sein de la population tchéco-slovaque en 1956. Il écrivit, toujours dans le même article (1958) : « *Le terme qui caractérise le mieux le climat politique tchécoslovaque est celui d'*"*évolution révolutionnaire*". »[335] Il affirma que la population ne se diffé-renciait pas de ses voisins dans son désir de liberté et d'indépendance et que le régime communiste ne survivrait sans doute pas sans la protection sovié-tique ; seules les méthodes de résistance et d'opposition auraient été diffé-rentes : « *Une* "*guerre civile*" *permanente, sans effusion de sang et souvent plus que discrète, est à l'ordre du jour en Tchécoslovaquie comme ailleurs en Europe centrale.* »[336]

La « tradition démocratique » qu'il invoque ne peut pourtant être tenue pour un argument valable lorsqu'il s'agit d'expliquer la passivité de la population dans les années 1950 ; les dizaines de milliers de personnes arrêtées à cette époque montrent d'ailleurs que nombre de citoyens surent adopter des moyens de lutte parfaitement traditionnels pour contester le régime. La pertinence de la « tradition démocratique » mériterait d'ailleurs discussion dans la mesure où elle n'était vieille que de deux décennies. Les siècles de pratique non démocratique qui l'avaient précédée, les réflexes de survie acquis par les Tchèques et les Slovaques sous l'empire austro-hongrois et le régime nazi, ne jouèrent-ils pas un rôle au moins aussi important ?

Quoi qu'il en soit, il n'est pas étonnant que l'auteur soit contraint de recourir à une notion aussi vague que celle de « guerre civile invisible » pour justifier son propos. L'article n'est évidemment pas en mesure d'en offrir une illustration concrète et le vocable d'« évolution révolutionnaire » n'est lui-même nourri par aucune démonstration. Comme le remarque l'ex-député en personne, « *ailleurs en Europe centrale* », c'est-à-dire en Pologne et en Hongrie, la « guerre civile » avait pourtant pris deux ans plus tôt une forme nettement plus palpable. La dernière image à laquelle il a recours, celle d'une Tchécoslovaquie comparable à un gros radis (une fine couche rouge à l'extérieur masquant le corps blanc mais destinée à rester stable tant que le *statu quo* géopolitique serait en faveur des commu-nistes)[337] achève de démontrer que cet article documente son propre *wish-ful thinking* au sujet de la résistance tchécoslovaque au communisme, non la situation réelle. Que la population ait aspiré à la liberté est tout à fait vraisemblable mais ce désir n'était pas nécessairement incompatible avec une satisfaction partielle de ses besoins socio-économiques et ne préjuge pas, en tout état de cause, de sa volonté de résistance ouverte.

Le KSČ et le XXᵉ Congrès

D'autres analyses portant plus spécifiquement sur l'année 1956 méritent d'être relativisées. Dans la première partie, nous avons évoqué l'impact de la nouvelle du « rapport secret » sur les membres du KSČ ; or, ces quelques signes d'activité soulevèrent un grand enthousiasme en Occident. Ainsi, Eduard Táborský salua une nouvelle « *démocratie interne au sein du KSČ, d'une vigueur surprenante* », qui avait fait une « *réapparition rapide* » après le XXᵉ Congrès et qui prouvait l'existence d'un courant libéral continu au sein de la société tchèque[338]. De plus, selon lui, la réhabilitation des « voies spécifiques vers le socialisme » au XXᵉ Congrès du PCUS avait remis à l'ordre du jour un débat « *embarrassant* » pour le KSČ : existait-il encore une vraie conviction « socialiste » dans le pays comme en 1945-1948 ? Il répondit par la négative : « *Bien qu'il ne soit possible de produire aucune preuve palpable, je suis persuadé que le pourcentage de vrais croyants dans le marxisme-léninisme au sein de la population est aujourd'hui en Tchécoslovaquie plus faible que dans la plupart des autres satellites, bien que le pourcentage de membres du parti soit plus élevé que n'importe où ailleurs derrière le Rideau de fer.* »[339]

L'auteur partait pourtant d'une analyse très juste. Les conditions propres à la Tchécoslovaquie, écrit-il, étaient bien adaptées à l'adoption d'un régime communiste ou communisant : c'était un pays industrialisé, peu rural (le moins rural de tous les satellites de Moscou) ; l'État possédait par tradition une partie des entreprises ; il n'y avait aucune hostilité *a priori* de la population à l'intervention publique dans l'économie et même les entrepreneurs privés avaient l'habitude de se reposer sur les subventions ; le KSČ avait été un parti légal entre les deux guerres et une idéologie socialisante était fortement implantée chez les ouvriers et les intellectuels ; un sentiment russophile (contre le « danger allemand ») était répandu au sein de la population ; enfin, la religion n'exerçait qu'une faible influence[340]. Pourquoi, dans ces conditions, voir un paradoxe dans l'absence de preuve palpable de sentiments anticommunistes forts ? Une fois encore, l'ambivalence de la population vis-à-vis du communisme est interprétée au vu des convictions propres de l'auteur. Le fait que la Tchécoslovaquie ait effectivement été un satellite obéissant, que les dirigeants n'eurent aucun mal à garder sous contrôle dans les années 1950 et dont le pourcentage de membres du parti par rapport à la population était le plus élevé au monde, mériterait pourtant une interrogation plus approfondie.

Le témoignage de Jiří Pelikán sur l'effet du XXᵉ Congrès dans le KSČ en 1956, apporté quinze ans plus tard, semble confirmer l'analyse d'Eduard Táborský mais, là encore, au détriment des faits : « *L'angoisse de comprendre augmenta avec les semaines et le Parti était sens dessus dessous.*

De partout arrivaient des "résolutions" qui demandaient de nouvelles explications au Comité central. Il était submergé par l'afflux des questions et incapable de fournir des réponses satisfaisantes. Une pression grandissante s'exerçait dans certaines organisations du Parti, d'intellectuels aussi bien que d'ouvriers. »[341] C'est même près d'un tiers des cellules de base qui, en exigeant la convocation d'un congrès extraordinaire, auraient menacé de forcer la main en ce sens à la direction[342].

En réalité, ainsi que nous l'avons vu plus haut, seul 0,5 % des organisations de base du KSČ, presque toutes praguoises et à caractère « intellectuel », avait demandé la convocation d'un tel congrès. Si la mémoire du témoin Jiří Pelikán n'est pas infaillible, son analyse de l'année 1956, comme celle d'Eduard Táborský, est fondée non sur des informations précises (pourtant déjà accessibles en grande partie) mais sur une thèse antérieure ayant trait à la « vigueur démocratique » de la société (et donc du parti communiste) tchèque. Cette thèse n'est alimentée que par la bonne volonté de ses auteurs et ses modalités en sont nécessairement des plus abstraites : d'où l'absence de « preuves palpables », l'importance des sentiments subjectifs, la présence d'ordres de grandeur aussi vagues que trompeurs et l'utilisation de formules approximatives.

Cette thèse démocratique, hasardeuse mais séduisante, a pourtant influencé la lecture des discours communistes chez les plus grands universitaires dont, par exemple, Gordon Skilling. Historien canadien présent à Prague entre 1937 et 1939, il fit partie, après la guerre, de cette nombreuse génération d'intellectuels aux sympathies momentanément « socialisantes », tout en demeurant un grand défenseur de la Tchécoslovaquie démocratique[343]. Il écrivait en 1964 : « *Bien que les dirigeants se soient félicités de l'absence d'un système organisé de pensée "révisionniste" avant l'année 1956, ils admirent cette année-là qu'il y avait eu des propositions pour un congrès extraordinaire du parti et un changement de ligne, ainsi que d'autres évidences de "pensées erronées".* »[344] Les autorités auraient déploré le fait que « *certaines personnes* » avaient « *profité* » de la campagne contre le stalinisme pour attaquer le « *marxisme-léninisme* » et la « *ligne générale du parti* ». Gordon Skilling conclut : « *Même après 1956, il y eut de fréquentes références officielles aux dangers des idées "bourgeoises" et "révisionnistes", suggérant qu'il en subsistait encore des vestiges tenaces, considérés comme un danger continu.* »[345]

Il est exact que Novotný et ses pairs se plaignirent d'un danger « révisionniste » en 1956 (voir *infra*) ; mais Gordon Skilling n'attribue-t-il pas une importance exagérée à ce fait plutôt banal ? Il convient en tout cas de contester sa première affirmation : les dirigeants ne se sont jamais « *félicités de l'absence d'un système organisé de pensée révisionniste* », ni « *avant 1956* », ni après, pour la bonne raison que la présence d'un ennemi est essentielle à toute dictature. Les colonnes de *Rudé právo*, dès 1948 et jusqu'en novembre 1989, ont dénoncé avec une grande constance la présence de « pensées révisionnistes ». De plus, Gordon Skilling suggère que c'est la pression de la société tchécoslovaque qui força les dirigeants à admettre, en 1956, l'existence de ce « révisionnisme ». Or, ainsi que nous l'avons montré dans la première partie, une telle pression fit défaut et Novotný ne fut en rien contraint de publier des chiffres sur le nombre de cellules du KSČ ayant demandé la convocation d'un congrès extraordinaire ; il ne s'agissait pas d'une concession devant la force de la contestation mais d'un prétexte pour mettre fin à la campagne de discussion sur les « résultats du XXe Congrès ».

Les historiens ayant écrit sur la Tchécoslovaquie des années 1950 et 1960 ont eu souvent tendance à oublier que l'« admission » de la présence d'un ennemi n'était qu'une tactique classique du registre communiste. Faire croire que l'ennemi était plus puissant qu'il ne l'était en réalité justifiait la répression. Cette méthode était l'avatar de la célèbre formule de Staline : « La lutte des classes s'intensifie au cours de la construction du socialisme. » Paul Barton l'exprima en d'autres termes : « *La forme universelle de l'action des totalitaires est la conspiration. Cela est vrai pour leurs activités dans l'opposition aussi bien que pour celles qu'ils déploient une fois installés au pouvoir.* »[346] Si la dénonciation d'ennemis par les officiels du régime confirma en certaines occasions l'existence d'une opposition au régime, il convient de toujours garder à l'esprit que la propagande était en position de monopole. En l'occurrence, l'âpreté de la dénonciation ne pouvait servir à déterminer l'envergure de l'opposition. Le fait que les officiels s'en soient pris (uniquement sur le plan verbal, ce qui est par ailleurs significatif) à la presse, à l'édition, aux intellectuels et aux étudiants est un procédé traditionnel envers des institutions dont tout pouvoir politique autoritaire se méfie ; il ne permet pas de déduire grand-chose quant à une réelle activité.

Il convient sans doute ici de prendre en compte le rôle des médias anticommunistes financés par les États-Unis, qui constituèrent, au plus fort de la Guerre froide, la seule source d'information alternative aux travaux des historiens officiels pour des universitaires occidentaux privés d'accès direct aux archives. Ces médias se singularisèrent en effet par une interprétation fortement idéologisée du cours des événements ayant lieu de l'autre côté du « Rideau de fer ».

L'influence de la vision américaine du conflit Est-Ouest

News from behind the Iron Curtain, qui appartenait au même groupe que *Radio Free Europe*, fut l'un des périodiques occidentaux qui se consacra le plus à l'étude de l'Europe de l'Est. Si la revue n'avait pas de vocation scientifique particulière – et ne peut donc être placée sur le même plan que des travaux proprement universitaires –, elle constituait une source d'information incontournable. Or ses éditeurs furent longtemps persuadés de l'effondrement imminent des régimes communistes et se livrèrent avec la plus grande constance à des descriptions apocalyptiques de la situation dans le bloc de l'Est. Ce *wishful thinking* est parfaitement symbolisé par une proclamation datant de 1953 : « *Tchèques et Slovaques : écoutez le message qui vous parvient aujourd'hui du monde libre : l'Union soviétique s'affaiblit, les peuples des nations captives se renforcent.* »[347] La période de dégel post-stalinienne ne fut tenue, pour sa part, que pour une « *tentative de propagande désespérée pour tirer le plus grand avantage possible des concessions du régime* »[348].

Or *News from behind the Iron Curtain* utilisait, elle aussi, comme source des extraits de la presse officielle, au prétexte que celle-ci charriait des discours d'insatisfaction sur la marche du régime. Il suffisait donc que des fonctionnaires de la jeunesse, des dirigeants de coopératives ou de hautes personnalités dénoncent certains dysfonctionnements du système pour que l'existence de ferments de contestation soit tenue pour acquise. Répétons que cela revenait à sous-estimer le fait que le régime contrôlait étroitement les médias et que ce que l'on y trouvait ne reflétait que l'image qu'il entendait donner de lui-même. L'éventualité que la politique menée entre 1953 et 1956 ait pu constituer une habile manœuvre, tant sur le plan de l'économie que de la propagande, ne fut ainsi même pas envisagée[349]. Pourtant, celle-ci ne devait rien au hasard, ni d'ailleurs aux « revendications démocratiques » – le rôle historique de l'intellectuel en chef du parti, Zdeněk Nejedlý, mériterait une étude plus poussée.

Il n'est sans doute pas inutile de rappeler que l'idéologie présidant à la formation de l'institution-mère de *News from behind the Iron Curtain*, le *National Committee for a Free Europe*, était un anticommunisme virulent[350]. Ce *NCFE*, fondé à New York en 1949, créa *Radio Free Europe* non seulement pour contrer la propagande locale mais aussi pour soutenir, voire susciter, la résistance des populations à Moscou au travers d'une « *guerre psychologique* » pionnière, « *combinant les qualités de la radio et de l'écrit* »[351]. Il disposa à cet effet d'un financement secret du Congrès américain et de la CIA se montant à trente millions de dollars par an[352], et ses institutions accueillirent certainement avec joie tout signe de révolte dans les pays communistes.

C'est ainsi que les rapports sur la colère des ouvriers tchécoslovaques après la réforme monétaire de juin 1953 publiés par la revue (voir *supra*) furent à l'origine des énormes opérations *Prospero* puis *Veto* (douze millions de tracts lâchés par ballon au-dessus de la Tchécoslovaquie en 1954). Les dirigeants du mouvement auraient en effet « *pris conscience qu'il existait en Tchécoslovaquie une grande opposition inorganisée capable de s'engager dans une action politique significative* ». La radio se serait considérée comme la « *voix de l'opposition* »[353] avec d'autant plus de conviction qu'elle pensait être « *bien mieux informée sur les événements en Tchécoslovaquie que les habitants eux-mêmes* »[354]. Le fait que cette « grande opposition inorganisée » n'ait été attestée que par des récits invérifiables de témoins et une lettre anonyme adressée à la rédaction ne freina en rien cet enthousiasme. *Radio Free Europe* exprima même sur ses ondes l'opinion que les populations des pays communistes avaient *intérêt* à s'organiser en opposition : « *Sans réceptivité à l'intérieur, les efforts du monde libre deviendraient des tentatives d'interférence inutiles et sans intérêt* », alors même que son objectif était de fournir le « *support extérieur* » qui devait permettre à l'« *opposition du peuple* » de ne pas se « *faner dans son isolement* »[355]. Dans ces conditions, il n'est guère étonnant que l'action de *Radio Free Europe* ait été vivement critiquée en rapport avec la révolution hongroise. Il lui fut en effet reproché d'avoir incité une action armée contre le régime et d'avoir insufflé à la population l'espoir d'en finir avec le communisme alors que les Occidentaux n'étaient nullement disposés à intervenir en sa faveur[356].

L'amour de la Tchécoslovaquie

Un attachement quasi affectif au caractère démocratique de la culture tchèque unit ainsi largement, au-delà des convictions politiques, historiens, anciennes élites et politistes. Tous les auteurs étudiés ci-dessus manifestent dans leurs écrits une grande sympathie pour une culture politique tchèque considérée comme unique[357]. C'est pourquoi les critiques – voire les quolibets – sur la passivité des Tchécoslovaques en 1956 entraînèrent des tentatives de justification tortueuses. Des faits retors et peu séduisants furent réinterprétés plus ou moins consciemment à la lumière de convictions dont l'optimisme tendait parfois à la chimère. Un tchécocentrisme contre-productif en fut à la fois la cause et la conséquence. L'ignorance des mécanismes de base de la déstalinisation en Pologne et en Hongrie mena fréquemment à sous-estimer l'importance de la pression populaire dans ces deux pays. À l'inverse, l'ardente recherche de manifestations tangiblement anticommunistes de la population tchèque mena parfois les auteurs à accorder un trop grand crédit à des rumeurs invérifiables.

Les rapports des ambassades française et américaine à Prague, qui n'étaient pas motivés par la recherche de circonstances atténuantes pour le comportement de la population, posent pourtant avec insistance la question de la culture politique. Les diplomates américains commentèrent avec acidité le pragmatisme tchèque exprimé dans l'« *opinion communément partagée* » qu'il était inutile de se rebeller et qu'il valait mieux attendre une troisième guerre mondiale. La propre veuve du président Beneš aurait offert une image « *décourageante* », plaçant plus d'espoir dans un retour illusoire de l'armée américaine que dans une volonté de défense de la population[358]. Au total, les citoyens auraient semblé « *ne pas être faits de l'étoffe dont on fait les révolutions* » et la conclusion « *déprimante* » de ces diplomates était que : « *Les Tchèques semblent être destinés à être bousculés par d'autres nations plus agressives et [...] il est probable qu'ils continueront à baisser la tête et à travailler, peut-être sans volonté mais néanmoins de façon efficace et industrieuse, pour n'importe quel maître venant claquer son fouet au-dessus de leurs têtes.* »[359] Les diplomates français notèrent avec le même agacement le « *manque de courage politique* » du peuple tchèque[360], dont la « *prudence congénitale* » n'aurait laissé « *aucun espace* » à l'expression de tendances violentes[361].

Les diplomates occidentaux étaient certainement déçus de ne pas voir la population lutter de façon plus active contre le régime et ils eurent le mérite de poser en termes directs, sinon délicats, la question de l'absence de résistance ouverte au régime. Mais l'on peut à nouveau relever une coïncidence de pensée remarquable chez les historiographes : tant les démocrates en exil que les historiens communistes s'abstinrent de se consacrer à cette douloureuse question. En fait, les analyses d'Eduard Táborský, de Jiří Pelikán et de Gordon Skilling sur l'impact de « 1956 » dans le KSČ sont d'inspiration relativement similaire, bien qu'elles aient été livrées à des époques variables (1960, 1975 et 1964) et bien que leurs auteurs proviennent d'horizons idéologiques radicalement différents (un démocrate en exil, un ex-communiste réformateur lui aussi en exil et engagé dans le mouvement euro-communiste et un historien occidental). Il est probable que cette interprétation commune trouve son origine dans une réflexion nationale plus ancienne sur le sens de l'histoire tchèque, inspirée par les courants démocratiques de la fin du XIXe siècle mais qui fut, en son temps, assimilée par la culture communiste tchèque. Jacques Rupnik souligne par exemple que les communistes surent « *habilement récupérer* » entre 1945 et 1948 le « *mythe de la nation progressiste et démocratique* »[362].

Mais si les thèses défendues se révèlent parfois remarquablement proches dans tous les courants historiographiques, c'est aussi parce que les historiens de l'Ouest se servirent beaucoup des travaux publiés en Tchécoslovaquie à l'époque du Printemps de Prague, et dont les auteurs n'étaient autres que des historiens communistes réformistes. Ainsi que nous allons le voir avec le cas de Petr Hrubý et de Václav Brabec, ainsi qu'avec l'instrumentalisation des « chiffres de la terreur », certains présupposés idéologiques furent parfois repris et assumés sans qu'une réflexion ait été véritablement menée sur leur portée.

V – DES « TRADITIONS DÉMOCRATIQUES »
AU RÉGIME DE TERREUR

Le mécontentement populaire :
les événements de Brno et les procès politiques

Petr Hrubý, dans son ouvrage sur les intellectuels tchécoslovaques[363], consacre un chapitre à « L'opposition des ouvriers [au régime communiste], 1948-1953 »[364]. Dès les premières lignes, il souligne l'étendue du mécontentement ouvrier, affirmant par exemple que la vaste majorité des membres du KSČ manifestèrent des « *impulsions fortement démocratiques* » dès 1950. En conséquence, le parti « *dut être transformé en un corps totalitaire entièrement manipulé d'en-haut* »[365].

Cette interprétation appelle d'ores et déjà deux remarques : tout d'abord, est-ce bien la résistance démocratique qui expliqua la « totalitarisation » du KSČ ? Le parti s'était pourtant illustré dès les années 1930 par sa totale soumission au Komintern. Ensuite, l'exemple de l'année 1956 et des « impulsions démocratiques » quelque peu illusoires évoquées ci-dessus incite à un certain scepticisme quant à l'année 1950 ; Hrubý évoque d'ailleurs plus loin de « *grandes démonstrations de dizaines de milliers d'ouvriers* » en 1951 dans les régions de Brno et Plzeň alors que, on le sait aujourd'hui, il n'en alla plus modestement que de 8 000 à 10 000 personnes (le mécontentement avait été causé par la suppression des primes de Noël)[366].

Petr Hrubý, historien de la littérature, exilé en Australie, qui travailla dans les années 1950 pour *Radio Free Europe*, ne s'appuie sur nul autre historien que Václav Vrabec, un autre représentant de la génération d'après-guerre des historiens communistes. En réalité, disons-le d'emblée, l'universitaire occidental attribue faussement à cet auteur la paternité de l'article duquel il s'inspire[367] : il s'agit en effet de Václav Brabec et non de Václav Vrabec. Mais tous deux étaient bien historiens, le premier employé à l'Institut d'histoire du socialisme et ayant travaillé avec Karel Kaplan au sein des commissions de réhabilitation dans les années 1960, le second rédacteur du quotidien *Rudé právo*.

Quoi qu'il en soit, Hrubý indique qu'il partage l'ensemble du raisonnement de Václav (Vrabec)-Brabec, qu'il résume comme suit : la situation économique se dégrada après février 1948, accroissant les difficultés d'approvisionnement et les remous au sein de la population ; la réaction du régime, à partir de 1950, consista à fabriquer des grands procès, à commencer par celui des représentants de l'ancienne démocratie regroupés autour de Milada Horáková ; les membres du KSČ s'irritèrent de plus en plus de l'absence de démocratie au sein de leur parti ; l'accélération de la production de l'industrie lourde, sur ordre de Moscou, accentua l'insatisfaction populaire et les protestations s'intensifièrent, y compris à l'intérieur du parti ; enfin, le procès Slánský, destiné à détourner l'attention des ouvriers, causa un choc initial mais qui fut vite surmonté, dans la mesure où « *beaucoup de citoyens* » se posèrent la question de savoir comment l'accusé avait pu commettre tout ce qui lui était reproché. Voici ce que dit (Vrabec)-Brabec, cité par Hrubý : la « *crise de confiance* » fut si grande qu'elle concerna « *tous les bureaux responsables du contrôle de l'État et de la société* » et qu'elle évolua « *dans de nombreux cas* » vers une réflexion sur l'ensemble du système politique. En effet, « *beaucoup de gens, même dans les rangs du parti communiste* » commencèrent à exprimer des doutes sur le système et il y avait « *beaucoup de discussions sur le centralisme démocratique et le contrôle par la base* »[368].

L'article de Brabec en question se consacre en réalité à une toute autre démonstration et c'est ici que l'erreur de citation de Petr Hrubý prend toute sa mesure. L'historien s'efforce en effet de montrer que le procès Slánský souleva une réelle *satisfaction* de la population (et non pas l'inverse). Pour expliquer les grands procès, il fallait, d'après lui, « *étudier la question de l'attitude et de la co-responsabilité de larges couches de la société tchécoslovaque, surtout de sa partie la plus engagée sur le plan politique* »[369].

Remarquons par parenthèse que cette perspective aurait pu être intéressante et innovante si la méthodologie employée n'avait pas été si biaisée : pour étudier la réaction de la « population », l'auteur ne se sert en effet que des milliers de « résolutions » reçues par la direction du KSČ à l'époque du procès. Envoyées par les usines, les cellules locales, les écoles et autres institutions officielles, celles-ci avaient un caractère collectif et étaient tout sauf spontanées : il s'agissait pour les citoyens (souvent sur ordre) de prouver leur « fidélité » aux instances supérieures du KSČ. Si ce courrier a une quelconque signification, il est donc à considérer avec une extrême précaution, biais que Václav Brabec ne prend absolument pas en compte : il se borne à constater qu'il n'offre des informations que sur « *l'attitude et le discours des personnes les plus engagées* » (comme si cet engagement était dénué de connotations tactiques), objection qu'il surmonte lui-même en remarquant qu'« *à cette époque, c'était justement sous cette forme que l'opinion du public était présentée aux dirigeants politiques du parti et de l'État* » et qu'elle avait donc une valeur proportionnelle au « *rôle politique* » qu'elle sut remplir[370].

Malgré ces graves réserves, l'article est intéressant ; l'auteur note que certaines de ces épîtres présentèrent un caractère antisémite dès 1951[371] et qu'elles furent parfois d'une grande férocité vis-à-vis des ex-hauts dirigeants poursuivis en justice[372]. En revanche, des doutes auraient été exprimés sur la culpabilité de Slánský au moment de son arrestation et même du procès, surtout par les membres de longue date du KSČ[373]. De même, un certain malaise aurait été exprimé au sujet d'un procès trop bien organisé pour paraître normal[374]. Au total néanmoins, le soutien de la population au régime semble avoir été très fort et l'historien se demande comment il est possible qu'« *autant de personnes* » aient pu soutenir cette campagne de persécution « *de façon spontanée* ». S'il y avait eu dans le pays une polémique publique sur les procès en Union soviétique dans la deuxième moitié des années 1930, souligne-t-il, il fut possible d'imprimer dans la « *conscience d'une grande partie de la société (surtout chez les membres du parti)* » la « *conviction de la culpabilité réelle de ces personnes* ». En fin de compte, l'atmosphère entretenue aurait créé un « *sentiment* [social] *de collaboration au jugement* »[375].

Refermons ici la parenthèse Brabec. En contradiction totale avec l'article qu'il croit citer, Petr Hrubý explique que l'affaire Slánský ne fut pas en mesure de produire d'aussi bons résultats en Tchécoslovaquie que les procès similaires en URSS, car les Tchécoslovaques étaient « *bien plus civilisés et sceptiques* »[376] : « *La méthode soviétique des grands procès ne fonctionna que dans une certaine mesure, créant les conditions de peur nécessaires à un gouvernement totalitaire mais pinçant en même temps le fort nerf démocratique des traditions morales, économiques et politiques du pays.* »[377] Il donne le mot de la fin sur ce sujet au faux Brabec : « *Les exigences pour un renouveau des principes démocratiques dans le parti, l'État et toute l'organisation politique de la société pénétrèrent encore plus fortement* [la vie politique], *gagnèrent le centre de l'arène.* »[378]

Quel que soit l'auteur de ces lignes, la timidité des réactions en 1956 au sein du KSČ rend peu plausible l'expression de critiques aussi ouvertes dès 1952 ; à l'apogée du régime stalinien, les institutions du KSČ et de l'État se sentirent-elles vraiment « *concernées* » par des discussions sur le « *centralisme démocratique* » ? Outre le caractère contestable de déclarations sur le caractère « *plus civilisé* » des Tchécoslovaques que des Soviétiques (combien d'intellectuels occidentaux crurent-ils d'ailleurs aussi bien aux seconds procès qu'aux premiers ?), le « *fort nerf démocratique des traditions du pays* » dont parle Petr Hrubý relève d'un vœu personnel, non d'une réalité sociale. Enfin, même s'il se trompe dans sa référence, n'est-il pas étonnant que lui, un universitaire anticommuniste qui s'était enfui de Tchécoslovaquie pour se mettre au service de *Radio Free Europe*, cite Vrabec, un historien du régime, comme une source incontestable sans même s'étonner de son absence de désaccord avec lui ?

Le décalage entre les aspirations de l'auteur et une réalité tangible peut à nouveau être relevé quelques lignes plus loin. Le mécontentement du début des années 1950, explique-t-il, s'amplifia jusqu'à culminer dans *« des grèves prolongées, des manifestations et des tentatives locales de rebellions (en juin 1953) dans plusieurs régions industrielles majeures, notamment à Plzeň et à Ostrava »*[379]. Cette révolte ouvrière fut en effet largement saluée à l'Ouest, à l'époque, comme un signe annonçant la fin prochaine du régime communiste. La revue *News from behind the Iron Curtain* écrivit par exemple : *« La désaffection et la résistance passive, qui mijotaient depuis longtemps, ont pris la forme d'un geyser bouillonnant »*[380] et cita un témoignage qui déplorait trois morts chez les mineurs d'Ostrava, ainsi qu'un mort chez les miliciens, sans en préciser la date[381]. Toujours dans le même numéro, un compte rendu anonyme envoyé à *Radio Free Europe* affirma qu'un certain lieutenant Fencl, qui avait reçu l'ordre de marcher sur la foule à Plzeň avec son unité militaire, avait refusé et s'était joint aux ouvriers en grève avec ses soldats : *« Le lieutenant Fencl […] fut exécuté le lendemain sur la place publique. Le jour suivant, six ouvriers de l'usine Škoda Plzeň furent également exécutés. »*[382] Une autre version de cette histoire fut publiée par un juge ayant fait défection en 1959 et qui devint professeur de science politique aux États-Unis, Otto Ulč[383] : Josef Fencl aurait été un agent de la police secrète dépêché pour observer la manifestation du 1er juin 1953 mais il aurait oublié sa mission et se serait transformé en rebelle actif. Il n'aurait été condamné qu'à sept ans de rétention et aurait été libéré dès 1956[384]. Dans une autre version encore, publiée en 1972 par le même auteur, Fencl se transforme en vendeur de journaux sur la place de la République de Plzeň, tout en restant condamné à sept ans de prison[385].

La réforme monétaire de 1953

Comment analyser ces événements avec le recul du temps ? Il est incontestable que la réforme monétaire entraîna de sévères répercussions sur le niveau de vie de la population. Les salaires, les taux d'impôts et les tarifs dans les transports, par exemple, furent changés à un taux d'une couronne nouvelle pour cinq couronnes anciennes. Mais, dans le cas des possessions en liquide, seules les premières trois cents couronnes bénéficièrent du taux d'un contre cinq, le reste étant assujetti à un taux d'un contre cinquante :

une somme égale à un salaire mensuel de l'ouvrier industriel moyen, soit 5 202 couronnes, fut ainsi échangée contre 158 couronnes au lieu de 1 040 (soit une perte de 85 %)[386]. Quant aux dépôts d'épargne, ils furent soumis à des taux dégressifs par tranches : en conséquence, pour un salaire moyen annuel dans l'industrie (62 424 couronnes anciennes), un citoyen reçut 4 414 couronnes nouvelles au lieu des 12 485 qui auraient répondu à un taux d'un pour cinq, soit une subtilisation de 67 % de la somme[387]. Enfin, tous les avoirs bloqués depuis la première réforme monétaire d'après-guerre ainsi que tous les titres d'État émis depuis la fin de l'occupation nazie furent déclarés nuls[388]. Comme le résume un ouvrier qui participa à la révolte de Plzeň : « *En juin 1953, tout le monde est reparti dans la vie avec soixante couronnes en poche.* »[389]

Malgré la sévérité de ces mesures et nonobstant la réalité du mécontentement, la description de l'indignation populaire donnée par Petr Hrubý et par *News from behind the Iron Curtain* est très exagérée. Les grèves ne furent pas « *prolongées* » mais durèrent rarement plus d'une heure ou d'une demi-journée, tout au plus une journée. Les manifestations furent peu nombreuses et d'ampleur limitée. Les « *tentatives locales de rébellion* » ne touchèrent pas « *plusieurs régions industrielles majeures* » mais seulement Plzeň. Il est vrai que les événements de Plzeň montrèrent une forte détermination des ouvriers contre le régime, un constat qui avait de quoi réjouir les Occidentaux et particulièrement les employés de *Radio Free Europe*. Mais même ainsi, c'est surtout l'isolement de la rébellion locale qui doit être relevé. Que s'est-il passé ? Les ouvriers forcèrent les grilles de l'usine Škoda (« Lénine ») vers neuf heures du matin le lundi 1er juin 1953. Ils marchèrent vers le centre et investirent la mairie et le Palais de justice, jetant divers bustes, portraits et dossiers par la fenêtre. L'espace de quelques heures, ils eurent le sentiment grisant d'être réellement maîtres de la ville. Mais dès l'heure du déjeuner, ils constatèrent qu'ils restaient isolés et essayèrent de rentrer chez eux ou de retourner au travail. Une puissante contre-manifestation organisée par les autorités était déjà en train de débuter. La Milice populaire, arrivée de Prague, prit les choses en main et procéda à de nombreuses arrestations.

L'imprécision des nouvelles ayant filtré à l'Ouest ne doit certes pas dissimuler la sévérité de la répression. Deux ouvriers de l'usine Škoda-Lénine, par exemple, Ladislav Davidovič et Ilya Nazarkevyč, payèrent cher leur participation à cette manifestation. En 1953, ils étaient respectivement apprenti et jeune ouvrier ; Nazarkevyč, l'un des « meneurs », fut condamné à six ans de camp de travail dans les mines d'uranium de Jáchymov, tandis que Davidovič était condamné à un an de prison mais fut appelé dès sa sortie dans les camps de travaux semi-forcés sous couvert de service militaire, les PTP[390]. Reste que les exécutions rapportées dans la presse occidentale ne semblent en réalité pas avoir eu lieu. Les archives sont ouvertes sur ce sujet et ne mentionnent ni exécutions, ni morts, ni non plus, d'ailleurs, d'actions physiques réellement violentes contre les officiels du régime. L'un des premiers bilans du Conseil central des syndicats, daté du 2 juin 1953, affirme au contraire sur la base de rapports locaux que la journée venait de se dérouler de façon « *pratiquement normale* »[391]. Dans la région d'Ostrava, citée à l'Ouest comme l'un des lieux de manifestations les plus hostiles au régime, le rapport général sur la situation et la mise en œuvre de la réforme est relativement positif[392].

La part de propagande dans ces comptes rendus officiels n'est pas à négliger mais il convient de rappeler qu'il s'agissait de rapports strictement confidentiels, c'est-à-dire destinés à informer exclusivement la direction suprême du parti de la situation réelle. Il est possible et même probable que les officiels locaux eurent la tentation de couvrir des actes mineurs et de présenter la réaction des ouvriers sous un jour exagérément favorable mais des actes de rébellion importants n'auraient pu passer inaperçus, ne serait-ce qu'en vertu de la concurrence locale entre les divers services de l'État et du parti. De plus, il est plausible que la base ouvrière la plus pauvre du régime, la plus « prolétarisée », ait vu le reste de la population dépossédée de ses biens avec le sentiment de voir s'accomplir une certaine justice sociale[393]. Enfin, le rapport local sur les événements de Plzeň destiné au Comité central fait une description relativement fidèle du cours de la journée, confirmée en tous points par Ladislav Davidovič et Ilya Nazarkevyč[394]. Il ne cache pas que les manifestants avaient tenu la ville pendant quelques heures, réussi à parler une dizaine de minutes à la radio locale, jeté par les fenêtres portraits et bustes de Gottwald, Zápotocký, Lénine et Staline, déchiré et piétiné le drapeau soviétique, suspendu devant la mairie un portrait géant de Beneš et mis le feu à certains dossiers du tribunal[395]. Il conclut que la cause de cette manifestation résidait dans la complète désorganisation des instances locales du KSČ, aggravée par la « *capitulation lâche et opportuniste* » des autorités locales devant la « *réaction* » et par « *l'arrogance* » des dirigeants de l'usine Lénine, occupés à s'auto-congratuler à propos de quelques résultats positifs de l'usine en sous-estimant l'« *action de l'ennemi de classe* »[396].

Enfin, il faut souligner que la révolte ouvrière de Plzeň eut une cause bien spécifique : en mai, la direction des usines Škoda-Lénine ajouta à la confusion en distribuant les salaires mensuels plus tard que d'habitude (ils étaient toujours versés en trois fois). Comme ces traitements furent divisés par cinq quelques jours plus tard à peine, les ouvriers s'indignèrent de ne pas avoir eu la possibilité matérielle de dépenser leur dernier salaire « ancien » avant sa dévaluation[397]. Ce motif figure d'ailleurs en bonne place dans le tableau récapitulatif de l'étendue des grèves, de leurs motifs et des arrestations[398]. Et contrairement à ce que laisse entendre Karel Kaplan, les rapports du bureau politique du KSČ ne donnent pas une impression de panique[399] : les « *insuffisances dans le travail politique* » au niveau local furent jugées avec sévérité mais la situation resta parfaitement sous contrôle[400].

En tout état de cause, le cas de Petr Hrubý est parfaitement représentatif d'une génération d'universitaires occidentaux dépendants d'historiens (alors communistes) tchèques bien informés et bénéficiant d'une forte légitimité. La façon dont furent repris et instrumentalisés, de part et d'autre du Rideau de fer, les chiffres portant sur la répression communiste du début des années 1950 exemplifie encore ce trait. Outre l'explication « par le caractère démocratique », le second pilier du consensus historiographique qui unit les travaux sur la Tchécoslovaquie des années 1950 porte en effet sur les chiffres de la terreur. L'instrumentalisation des statistiques de la répression tire son pouvoir incantatoire de la complémentarité apportée par les historiens du Printemps de Prague aux thèses préexistantes formulées par les historiens tchèques en exil.

Des chiffres et des interprétations

« *À ce point, il faut, hélas, parler chiffres et statistiques : c'est une douleur que d'avoir à sordidement calculer, quand un seul mort scelle un malheur définitif.* »[401] La compassion pour les victimes, toutes les victimes, est concomitante à tout recensement macabre. Cependant, la sombre valeur de ce type de catalogue ne le dispense pas d'un examen attentif proportionnel à son degré d'instrumentalisation dans les thèses historiques.

Le cycle de répression le plus sévère, qui inclut notamment les grands procès tenus selon le modèle stalinien, est généralement compris entre 1948 et 1954, éventuellement entre 1948 et 1956. C'est donc sur cette période qu'il convient de se concentrer. L'ouverture des archives depuis 1989 a permis d'établir définitivement que cent soixante-dix-huit personnes furent officiellement exécutées (après condamnation à mort) entre octobre 1948 et décembre 1952[402], auxquelles il convient d'ajouter les personnes décédées en prison entre 1948 et 1956 et abattues soit en tentant de s'évader, soit en tentant de passer la frontière vers l'Ouest dans les années 1948-1951[403] ; le total serait de 1 367 morts. D'autre part, la loi de réhabilitation de 1990 a permis de fixer le nombre de poursuites judiciaires à caractère politique engagées en Tchécoslovaquie à 89 834 entre 1948 et 1954 et à 107 576 entre 1948 et 1956[404]. Si toutes les personnes persécutées ne sont sans doute pas comprises dans ce chiffre – la répression n'a pas toujours laissé une trace écrite –, cette loi a pris en compte les citoyens sur une base collective élargie à toutes les personnes ayant appartenu à certains groupes politiques, religieux, sociaux ou économiques ou à certaines couches ou classes sociales particulièrement réprimées, ainsi qu'à tous les cas où il était simplement supposé que la condamnation avait été prononcée contre un acte politique ou social aux motifs « démocratiques ». Pratiquement toutes les personnes réhabilitées l'ont donc été sans avoir besoin de recourir à une procédure judiciaire[405]. Les personnes condamnées au début des années 1950 sur une base économique (dans le cadre de la lutte contre les « koulaks ») sont comprises dans ces données, ce qui est un point important en vue d'une comparaison avec la Hongrie et la Pologne.

Les chiffres de la répression présentés dans l'historiographie entre les années 1950 et 1989, en revanche, se caractérisent par une grande imprécision. Ce n'est pas tant la carence de données (des chiffres très précis avaient en effet été rendus publics dès 1968) que l'absence de critères formels qui entraîne la plus grande difficulté à mener des comparaisons, à la fois entre auteurs et avec d'autres pays. Dans la plupart des cas, le nombre de victimes estimé varie entre 100 000 et 150 000 (les deux extrêmes se situant à 65 000[406] et 217 000[407], pour une population totale de douze millions) mais avec des définitions très variables du statut et de la période concernée. Qu'était-ce qu'une victime ? Toutes furent-elles condamnées par un tribunal ? Tous les condamnés furent-ils à leur tour emprisonnés ? Si Robert Evanson parle par exemple de « *prisonniers politiques* »[408], George Hodos se contente de la formule plus sibylline de « *victimes de la terreur à un titre ou à un autre* »[409]. Les condamnations sont elles-mêmes réparties parfois de façon globale par période, parfois au contraire subdivisées par type de tribunal, parfois présentées sans explication. De plus, les périodisations varient par auteur et par type de peine[410].

Mais malgré leur manque de lisibilité, la caractéristique commune de ces évaluations chiffrées est de mettre en avant et ce, de façon quasi unanime, une spécificité tchécoslovaque. Sous l'impulsion des historiens du Printemps de Prague, la dimension comparatiste avec les autres pays de la sphère communiste se focalisa nommément sur l'idée d'une violence répressive particulière. Au départ, cette thèse ne concernait que les membres du parti : Václav Vrabec écrivit en effet que la Tchécoslovaquie avait été dans les années 1950 le pays où les communistes avaient été « *le plus persécutés de tous les autres pays, où ils furent assassinés en plus grand nombre* »[411]. Mais c'est surtout Karel Kaplan, dans un fameux article intitulé « *Réflexions sur les procès politiques* »[412], qui frappa les esprits. Il souligna tout d'abord que les grands procès avaient commencé en Tchécoslovaquie en 1950, « *donc à un moment où ils avaient déjà pris fin ailleurs* » et sous une forme qui avait eu le temps de « *mûrir* » dans les autres pays de démocratie populaire : « *C'est pour cela* », conclut-il, « *que les premières sentences se soldèrent déjà par presque autant de morts que les procès dans toutes les démocraties populaires réunies en 1949.* »[413]

Le concept général d'une violence tchécoslovaque supérieure à celle de tous les autres pays réunis acquit de ce moment une dimension presque mythique. La petite phrase de Karel Kaplan fut en effet reprise avec de multiples variantes et avec presque autant de distorsions, dont nous pouvons recenser ici quelques exemples. Jacques Rupnik affirma ainsi que la « *période de terreur* » [et non plus seulement le reliquat des grands procès] avait été « *plus longue et plus meurtrière qu'ailleurs en Europe de l'Est* »[414] et que Karel Kaplan avait écrit : « *Les premières sentences en 1949* [alors que Kaplan n'avait pas précisé de date] *se soldèrent par plus de morts* [au lieu de « presque autant »] *que toutes les démocraties populaires ensemble* » [en omettant « en 1949 »][415]. Antonín Kratochvil fit pour sa part abstraction du « presque » (« *Les premières sentences se soldèrent déjà par autant de morts...* »)[416]. Presque autant, autant, ou plus de morts que les procès ou la terreur dans tout ou partie des autres pays, avant ou après 1949 : la formule était imprécise, mais engageante. Otto Ulč la cita sous une forme légèrement différente : « *Les fameux grands procès* […] *rendirent un taux de cadavres excédant probablement le nombre total de tous les pays voisins.* »[417] George Feiwel affirma que les « *purges* » tchécoslovaques avaient été les plus « *étendues* » de « *tous les satellites* »[418]. Jiří Pelikán prétendit que les « *procès et les arrestations* » avaient « *dépassé en nombre ceux des autres pays de l'Est* »[419]. Barbara Wolfe Jancar estima que le nombre de victimes était « *supérieur au total combiné de celles de toutes les purges dans tous les autres pays de l'Europe de l'Est* », son ampleur ayant rivalisé avec les « *pires excès des grandes purges de Staline dans les années 1930* » [*sic*][420]. George Hodos parla quant à lui d'une « *férocité inégalée* » des « *purges* »[421]. Et pour Zdeněk Hejzlar, c'est la « *recherche d'un ennemi au sein du parti* » qui avait atteint une « *hystérie inégalée dans les autres pays* »[422].

Il est d'autant plus probable que Karel Kaplan n'avait pas conçu ce petit paragraphe comme un jugement définitif sur cette période que, récemment interrogé, il fut incapable de se rappeler comment il était arrivé à une telle conclusion. À la lecture de ses articles datant de la période du Printemps de Prague, on peut cependant formuler l'hypothèse selon laquelle il s'était livré à un « calcul » très simple : les procès Rajk, Dodze et Kostov (Hongrie, Albanie et Bulgarie, tous tenus en 1949) s'étaient soldés par cinq exécutions au total ; or, le procès de Milada Horáková en 1950 s'acheva par quatre exécutions[423]. Une observation aussi anecdotique ne permet cependant de tirer aucune conclusion sur la période de terreur dans son ensemble, d'autant que la fin des grands procès dans les autres pays de démocratie populaire ne mit un terme ni aux procès politiques moins spectaculaires, ni à la politique de répression. Reste que le succès non seulement de la phrase, mais même du concept général improvisé par Karel Kaplan, contribua à les fixer comme un élément central de la problématique tchécoslovaque (que l'auteur en vint d'ailleurs lui-même à reprendre sous une forme évasive dans ses ouvrages postérieurs).

Mais qu'en fut-il vraiment des « autres pays de démocratie populaire » ? La Hongrie et la Pologne apportent des éléments de comparaison intéressants.

Les chiffres de la répression en Hongrie et en Pologne

Les chiffres disponibles sur l'état de la répression communiste en Hongrie n'étaient pas non plus tout à fait précis avant 1989. Cependant, le fameux discours d'investiture d'Imre Nagy en juillet 1953 et la révolution de 1956 permirent de faire circuler quelques informations. Pierre Kende estima par exemple que près de 5 % de la population hongroise avaient connu les prisons et les camps avant 1953[424]. Concrètement, d'après l'*Annuaire statistique hongrois* cité par Miklós Molnár, 862 797 citoyens (sur une population totale de neuf à dix millions) furent condamnés entre 1948 et 1955 à l'issue de 1 593 851 procédures judiciaires. Dans la plupart des cas, il s'agissait de « délits contre la propriété étatique » visant les paysans, le nombre de condamnations pour des motifs proprement politiques n'étant pas indiqué, pas plus que celui des internements administratifs opérés par la police politique sans passer par les tribunaux[425]. Le détail pour l'année 1952 montre qu'environ la moitié des personnes condamnées effectuèrent un séjour en prison (77 000 sur 144 743)[426].

De plus, une réunion se tint à l'instigation des Soviétiques au Kremlin en juin 1953 entre les dirigeants soviétiques et hongrois pour soutenir Imre Nagy contre Mátyás Rákosi. À cette occasion, Béria et Molotov rappelèrent que des poursuites judiciaires avaient été engagées contre un million et demi de personnes (sur quatre millions et demi d'adultes) entre 1950 et 1953, un « état de choses » qualifié d'« intolérable »[427]. L'amnistie prononcée quelques jours plus tard par Imre Nagy bénéficia d'ailleurs à un total à peine croyable de 758 611 citoyens (abandon de poursuites judiciaires déjà entamées ou réduction de peines), dont 21 968 personnes qui sortirent de prison et 22 145 personnes qui furent libérées des camps de travaux forcés[428].

Bien qu'ait été fondé à Budapest un institut de recherches consacré à l'histoire de la révolution de 1956, il n'existe pas encore d'étude recensant de façon globale les victimes du régime entre 1948 et 1956. D'après une estimation approximative de János Rainer et d'Attila Szakolcsai[429], la Hongrie aurait connu au moins 100 000 prisonniers politiques entre 1950 et 1953 et cinq à sept cents personnes auraient été exécutées jusqu'en 1956[430] (sans compter les milliers de morts provoqués par la révolution et l'intervention soviétique)[431]. Un rapport du parti communiste hongrois classé « strictement confidentiel » nous apprend également que 138 525 personnes effectuèrent une peine de prison entre 1953 et 1957, dont 20 000 à 25 000 à la suite de la révolution de 1956 ; il resterait donc 113 825 à 118 825 prisonniers pour la période 1953-1956[432]. Si la proportion de « politiques » et de « droit commun » dans ce chiffre est inconnue, celui-ci reste très élevé.

Pour ce qui est du cas polonais, le contexte et en particulier la périodisation de la terreur sont très différents. La répression débuta bien plus tôt qu'en 1948 ou même qu'en 1945 mais ce, à l'instigation des communistes soviétiques et non pas polonais. Tant les membres du parti communiste polonais en exil en URSS que la minorité nationale polonaise d'URSS furent en effet décimés dès 1937-1938. Quarante-six membres et vingt-quatre suppléants du Comité central furent exécutés et le nombre de détenus d'origine polonaise dans les prisons soviétiques se monta à 134 519 personnes. De 50 000 à 67 000 d'entre eux furent fusillés, tandis que les survivants furent emprisonnés dans des camps ou déportés au Kazakhstan[433]. On pourrait encore ajouter à cette liste les 15 000 officiers polonais assassinés par le NKVD à Katyń en 1940, les 25 000 à 30 000 soldats de l'armée intérieure arrêtés par le NKVD et l'armée soviétique en 1944 au moment de la « libération » de la Pologne et les 25 000 à 30 000 civils polonais des régions anciennement allemandes déportés en URSS[434].

Quant au parti communiste polonais proprement dit, il prit le pouvoir, dès 1945, dans le cadre d'une guerre civile contre les résistants anticommunistes et toujours sous occupation soviétique. D'après une évaluation émise en 1951 par des historiens officiels, qu'il faut considérer avec les précautions d'usage, 15 000 personnes furent tuées pendant la guerre civile entre 1944 et 1948, surtout avant 1946[435]. Neuf cent soixante-dix personnes auraient été condamnées à mort en Pologne par des tribunaux uniquement entre 1944 et 1946[436], mais sans que la distinction puisse être nettement établie entre les règlements de compte consécutifs à l'occupation allemande et ceux liés à la guerre civile. Gardons tout de même à l'esprit que celle-ci dura jusqu'en 1948. En outre, d'après Andrzej Paczkowski, 84 200 personnes furent envoyées en camp de travail entre 1945 et 1954, surtout entre 1949 et 1952[437] (la population polonaise se situait alors aux alentours de vingt-cinq millions). En 1952, 21 000 personnes auraient été arrêtées, ce qui aurait porté le total au second semestre à 49 500 prisonniers politiques[438]. En 1955, 30 000 d'entre eux auraient toujours été derrière les barreaux, tandis que se poursuivaient les procès[439]. Enfin, en juin 1956, les événements de Poznań firent environ soixante-dix morts[440]. Ces indications chiffrées sont les seules dont on dispose en l'absence d'évaluation globale du nombre de victimes pour les années 1950.

Il manque donc visiblement des études sérieuses sur la répression dans chacun des trois pays. Nombre de raisonnements et d'argumentations sont inadéquats sans une véritable démarche d'histoire comparative pratiquement impossible à mener aujourd'hui. De plus, même si des moyens de recherche plus conséquents étaient mobilisés, une analyse terme à terme resterait longtemps impossible. Aucune statistique, par exemple, n'établit de différence entre les prisonniers politiques et les prisonniers de droit commun. La répression ne peut non plus se mesurer uniquement en condamnations à des peines de prison, et ce pour trois raisons.

D'abord, elle prit parfois d'autres formes. La capacité des prisons hongroises était par exemple limitée à 21 865 places en 1955 alors que l'on comptait au même moment 35 051 prisonniers[441]. Cette saturation, qui obligea parfois à mettre trois prisonniers par lit au début des années 1950, explique qu'au lieu d'être incarcérés, certains citoyens furent requis de se présenter tous les matins à la police et d'y attendre pendant des heures l'enregistrement de leur présence. Une telle pratique, difficile à chiffrer, exista également à des degrés et à des époques variables dans les autres pays.

Ensuite, le sentiment subjectif de terreur n'est pas mesurable par des statistiques. Combien « faut-il » de morts, communistes et non communistes, pour terroriser une population ? Comment se livrer à une telle évaluation ? Les familles des citoyens emprisonnés soumises à une intense pression du régime ne furent-elles pas elles aussi des victimes ? Les personnes menacées en permanence par leur employeur ou leur voisin ne souffrirent-elles pas d'une forme certaine de terreur ? Les sentiments n'étant pas chiffrables, tout est affaire de perception de la part de chaque société, voire de chaque individu.

Enfin, la répression n'était pas que politique : l'appauvrissement de la population (frôlant parfois à la famine en Pologne et en Hongrie) n'était-il pas une forme de terreur ? Les conditions parfois exécrables de logement, d'accès aux soins ou aux loisirs ne participèrent-elles pas d'un malaise général ?

Le cas polonais illustre particulièrement bien le fait que les comparaisons sont non seulement malaisées à mener terme à terme, mais aussi entre différentes époques. Doit-on conclure, par exemple, que la répression polonaise fut relativement modérée parce qu'il n'y eut « que » 21 000 personnes arrêtées en 1952 ? Ce serait oublier que la population polonaise avait, en 1948, au moment où la terreur ne faisait que débuter en Tchécoslovaquie, une expérience déjà bien ancrée : communisme rimait en Pologne avec NKVD et la lutte contre le nouveau régime était à la fois synonyme de guerre civile et de guerre contre l'occupant. De plus, le summum de l'horreur, tout au moins en nombre de morts, était déjà passé. Ainsi, même s'il n'y eut pas de grands procès en Pologne après 1950, à la différence de la Tchécoslovaquie, il est impossible d'en tirer la moindre conclusion sur le niveau de répression subie par les deux sociétés.

On peut néanmoins conclure avec certitude ce bilan comparé des chiffres de la répression sur le constat que le niveau de terreur communiste ne fut pas supérieur en Tchécoslovaquie dans les années 1950, et surtout pas supérieur à celui de tous les autres pays réunis. Pourquoi alors cette focalisation sur l'idée d'un plus grand nombre de victimes au début des années 1950 ? Elle s'explique une fois encore par le recours à l'argument des « traditions démocratiques ».

Traditions démocratiques et régime de terreur

D'après George Hodos, la différence entre les purges hongroises et les purges tchécoslovaques tient au fait qu'en Hongrie, les Soviétiques ne se seraient appuyés que sur trois dirigeants pour faire appliquer leurs instructions (Rákosi, Gerő et Farkas), tandis que le Politburo et le Comité central se seraient limités à approuver au bon moment ce qui était exigé. En Tchécoslovaquie, la situation aurait été différente : « *Les restes survivants d'une tradition démocratique, associés à la longueur et à l'étendue des purges, nécessitèrent un cercle bien plus large d'exécutants initiés et responsables.* »[442] L'influence des traditions démocratiques se serait également fait sentir sur la programmation de ces purges, qui auraient débuté plus tard eu égard aux hésitations de Gottwald, malgré les pressions de Staline et des autres partis communistes. Ces hésitations s'expliqueraient là aussi par les « *restes des traditions démocratiques d'avant-guerre de la Tchécoslovaquie* »[443]. Une « *pression grandissante* » aurait toutefois fini par « *balayer les valeurs traditionnelles et les considérations morales* »[444].

Le lien entre une répression jugée extrême et les traditions démocratiques fut également établi par Gordon Skilling. Il constata tout d'abord qu'il était difficile d'expliquer pourquoi le stalinisme avait pris une forme « *aussi extrême* » dans un pays où les « *fortes traditions démocratiques* » avaient rendu le système soviétique « *particulièrement inadapté* »[445]. Mais c'est la résolution même de ce paradoxe qui expliquerait l'ampleur de la répression : « *Le stalinisme des années 1950 représenta une rupture encore plus abrupte et contrastée avec le passé que dans les autres pays et son caractère particulièrement impitoyable fut, en un sens, proportionnel aux traditions démocratiques qu'il devait détruire.* »[446] Fred Eidlin renchérit : « *Aussi étrange que cela puisse paraître, ce sont précisément les racines profondes du KSČ dans les traditions nationales et démocratiques tchécoslovaques qui aident à comprendre la forme extrême du stalinisme tchécoslovaque.* »[447] David Rees et František August partagent également cette conclusion (avant de passer à l'Ouest, le second était un haut fonctionnaire de la StB)[448] : « *C'est précisément à cause du passé démocratique de la Tchécoslovaquie, de son économie avancée et de ses nombreux liens avec l'Ouest que le régime dut concevoir toute une série de mesures répressives.* »[449]

Zdeněk Hejzlar (dirigeant de l'Union de la jeunesse puis membre du Comité central entre 1948 et 1952, « purgé » après le procès Slánský, engagé dans le Printemps de Prague et parti en exil après 1968) estima pour sa part que les objectifs de l'« *hystérie inégalée* » qui avait frappé la Tchécoslovaquie étaient les plus « *transparents* » de tous les pays car c'était « *justement tout ce qui pouvait être la base en Tchécoslovaquie d'une révolution fondée sur les traditions nationales qui fut agressé* »[450]. La répression aurait ainsi visé non seulement les traditions démocratiques de la société mais aussi et surtout celles de son parti communiste, telles qu'elles s'étaient manifestées à travers la « voie tchécoslovaque spécifique vers le socialisme » entre 1945 et 1948 (et telles aussi qu'elles devaient renaître en 1968 ; cet argument est marqué de la « griffe 1968 »). Jiří Pelikán explicite d'ailleurs ce dernier argument : d'après lui, la terreur avait justement frappé ce pays voué au socialisme en conséquence de la période 1945-1948 et de la « voie tchécoslovaque spécifique ». Staline n'aurait eu nul besoin d'un parti communiste populaire, original et expérimenté : « *La direction soviétique préférait l'existence d'un parti communiste complètement tributaire du pouvoir de Moscou, dont l'autorité serait fondée sur la présence physique de l'armée soviétique, cette fameuse "présence de l'armée".* »[451]

Pourquoi était-il si délicat de rendre compte d'une violence répressive unanimement considérée comme exceptionnelle ? Le paradoxe résidait-il dans le fait que la société avait précédemment été démocratique (argument « occidental ») ou dans le fait qu'elle avait été la mieux préparée de toutes les sociétés d'Europe de l'Est à l'acceptation d'un régime communiste (argument « réformiste communiste ») ? Quoi qu'il en soit, c'est bien la présence des « traditions démocratiques » qui servit de justification : pour les uns, les dirigeants communistes craignaient avant tout le réveil de la société tandis que pour les autres, le régime souhaitait éradiquer une mentalité démocratique potentiellement dangereuse au sein même du parti.

Cette argumentation est pourtant contestable dans sa forme même. Pour en revenir à George Hodos, par exemple, bien d'autres que Rákosi, Farkas et Gerő savaient que la torture était employée, prirent part à l'accusation et dictèrent les procédures aux tribunaux. L'exemple de János Kádár est à cet égard mémorable : ami de László Rajk et parrain de son fils né six mois plus tôt, il lui rendit visite dans sa cellule quelques heures avant son procès pour le supplier de rendre un ultime service au parti en avouant en public les faits qui lui étaient reprochés. Rajk obtempéra, sans doute par fanatisme communiste – ce qui ne l'empêcha pas d'être exécuté[452]. De plus, les membres du Politburo et du Comité central étaient tout autant relégués au rang de subalternes en Tchécoslovaquie qu'en Hongrie, et approuvaient ce qui leur était demandé d'approuver ; Novotný lui-même mentionna ce fait en 1956[453].

La thèse de Gordon Skilling est de même séduisante et bien présentée, mais perd toute validité si le régime de Gottwald puis de Novotný s'avéra ne jamais avoir été « particulièrement impitoyable ». Les exemples hongrois et polonais montrent irréfutablement que ce n'est pas la présence de traditions démocratiques qui explique la vigueur de la répression. Toujours selon le même principe, était-il vraiment nécessaire à un régime communiste de disposer de tous les prétextes invoqués par David Rees (passé démocratique, économie avancée, nombreux liens avec l'Ouest), pour concevoir une batterie de mesures répressives ? La Pologne et la Hongrie, voire la Roumanie et la Bulgarie, n'avaient pas un passé démocratique aussi prestigieux, une économie avancée ou des liens développés avec l'Ouest ; cela ne les empêcha pas de subir une répression féroce.

Enfin, si Jiří Pelikán avait certainement raison de souligner que Staline tenait à garder chaque parti communiste sous sa coupe et se fiait plus à la force qu'à la persuasion, la « présence de l'armée » ne joua aucun rôle en Tchécoslovaquie puisque l'Armée rouge quitta le territoire dès 1945. Staline s'inquiétait pour les pays où le parti communiste était en situation de faiblesse ; en revanche, ni lui ni Khrouchtchev ne semblèrent s'alarmer outre mesure de ce KSČ non entièrement tributaire de leur pouvoir et ce, à raison, puisque la situation demeura calme en Tchécoslovaquie tout au long des années 1950. Là encore, il serait plus judicieux d'évoquer le contraste que représentaient la Pologne et la Hongrie que de chercher à mesurer l'influence supposée des traditions démocratiques.

Un tchéco-centrisme contre-productif

De toute évidence, une plus grande prudence aurait été de mise. Emportés par leur argumentation vouant la Tchécoslovaquie à des sommets tantôt dans l'horreur, tantôt dans le charme de ses traditions démocratiques, certains auteurs négligent de s'astreindre à une discipline comparative minimale. Gordon Skilling, par exemple, salua le « *geste humain, rare dans l'histoire et unique dans le monde communiste* » que constituait d'après lui la loi sur les réhabilitations adoptée en 1968 ; à l'en croire, c'était la première fois qu'une « *action d'une telle ampleur* » était entreprise[454]. En réalité, le vote de cette loi ne se singularisa que par ses quatorze années de retard ; dès 1954 en effet, les Hongrois et les Polonais avaient procédé à des réhabilitations extensives, qui concernèrent des dizaines de milliers de personnes avant la fin de l'année 1956. Rajk et Gomułka furent pleinement réhabilités en mars et en juillet 1956 alors que Slánský ne fut jamais réinté-gré dans le KSČ, même en 1968 – bien qu'il ait été reconnu innocent en 1963. Le président de la commission de réhabilitation, Jan Piller, prévint en effet Dubček que les faits évoqués dans son rapport final étaient « *telle-ment choquants* » qu'ils risquaient d'« *ébranler l'autorité du KSČ* » et qu'il valait sans doute mieux attendre[455]. L'invasion du pays par les troupes du Pacte de Varsovie coupa ensuite court à ce projet.

L'ensemble de ce chapitre achève cependant de démontrer avec quelle aisance les historiens communistes des années 1960, bien qu'ils se soient exprimés à un moment où ils étaient encore représentants du régime, devin-rent les alliés intellectuels de leurs adversaires politiques exilés. Il leur suf-fit d'affirmer que des « ferments démocratiques » s'étaient manifestés dans la société ou dans le parti communiste tchécoslovaque pour répondre aux attentes et aux espoirs occidentaux et conforter les thèses déjà existantes. Cette situation privilégiée reflète bien évidemment aussi leur monopole sur les archives. Non seulement ils bénéficièrent d'un accès unique à l'infor-mation dans les années 1960, mais le crédit moral dont ils disposaient fut fortement majoré par leur engagement en faveur du Printemps de Prague. Enfin, il devint d'autant plus difficile pour les universitaires occidentaux d'échapper à la base idéologique qui conditionnait les écrits réformistes que la gauche intellectuelle occidentale – à laquelle ils appartenaient pour la plupart – fut horrifiée par l'occupation de Prague par les troupes du Pacte de Varsovie et redoubla de sympathie pour le sort des ex-dubčekiens chassés vers l'exil. L'esprit critique qui se serait exercé avec plus d'aisance en d'autres circonstances fut partiellement auto-censuré sur l'autel d'une vertueuse admiration.

Intellectuels et historiens ex-réformistes continuèrent donc à publier en toute légitimité jusque dans les années 1990, sans que leur bagage d'ex-staliniens ne soit véritablement analysé et pris en compte. Or, lorsqu'ils en viennent à travailler sur une histoire aussi douloureuse que celle de la Tchécoslovaquie des années 1950, leur parcours personnel exerce bien évidemment une grande influence sur leurs perceptions et même leur méthodologie.

VI – Histoire et mémoire :
LE CAS DES EX-COMMUNISTES

L'ouvrage de Karel Bartošek *Les Aveux des archives*, paru en 1996[456], est emblématique de ce rapport complexe entretenu jusqu'à ces toutes dernières années (l'auteur étant décédé en 2004) par certains historiens tchèques avec leur passé.

L'auteur s'était déjà intéressé au phénomène de l'« aveu » et de la souffrance psychologique du prisonnier politique[457] et repart ici en quête d'explications sur l'histoire tchécoslovaque des années 1950, s'attachant en particulier à apporter de nouvelles informations sur le procès Slánský. Pour cela, il se livre à une étude originale du rôle d'Artur London et à une cinglante critique du témoignage de ce dernier, publié dans le fameux livre *L'Aveu*[458], tout en analysant également le cas d'une autre victime des grands procès politiques, Ladislav Holdoš[459]. À l'en croire, tous deux étaient ses amis et il aurait eu avec eux dans les années 1960-1970 des entretiens personnels et confidentiels. Dès 1990 et la chute du régime communiste, il aurait décidé de se rendre aux archives dans l'objectif explicite de déterminer s'ils lui avaient bien dit toute la vérité. Cette démarche ne se révéla apparemment pas inutile et il découvrit des rapports rédigés dans les années 1950 par les deux protagonistes, dont l'objectif était de convaincre les autorités de leur bonne foi communiste et de les faire ainsi libérer – car Holdoš était alors en prison et London en résidence surveillée[460]. Au fil de ces rapports, l'historien-témoin découvrit donc que ses anciens camarades avaient omis de mentionner devant lui certaines de leurs activités, évidemment les moins recommandables : Holdoš « mouchardait » et London aurait, entre autres, déployé une sombre activité d'agent du Komintern en Espagne. Un mensonge par omission est-il un vrai mensonge, quelles que soient les circonstances ? L'auteur répondit par l'affirmative[461].

D'emblée se posent deux problèmes méthodologiques. Tout d'abord, est-il acceptable pour un historien de considérer sans ambages les témoignages qu'il a été en mesure de recueillir comme des « mensonges » ? Le témoin n'est-il pas libre de sélectionner ce qu'il veut livrer ? Le rôle de l'historien n'est-il pas de surmonter le biais de l'entretien ou des mémoires écrits en décryptant les silences et en saisissant ce qui fait problème dans la mémoire restituée[462] ? Ensuite, est-il légitime de mettre sur le même plan et de façon simpliste deux sortes de témoignages très différents – l'un volontaire, offert vingt ans après les faits à un moment où le témoin est du côté des « opposants » au régime, et l'autre écrit à chaud à l'intention des autorités dans l'objectif bien particulier d'être libéré ?

Ces questions de méthode dérivent rapidement chez Karel Bartošek vers un problème d'éthique professionnelle, dans la mesure où il s'autorise à porter un jugement moral sur le comportement desdits témoins. Il affiche par exemple son étonnement que Ladislav Holdoš, cet *« extraordinaire narrateur, si sincère »* ne lui ait jamais révélé qu'il écrivait des rapports sur un autre prisonnier[463], concluant en tout cas avec magnanimité : *« La mémoire du supplice, c'est aussi le supplice de la mémoire. »*[464] De même, il manifeste son indignation non seulement face à ce qu'il estime être un *« manque de sincérité »* des époux London[465] mais aussi face au succès public du livre *L'Aveu*, qu'il estime être une *« reconstruction du passé »*[466] : *« Mais pourquoi ce livre qui manipule, qui ment, ce livre non-événement dans la connaissance de la répression est-il devenu en France un tel événement ? Pourquoi, surtout parmi la gauche française, tant de gens ont-ils mordu à l'hameçon ? »*[467]

La principale difficulté de ce travail réside dans le fait que Karel Bartošek se veut à la fois historien et partie prenante, mêlant travail scientifique et témoignage personnel. L'objectivité de l'historien n'est-elle pas remise en cause par la subjectivité du témoin ? D'aucuns ont accompli cet exercice avec un certain bonheur, par exemple György Hodos, prisonnier politique hongrois condamné à la suite du procès Rajk[468], ou encore, à un autre niveau, Karel Kaplan, jeune fonctionnaire enthousiaste qui se rendit compte par la suite, en tant qu'historien, qu'il avait soutenu un régime criminel[469]. Mais tout dépend de la façon dont l'auteur se positionne par rapport à ce passé ; en l'occurrence, Karel Bartošek se place sur un registre émotionnel qui incite à reconsidérer son ambition de se présenter comme « professionnel non engagé ». En témoigne par exemple le fait que les découvertes qu'il fait sur Artur London lui font *« monter le feu au visage »*[470]. Quant au fond, son passé de témoin dessert son objectivité dans la mesure où il refuse d'assumer sa propre compromission et se limite à des sous-entendus équivoques, privant ainsi le lecteur d'un élément de connaissance indispensable à la compréhension de sa démarche. Que s'agit-il de laisser dans l'ombre ?

Karel Bartošek suivit le parcours fréquemment emprunté par les intellectuels tchèques de la seconde moitié du XXe siècle : jeune communiste après la guerre, il fut successivement stalinien dans les années 1950, libéral dans les années 1960 et engagé dans le Printemps de Prague, puis chassé du parti et brièvement emprisonné dans les années 1960-1970, avant de partir en exil en France au début des années 1980. C'est peut-être ce trajet sinueux qui rend compte des multiples facettes de sa personnalité, du moins telles qu'elles sont décrites par Petr Hrubý : *« Il est difficile de croire que ses publications des années 1950 et celles des années 1968-1969 puissent provenir d'un seul homme. Ses essais plus tardifs appartiennent aux analyses les plus lucides de la fin des années 1960 mais ses écrits de la première époque ne peuvent être pris, au mieux, que comme les preuves documentaires d'une déformation patholo-gique par des croyances insensées en la propagande du parti et par des impulsions agressives libérées au service d'un programme qui mettait surtout en avant la haine, dans une dégradation sado-masochiste des valeurs humaines. »*[471]

Si l'histoire de Bartošek n'a rien d'exceptionnel parmi les historiens et intellectuels tchèques, d'autres communistes de la même génération comme Jiří Pelikán ou même Pavel Kohout, le « poète stalinien », se sont largement expliqués sur leurs actes et illusions de jeunesse ; ce n'est pas le cas de notre « historien-témoin », qui se contente d'une simple allusion à son activité de militant stalinien : *« L'historien débutant, étudiant à la faculté des Lettres, a pleuré en apprenant la mort de Staline en compagnie d'un camarade "commissaire" plus âgé, qui l'avait travaillé au corps avec succès pour le transformer en communiste fanatique. Doit-on souligner ici ce passé de ces lointains vingt ans, dont il a laissé des traces écrites, utili-sées par ses détracteurs, cela va de soi, jusqu'en 1995 ? »*[472]

Qu'en est-il de ces traces écrites ? Sans se considérer comme un détrac-teur particulier de Karel Bartošek, un collaborateur du journal des étudiants de l'Université de Prague, *Babylon*, participa en 1995 au rangement de la bibliothèque du Château de Prague et tomba sur un livre co-signé par Karel Bartošek et Karel Pichlík[473], publié en 1951 et intitulé : *L'Infâme Activité des troupes d'occupation américaines en Bohême occidentale en 1945*[474]. Censé rétablir la vérité historique sur la libération de la ville de Plzeň par les Américains en 1945, il s'agissait en réalité d'une création typiquement stalinienne dont seul le niveau de désinformation mériterait, lui, l'adjectif d'« *infâme* ». Les étudiants en tirèrent quelques citations dans leur journal en les assortissant d'un commentaire peu flatteur[475].

Si Karel Bartošek tient à se parer de la légitimité supposée de l'histo-rien indépendant, c'est donc parce qu'il entend confronter le comporte-ment de certains de ses contemporains au mensonge et à la vérité sans se soumettre, lui-même, au feu de la critique. Sa subjectivité faussement assumée de témoin lui sert non pas à apporter des éléments de connais-sance inédits mais à proclamer son étonnement ou son indignation, ce qui lui serait interdit dans le premier cas de figure. L'affectation qu'il met à n'être ému que par des découvertes archivistiques sensationnelles soulève pourtant deux questions de fond : tout d'abord, ces découvertes sont-elles vraiment sensationnelles ? Et ensuite, sa propre participation au régime et sa connaissance intime des témoins n'influencent-elles vraiment en rien sa présentation des choses ?

Artur London, agent du Komintern ?

L'exemple sans doute le plus caractéristique d'une présentation volontairement tronquée concerne les activités supposées d'Artur London. La minutie qu'il met à dévoiler le « vrai » visage de London, par exemple en tant qu'agent du Komintern, se traduit par de graves déficiences méthodologiques qu'il convient d'examiner dans le détail.

Notons tout d'abord qu'il s'accorde apparemment le crédit exclusif de la mise au jour des activités secrètes d'Artur London. Il se contente d'affirmer que « *jamais, nulle part, publiquement* » l'agent supposé du Komintern ne mentionna avoir appartenu depuis les années 1930 à l'appareil communiste international[476]. Pourquoi d'ailleurs l'aurait-il fait ? Quoi qu'il en soit, Karel Bartošek ne dit pas qu'il en est soupçonné depuis bien longtemps par d'autres analystes. Paul Barton, par exemple, écrivait dès 1954 : « *Artur London : sous le pseudonyme de Gerhardt et se donnant pour un ressortissant yougoslave, il jouait un certain rôle dans les menées soviétiques en Espagne pendant la guerre civile. Ainsi, "le yougoslave" Gerhardt figure, avec mention "parle bien le français" dans la liste des "agents du GPU à qui nous avons eu affaire", publiée par Katia Landau dans sa brochure : "Le stalinisme en Espagne". Après la victoire de Franco, London fut transféré à Paris où, sous le pseudonyme de Gérard, il travailla d'abord dans l'officine MOI [Main d'œuvre immigrée]. Il put ainsi rassembler les Tchèques ayant combattu dans les Brigades internationales dont il forma plus tard un détachement de combat dans le cadre de la résistance stalinienne en France.* »[477] L'auteur fait explicitement référence à London comme « *agent secret soviétique d'origine tchécoslovaque* » et remarque que tout comme Bedřich Geminder et André Simone, respectivement en provenance d'URSS et du Mexique, il revint de Paris à Prague en mars 1946. Ce faux « hasard » s'expliquerait d'après lui par la tenue d'une conférence desdits agents sous couvert du VIIIᵉ Congrès du KSČ [478].

Paul Barton, un syndicaliste tchèque dont le vrai nom était Jiří Veltruský et qui s'était enfui à l'Ouest après 1948, était proche, à Paris, du milieu intellectuel anticommuniste de la revue *Preuves*[479]. Il n'avait pas accès aux archives et ces affirmations en restent au stade de supputations, mais l'ensemble de son raisonnement préfigure celui de Karel Bartošek. Pourquoi, dans ces conditions, ce dernier ne fait-il nulle part explicitement référence au livre *Prague à l'heure de Moscou*, se contentant de l'inclure dans sa vingtaine de recommandations bibliographiques au commentaire que « *Cet ouvrage important* […] *est totalement oublié dans les analyses postérieures* »[480] ?

Pour en revenir au fond de l'affaire, le *curriculum vitae* de London incite en soi à le soupçonner d'avoir participé aux activités du Komintern. Communiste, il passa plusieurs années en Union soviétique au tournant des années 1930[481] et fut envoyé dans l'Espagne de la guerre civile sur ordre soviétique. Sa mission fut-elle douteuse sur le plan moral ? En l'absence d'indices, tout ce qu'il est permis d'affirmer est que les agents soviétiques en péninsule ibérique étaient connus pour défendre le monolithisme stalinien jusqu'au fanatisme[482]. Karel Bartošek le souligne en toute légitimité pour un public français qui ne connaît que le visage de « victime des grands procès » de London. Il ne peut le faire toutefois qu'à la condition de reconnaître qu'il n'est en mesure de fournir d'autres preuves d'activités occultes que la déposition même de London dans les années 1950 et une lettre aux autorités envoyée par sa femme en 1951, dont l'objectivité est d'autant plus sujette à caution qu'il s'agissait pour eux, une fois encore, de convaincre les dirigeants du KSČ qu'il était un bon communiste méritant d'être remis en liberté et réhabilité. Leurs descriptions ne sont de toute façon guère explicites : London aurait épuré en Espagne « *des éléments peu fiables et étrangers au parti* », il aurait réglé des « *cas spéciaux* » et se serait occupé de « *problèmes politiques et relatifs aux cadres* »[483]. Quant à sa femme, elle souligna que London avait « *exécuté des tâches d'une haute responsabilité* »[484]. Les documents des archives de Moscou cités par l'historien restent pour leur part trop vagues pour être concluants (« *Il agissait très utilement* » et « *Il a très utilement œuvré pour notre cause. Il a un très bon niveau politique. Il a des principes.* »[485])

De la complexité des rapports humains

À défaut de démonstration documentaire plus explicite, Karel Bartošek cite à plusieurs reprises les mises en cause d'Artur London par Ota Hromádko, un ancien compagnon de cellule de ce dernier[486]. Il laisse entendre qu'il a eu accès aux réflexions les plus intimes de ce dernier sur le sujet[487] et le dépeint comme « *hargneux dans son jugement* » et « *tout à fait indigné* » : « *Pour Hromádko, L'Aveu est "un mélange de schizophrénie et de déformation professionnelle d'un vieil agent", une "montagne de monstruosités", l'œuvre d'un "vieux collaborateur du NKVD" qui a fourni en 1968 une "construction idéologique du procès Slánský". Hromádko défend également la mémoire d'Osvald Závodský, que "London salit" ; il parle aussi de l'image fausse donnée par London sur d'autres militants qui "se sont défendus à ne pas avouer". Le témoin, révolté, argumente longuement, protestant pour conclure qu' "on fait d'un aide-bourreau un héros de ce mauvais roman". »*[488] L'auteur cite également une lettre d'Ota Hromádko à Jiří Pelikán, datée du 27 mars 1972, où le premier « *critique de nouveau férocement le livre* »[489]. Cette lettre provient-elle des archives personnelles de Hromádko ? Karel Bartošek ne précise pas sa source, pas plus que dans le paragraphe cité ci-dessus. En tout cas, le lecteur reste sur une impression vague mais forte ; on ne sait quels aspects concrets suscitèrent les foudres de Hromádko, mais il aurait été mis en furie par *L'Aveu* et n'aurait pas hésité à le clamer en public.

Or, Karel Bartošek passe ici sous silence le fait qu'Ota Hromádko publia ses mémoires en 1979 sous le titre *L'Eau est devenue trouble*[490]. L'historien avait parlé avec Hromádko, il s'était intéressé à son cas et il était allé en Suisse recueillir ses archives personnelles ; il est donc exclu qu'il ait ignoré l'existence de ce livre. Pourquoi alors ce silence ? Cela ne lui permet-il pas de sélectionner à sa guise citations et commentaires ? Rappelons qu'aucune référence bibliographique ne vient étayer les prises de position qu'il affirme rapporter. En tout état de cause, il n'est pas inutile de reprendre les propres termes de Hromádko. À l'automne 1954, London lui aurait envoyé un mot clandestin pour l'informer du fait qu'il avait rétracté sa déposition à l'audience principale et lui en donner les détails : « *J'ai lu en entier le long billet et j'en suis resté le souffle coupé. London n'avait retiré que la partie de ses aveux qui concernait sa propre personne et son activité supposée d'espionnage et de trahison en relation avec Slánský, laissant de côté le témoignage qu'il avait apporté lors des autres procès* » (en l'occurrence, au procès de Hromádko lui-même). « *Je n'ai finalement trouvé l'explication du comportement de London que dans son livre* L'Aveu », poursuit-il. La condition posée à cette rétractation, une première avancée vers une révision du procès Slánský, aurait été que London et ses pairs, qui avaient été condamnés pour trahison, continuent à se comporter en prison comme des traîtres. « *Je ne sais si Kohoutek* [l'agent de la sécurité] *a vraiment ordonné cela à London* », conclut Hromádko. « *Je puis seulement confirmer que lui-même et d'autres encore ont adopté des comportements de ce type lorsqu'ils se sont mêlés aux autres prisonniers et qu'ils ont été confrontés à ceux contre qui ils avaient témoigné.* »[491]

Le mépris de Hromádko transparaît clairement. À cette époque, il estimait que l'unique moyen de faire évoluer la situation était que tous les prisonniers, surtout les plus célèbres, rétractent leurs dépositions et fassent ainsi comprendre au pouvoir politique d'après 1953 que les « aveux » n'avaient été qu'une comédie. Néanmoins, la « hargne » et l'« indignation » décrites par Karel Bartošek semblent pour le moins exagérées. Bartošek écrit : « *Hromádko est d'abord révolté par l'image que London tente de donner de son activité pendant la guerre d'Espagne ; à l'en croire, London n'aurait jamais été au front mais agissait dans le cadre du SIM (Servicio de investigación militar), "filliale du NKVD", "succursale de la police russe".* »[492] Or, Hromádko consacre à ce sujet ce seul et unique paragraphe dans son livre : « *Dans le procès Slánský, ils avaient fait de lui le chef des volontaires tchécoslovaques dans la guerre d'Espagne et il joua ce rôle. En réalité, il ne fut pas soldat en Espagne et il ne servit dans aucune unité militaire. Nous qui nous battions au front, nous n'avons jamais entendu parler de lui pendant toute cette période. Il se présenta à nous comme un civil quelques jours avant la chute de la Catalogne et notre départ pour la France* ». Après quelques phrases sur le rôle de London en France, il ajoute : « *Ce qu'il faisait en Espagne, un homme invalide et inapte au service militaire, je ne sais. Il avait alors vingt-trois ans.* »[493] Pour un homme « révolté » et « hargneux dans son jugement », Hromádko semble plutôt froid et descriptif. Son « indignation » ne le pousse pas à consacrer plus d'une dizaine de lignes à ce sujet dans ses mémoires.

Ce que rapporte Karel Bartošek du courrier personnel de Hromádko reste peut-être vrai ; il ne donne pas vraiment les moyens d'en juger puisqu'il ne fait pas de références bibliographiques et ne montre pas ces lettres. Mais même au bénéfice du doute, la méthode qu'il emploie pour citer les sources personnelles de Hromádko est bien trop expéditive. Il utilise au profit de sa démonstration des citations tirées de leur contexte et invérifiables. Le lecteur, qui croit détenir le fin mot de Hromádko sur toute cette histoire, est tenu dans l'ignorance du fait que ses mémoires, une prise de position publique par excellence, sont sensiblement plus modérés, que rien ne permet de le qualifier de « hargneux », de « révolté » ou de « critique féroce » et qu'il n'utilise envers London aucune des expressions fortement péjoratives que lui prête l'auteur. Mais il y a plus problématique encore du point de vue méthodologique : Karel Bartošek cite Hromádko sans préciser qui il est, comme si son témoignage était digne de foi dans l'absolu. Est-ce bien le cas ?

Ota Hromádko dirigea la cellule communiste de l'armée tchécoslovaque après 1948 et joua un rôle, tout comme London, dans les premières purges, dénonciations et arrestations. Il fut lui-même arrêté en février 1951 pour subir alors tortures, menaces, procès politique et camp de travail dans les mines d'uranium. Mais comme beaucoup des communistes de haut rang ayant connu un destin similaire, avant d'être une victime il avait donc été un « salaud », pour reprendre le terme qu'Artur London lui consacra : « *Témoignant contre Svoboda et Hromádko, je me suis concentré en faveur de Hromádko, qui avait été salaud pour moi mais moins que Svoboda.* »[494] Au début des années 1950, à l'époque de la terreur, dénonciations et manœuvres en coulisse avaient joué un rôle d'autant plus important que les protagonistes étaient tout à la fois communistes fanatiques et conscients de risquer leur carrière, voire leur vie, sur la base de simples rumeurs pouvant retenir l'attention des services de sécurité. Cette atmosphère suffocante explique la multiplicité mais aussi l'opacité des règlements de compte entre hauts dirigeants, même et peut-être surtout lorsqu'ils se retrouvèrent ensemble en prison. Convaincus d'avoir été trahis ici ou là, ils furent de surcroît manipulés par les interrogateurs afin d'obtenir de leur part des « aveux » plus graveleux, avant de les faire témoigner à charge dans les procès de leurs collègues. Dans ces conditions, l'aigreur des commentaires réciproques n'a rien d'étonnant.

Ni le témoignage de Hromádko sur London, ni celui de London sur Hromádko, ne sont donc neutres. Or, il n'en va pas autrement de celui de Karel Bartošek quand il s'applique à montrer qu'Artur London a triché en écrivant son livre *L'Aveu*. London passe effectivement sous silence des éléments importants et qui ne sont pas en sa faveur. Néanmoins, l'historien simplifie le débat et occulte des aspects non négligeables pour la compréhension du sujet ; il ne rapporte pas le contexte général ; il ne donne au lecteur non spécialiste aucune clef de compréhension de ces éléments et le déstabilise au contraire par son étonnement indigné. Il veut démontrer à tout prix l'immoralité du témoignage d'Artur London et emploie pour cela des arguments qui ne sont pas du ressort d'un historien : il le juge, le dénonce avec passion, et il sélectionne des témoignages sans toujours respecter la rigueur scientifique. Il aurait voulu prouver que la répression qui frappa les communistes dans les années 1950 avait été trop mise en avant, notamment par Artur London, alors que ceux-ci n'avaient d'après lui constitué qu'une part infime des victimes du régime. Cette conception légitime, nouvelle et intéressante n'est pas ici très convaincante, faute d'analyse froide et dépassionnée.

Cette attitude fortement chargée de connotations émotionnelles s'explique sans doute largement, ainsi que nous l'avons vu, par un rapport mal assumé du biographe à son propre passé. Pour mieux montrer le caractère scandaleux de ce qu'il dénonce, il passe sous silence ce qui le compromet lui-même, une attitude qui ne peut cependant être considérée que comme parfaitement humaine. Ce point ne s'exprime-t-il pas dans la façon dont Karel Bartošek parle de lui-même à la troisième personne ? « L'historien » est ainsi détaché de lui-même, comme un second soi – ultime illustration de la difficulté à conter l'histoire du communisme tchèque.

Un historien incontournable : Karel Kaplan

Karel Kaplan offre un modèle de confrontation à son propre passé moins chargé de contradictions internes que celui de Karel Bartošek. Il est aussi l'un des historiens qui compte le plus dans l'étude de la Tchécoslovaquie des années 1950 grâce à sa connaissance très détaillée de la vie politique et économique. En effet, il fit partie de ces scientifiques qui eurent le privilège de consulter les archives du régime dès les années 1960 : ministères, Assemblée nationale, présidence de la République, partis politiques, Institut des statistiques, centrale des syndicats, Office du plan et Comité central du parti communiste lui livrèrent nombre de leurs secrets[495]. Chargé de participer à la réouverture de l'enquête sur les grands procès, il eut également l'occasion de questionner des dizaines de responsables communistes. Ses connaissances sont donc inégalables et sa bibliographie monumentale. Seule une quarantaine de ses ouvrages est citée ici car il serait trop fastidieux d'en faire le tour complet. Mais puisque tous les historiens se fondent sur ses travaux et que la pertinence de ses écrits n'a que rarement été remise en question, il peut être utile d'en savoir plus sur sa personnalité et son parcours.

En 1978, il publia en traduction française un livre comparable à celui de Karel Bartošek, puisqu'il s'agissait à la fois d'un témoignage d'acteur et d'une analyse historienne. Cependant, on peut mesurer la différence d'attitude à la présentation choisie : Karel Kaplan entame son ouvrage par la description de son activité de communiste et d'employé du KSČ après 1948. Bon fonctionnaire, il fut muté en 1951 à l'École des cadres du Comité central et il ne manque pas d'ironie et de sens critique : ses condisciples et lui-même auraient souligné de différentes couleurs les passages de Staline et Lénine qui leur paraissaient « *particulièrement grandioses* » ; de plus, ils se seraient affrontés dans des joutes verbales quasi militaires, « *chacun des adversaires donnant de sa plus grosse artillerie pour assommer l'autre à coup de citations des classiques* ». Il conclut : « *Le sentiment d'appartenir à la caste des exégètes de la "plus grande doctrine de tous les temps", bâtisseurs d'un monde nouveau, nous gonflait le cœur de fierté.* »[496]

Il ne cache donc pas ses illusions de l'époque. Cependant, devenu historien, il accéda aux archives dans le cadre des premières enquêtes destinées aux réhabilitations et découvrit ce qui s'était vraiment passé aux débuts du régime. Il explique que son « *avancée sur le chemin de la vérité* » fut alors douloureuse, chargée de « *nuits blanches* », d'« *examens de conscience* », d'« *idoles renversées* » et d'« *illusions mortes* » : d'autant que ce « *conflit intérieur déchirant* » fut vécu par lui à double titre, « *à la fois comme un historien et comme un homme qui avait apporté sa modeste contribution à l'édification de l'œuvre dont il recherchait la vérité profonde* »[497]. Son étude des procès politiques provoqua une réaction particulièrement forte et des interrogations sur la nature même du système qu'il avait soutenu : « *Plus je découvrais de faits relatifs aux procès politiques et plus ma conscience se révoltait. Je me rendis compte à quel point la vérité peut faire mal. Chaque nouvelle preuve sur les souffrances des personnes injustement condamnées me faisait souffrir à mon tour, chaque atrocité [...] était un couteau tourné dans la plaie et tranchant dans le vif de mes anciennes illusions. Comment tout cela était-il possible ?* »[498]

Ce parcours doit être présent à l'esprit lorsqu'on le lit. S'il est honnête sur le plan intellectuel[499] et critique vis-à-vis des personnalités qui ont dirigé la Tchécoslovaquie au début des années 1950[500], son appartenance à la génération des jeunes communistes arrivés à maturité intellectuelle après la guerre conditionne largement son cadre de pensée. Le degré d'engagement personnel est très variable, mais toute une série de brillants intellectuels et historiens partagent avec lui le destin d'avoir embrassé avec fascination le stalinisme après la prise du pouvoir en 1948 avant d'avoir été déçus par la brutalité du régime. C'est leur sentiment de co-responsabilité qui fit d'eux une force motrice de la déstalinisation et qui les vit réinvestir leur capital de sympathie pour les idéaux communistes dans le Printemps de Prague. Au tournant des années 1960 et 1970, à l'époque où ils publièrent la plupart de leurs écrits et où, en tout état de cause, se fixèrent les principales grilles de lecture de ce passé douloureux, leur interprétation des années 1950 fut marquée par un certain déterminisme historique : pour eux, le KSČ valait mieux que ce qu'il avait montré entre 1948 et 1954, et il s'agissait de retrouver les racines culturelles (démocratiques) qui en avaient fait le plus grand parti communiste de la planète en proportion de la population. Seul ce retour aux sources rendait possible, d'après eux, la mise en place d'un communisme libéral et juste, à « visage humain ». L'évocation de leur aveuglement de jeunesse tendit alors à prendre la place d'une réflexion plus profonde, qui aurait pourtant été bien nécessaire, sur la nature du totalitarisme communiste.

Karel Kaplan illustre parfaitement la façon dont cette quête intérieure les fit en outre souvent céder à l'esprit de clocher et à négliger de s'intéresser aux voisins immédiats de la Tchécoslovaquie – sans aucun doute parce que ces derniers n'avaient pas su apporter au monde une utopie aussi brillante que celle du Printemps de Prague, la révolution hongroise de 1956 allant même jusqu'à remettre en cause les « acquis » du socialisme, au grand dam de la gauche. Dans le témoignage cité ci-dessus, il propose par exemple une chronologie des événements intervenus dans le monde communiste mais omet de noter la révolution hongroise et l'Octobre polonais pour l'année 1956 (et pourtant, il n'avait pas oublié les événements de Berlin du 17 juin 1953)[501]. Il ne s'agit pas d'un hasard : dans un autre de ses ouvrages, *Procès politiques à Prague*[502], la chronologie, plus détaillée, va jusqu'à mentionner une réunion du Comité central tchécoslovaque du 6 décembre 1956 consacrée à l'examen de la situation en Pologne, Hongrie et Yougoslavie et à la lutte contre le révisionnisme… mais là encore sans un mot sur les événements de référence, la révolution hongroise et l'Octobre polonais[503]. Il ne peut s'agir d'une simple étourderie : c'est un acte manqué quasiment freudien.

Les cas de Karel Bartošek et de Karel Kaplan documentent donc, chacun à leur manière, la façon dont la mémoire interfère dans l'écriture de l'histoire. Tous deux représentent la majeure partie des intellectuels tchécoslovaques de l'après-guerre avec leur ambiguïté. La force de leur engagement en faveur de la démocratisation dans les années 1960 se voulut un contrepoids à la profondeur de leurs illusions de jeunesse, mais le lien entre les deux parties de leur vie semble difficile à rétablir : Karel Kaplan n'a jamais publié à Prague son livre *Dans les archives du Comité central*, tandis que Karel Bartošek ne publia le sien qu'après une soigneuse réécriture (tous deux avaient pourtant été rédigés en tchèque). Leurs éléments biographiques, découverts avec une indulgence fascinée par les lecteurs occidentaux, semblent les gêner auprès de concitoyens nettement moins enclins à tolérer de telles embardées idéologiques.

Le cas de ces deux auteurs permet également de souligner que pour des raisons techniques, humaines et culturelles, les ex-communistes réformistes forment une grande partie du contingent des contributeurs à l'histoire tchécoslovaque des années 1950. Étant donné leur importance, il apparaît opportun de détailler à quel point leurs interprétations peuvent être ambivalentes, ce que l'on peut aisément mesurer à partir du traitement réservé à la grande figure du communisme tchécoslovaque, Klement Gottwald.

Klement Gottwald :
de la sympathie personnelle à l'excuse collective

Klement Gottwald fut le personnage le plus important du régime tchécoslovaque entre 1945 et 1953. Son prestige était lié à l'immense espoir qu'il avait réussi à susciter après la guerre auprès d'une génération traumatisée par la crise de 1929, Munich et l'Occupation : il ne proposait rien de moins que de concilier les avantages du socialisme et de la démocratie dans un régime nouveau. La « voie spécifique vers le socialisme » était née, un concept qui fut ensuite réactualisé par le Printemps de Prague sous la forme du « socialisme à visage humain ». Cette filiation spirituelle explique sans doute que les protagonistes du mouvement de 1968 aient eu quelque peine à coordonner leurs critiques du Klement Gottwald de la période stalinienne (1948-1953) et leur respect pour le Klement Gottwald des premiers temps (1945-1948). C'est ce que nous allons constater en étudiant les arguments de Josef Smrkovský, Jiří Pelikán, Pierre Daix et Karel Kaplan.

Josef Smrkovský fut un héros de la résistance pendant la guerre, avant de devenir un éminent communiste en 1945. Il fut arrêté pendant la période des purges et jugé lors d'un grand procès. Libéré à la faveur de la déstalinisation, il s'engagea enfin dans le mouvement libéral qui allait donner naissance au Printemps de Prague. En 1964, il justifia les actes du régime dans les premières années (auxquels il avait participé avant de passer du côté des victimes) au motif de l'aveuglement doctrinal. Tous les sacrifices étaient considérés comme inévitables, raconte-t-il, y compris la mise à mort de communistes au nom même de leur idéal : « *La croyance qui était, dans les jours difficiles, l'huile nourrissant la flamme de notre enthousiasme, sans lequel il n'aurait pu y avoir de victoire, rendit possibles par la suite la déformation idéologique et même la souffrance de nombreux camarades.* »[504] À partir du moment ou le KSČ « *succomba* » au dogme de l'exacerbation de la lutte des classes au cours de la construction du socialisme, écrit-il, ses membres se divisèrent en bourreaux et victimes avec ce qu'il appelle des « *degrés variables de tragédie personnelle* ». Qu'en était-il de Gottwald, qui « *dut jouer dans les dernières années de sa vie,* a contrario *de toute son œuvre, le rôle d'exécutant d'une fausse théorie, soi-disant pour servir le parti* » ? L'auteur se demande en toute sincérité s'il « *n'était pas une figure encore plus tragique que les camarades ayant dû passer des années en prison en tant que victimes* »[505]. Les termes mêmes qu'il emploie laissent deviner que, pour lui, le coupable était extérieur au communisme tchécoslovaque : si le KSČ avait *succombé* à la thèse de l'exacerbation de la lutte des classes, plutôt que de l'avoir *adoptée*, c'est qu'elle avait été *imposée* : par Staline. Si Gottwald *dut* jouer le rôle d'exécuteur des basses œuvres *en conflit direct avec les convictions qu'il avait professées sa vie entière*, c'est qu'il y fut *forcé* : par les Soviétiques.

Jiří Pelikán partage à la fois cette indulgence pour le destin de Gottwald et la conviction de la responsabilité soviétique. La « voie spécifique vers le socialisme » est toujours au centre de l'argumentation. Après 1945, les communistes tchécoslovaques auraient cherché une voie pacifique et nouvelle pour passer de la « *révolution nationale et démocratique* » prônée dans l'immédiat après-guerre à la « *révolution socialiste* ». Ils auraient d'ailleurs recueilli l'apparent soutien de Staline : « *On se souvient par exemple d'une interview accordée aux députés du parti travailliste anglais, dans laquelle celui-ci mentionnait la possibilité d'une transition paisible du capitalisme au socialisme.* »[506] Mais après cette période de relative tolérance, celui-ci se serait tout de même raidi. Pelikán attribue donc à la pression de Staline la résolution gottwaldienne d'abandonner la « voie tchécoslovaque vers le socialisme » après 1948, décision qui se traduisit par une *« persécution impitoyable »* des opposants : *« Malgré des appréhensions considérables, Gottwald s'exécuta en sacrifiant à la fois sa politique et ses camarades. Il réalisa peut-être plus tard tout le tragique de son erreur. Mais il n'y avait plus d'autre alternative que de continuer, de bannir les doutes qui le rongeaient et de soulager sa conscience dans l'alcool en se retirant seul face à lui-même. »*[507] Gottwald, le père de la « voie spécifique », aurait donc aussi été l'une des premières victimes de la poigne de fer stalinienne.

On retrouve toujours la même mansuétude chez Pierre Daix. Membre du parti communiste français dans les années 1950, il avait été un stalinien orthodoxe[508]. Son parcours se modifia ensuite puisqu'il devint ami d'Artur London, épousa sa fille, soutint avec ferveur le Printemps de Prague et se transforma en critique sévère du stalinisme[509]. Comme beaucoup d'anciens communistes, le destin de Gottwald ne le laissait cependant pas indifférent. Il se demanda donc comment celui-ci avait *« laissé la machine infernale s'installer dans son pays »* et trouva la réponse dans un article de février 1968 signé par le rédacteur en chef de l'organe de l'Union des écrivains tchécoslovaques, Dušan Hamšík. Celui-ci affirmait que Rudolf Slánský n'avait été placé sur le banc des accusés que pour y tenir la place de la voie tchécoslovaque vers le socialisme et que, *de facto,* Klement Gottwald s'y trouvait lui aussi puisqu'il en avait été le principal instigateur. Il avait donc lui-même pris part à *« la contestation, la liquidation et la condamnation de l'œuvre de toute sa vie »*. Hamšík concluait : *« Nous sommes secoués de peur face à la profondeur de la tragédie qui, à la fin de sa vie, frappa […] ses liens personnels avec des amis et des camarades de longue date de qui il devait signer par la suite la condamnation à mort. »*[510]

L'exemple de Karel Kaplan, enfin, achève d'illustrer la sympathie des historiens réformistes envers Gottwald. Encore en 1978, il parlait de lui presque avec tendresse, comme s'il n'avait rien ignoré de ses sentiments les plus secrets (alors qu'il ne l'avait jamais rencontré) : Gottwald aurait eu le *« sentiment »* d'être le *« quinzième accusé »* du procès Slánský et aurait vécu dans le soupçon. *« Depuis le remplacement du fidèle Hofman, chef de ses gardes du corps, il se sentait prisonnier. Il allait jusqu'à dire que ses surveillants seraient plus tranquilles s'ils l'expédiaient carrément dans les geôles de Pankrác. Et il était au bord du découragement parce que Staline lui avait refusé un entretien privé lors de son séjour à Moscou. »*[511]

Ces portraits dépeignent donc Gottwald en figure tragique, condamné à l'alcoolisme par la mauvaise fortune, frappé par la tragédie et au bord du découragement. Mais au-delà de cette présentation dramatique, n'est-ce pas plutôt le fait qu'il soit resté maître de son destin, au contraire des personnes qu'il envoya en prison et même à la potence, qui devrait être rappelé ?

L'exemple de Smrkovský montre à quel point le conditionnement idéologique de certaines victimes communistes avait pu les empreindre d'un sentiment de culpabilité confinant au masochisme. Comment put-il s'imaginer que la « tragédie » de Gottwald avait été plus pénible que la sienne, lui qui avait été emprisonné, torturé et forcé d'avouer des crimes qu'il n'avait pas commis en attendant une probable pendaison ?

Jiří Pelikán a également tendance à présenter certains faits historiques à la lumière de ses convictions. À l'en croire, ce seraient les Tchécoslovaques qui auraient inventé le concept de « voie spécifique » : or la paternité n'en revient pas à Gottwald mais bien à Staline. C'est effectivement à l'occasion de la visite de parlementaires britanniques à Moscou, durant l'été 1946, qu'il la formula pour la première fois, mais ce n'est qu'à partir de ce moment que les communistes tchécoslovaques commencèrent à s'y rapporter – le premier discours de Gottwald, « *Sur notre voie tchécoslovaque vers le socialisme* », date du 4 octobre 1946[512]. Jiří Pelikán entretient d'ailleurs cette impression erronée de l'originalité tchécoslovaque par son silence sur le mouvement communiste mondial, alors que Gomułka[513], Rákosi[514], Thorez[515], Togliatti et Dimitrov faisaient des références analogues à cette doctrine.

Jiří Pelikán comme Josef Smrkovský surent s'excuser de manière « collective » pour les dérapages terroristes du régime ; c'est une honnêteté qu'il convient de leur reconnaître. Cependant, il est à noter que leur application à tous deux à ne pas mettre en doute la bonne foi de Gottwald leur permit non seulement de l'excuser mais aussi de ménager les communistes tchécoslovaques ; s'épargner eux-mêmes revenait ainsi à protéger leurs convictions. Leur compassion pour Gottwald est synonyme de sympathie pour la « voie spécifique vers le socialisme » et le regret pour son « tragique destin » sert au moins en partie à éluder la question de leur propre culpabilité ; il est donc aisé de tenir les Soviétiques et Staline pour responsables. C'est pourtant méconnaître le fait que le soi-disant drame de Gottwald partage avec sa fausse paternité de la « voie spécifique » la caractéristique d'avoir été soigneusement mis en scène. De plus, la culpabilité des Soviétiques, bien que réelle, n'excuse pas la compromission des élites tchécoslovaques.

L'amitié entre Gottwald et Slánský

Alors que la condamnation à mort de Milada Horáková, une personnalité populaire et respectée, la première femme de l'histoire tchécoslovaque à avoir été exécutée, ne suscita dans l'ensemble que bien peu de commentaires de la part des (anciens) communistes réformateurs[516], la signature de Gottwald au bas de la condamnation à mort de Slánský est presque toujours considérée comme une tragédie personnelle supplémentaire ; en effet, Gottwald aurait dû se « résigner » à trahir Slánský et à le livrer à Staline. Cette version historiographique est essentiellement due au témoignage de Josefa Slánská, la veuve du défunt secrétaire général, et aux travaux de Karel Kaplan.

Le livre de Josefa Slánská, tout d'abord, comporte maintes références à la grande amitié qui aurait uni Gottwald et son mari. Dans l'édition anglaise, on trouve même des photographies de bonheur collectif à la « ferme » de Gottwald, près de Moscou, en 1935[517], ou encore lors d'une célébration familiale en 1949[518]. Gottwald et sa femme Marta auraient même été le parrain et la marraine de la petite Marta Slánská, née en 1949[519]. La femme de l'ex-secrétaire général se réfère à Gottwald en utilisant son diminutif, « Klema », ce qui montre sa familiarité avec lui ; de même, Gottwald utilisait, d'après elle, le diminutif de Rudolf Slánský, « Ruda » : « *Klema et Ruda, les collègues les plus proches pendant vingt-six années entières et des amis inséparables. Qui pouvait connaître Ruda mieux que Klema ? Et sûrement il me connaissait tout aussi bien. Et maintenant il stigmatisait Ruda comme le plus grand ennemi du parti et de l'État.* »[520]

Quant à Karel Kaplan, il est difficile de déterminer sur quels éléments il s'appuie pour montrer l'amitié entre Gottwald et Slánský puisqu'il ne donne pas de référence bibliographique précise[521] ; mais il semble qu'il ne se fonde que sur la lettre, évoquée plus haut, qu'Alexej Čepička adressa au Politburo, en 1956, pour tenter de justifier son comportement du début des années 1950. Ainsi que nous l'avons déjà évoqué, si l'ex-ministre de la Défense reporta la responsabilité de l'arrestation de Slánský sur Gottwald, il affirma aussi que celui-ci avait tergiversé plusieurs mois avant de céder à la « recommandation » de Staline (voir *infra*) ; c'est ainsi que fut pérennisée l'image d'un Gottwald hésitant à sacrifier son ami et ne cédant que sous le coup de la peur.

Il n'empêche que les motivations de Josefa Slánská sont ici transparentes : comment faire mieux ressortir la conspiration ayant touché son mari qu'en invoquant la trahison personnelle de Gottwald, son « meilleur ami » ? L'aspect dramatique de son destin n'en est que mieux dépeint. Quant à Čepička, est-il vraiment justifié d'accorder un quelconque crédit à la voix d'un personnage aussi peu recommandable ? De surcroît, il avait tout intérêt à mettre en avant la responsabilité des Soviétiques dans cette affaire.

En fait, la thèse de la rivalité entre Gottwald et Slánský est tout aussi vraisemblable. L'exécution de Slánský représenta sans conteste un moyen pour Gottwald de se débarrasser d'un rival ambitieux. C'est ce qu'essaie de montrer Paul Barton, par exemple, dans son chapitre « Constitution des clans à l'intérieur du Parti »[522], avec une description point par point de la chute de l'ex-dauphin et des victoires successives du « clan Gottwald »[523].

L'alcoolisme avéré de Gottwald peut-il avoir constitué une circonstance atténuante ? Karel Kaplan et Jiří Pelikán le donnent à penser, évoquant une grande tension et de cuisants remords. Le facteur déclenchant, d'après Karel Kaplan, en aurait été l'interdiction pour la Tchécoslovaquie de participer au plan Marshall malgré l'avis contraire du KSČ ; Gottwald aurait été « *mortifié* » par cet oukaze stalinien, redoublant de « *servilité docile* » devant Moscou et de « *cruauté* » dans son propre pays : « *Ce n'est pas pour rien qu'on l'appelait "l'homme au poing serré de révolte et de colère mais brandi seulement dans la poche de son veston".* »[524] Jiří Pelikán confirme qu'après avoir vainement tenté de résister aux « *prétentions soviétiques* », Gottwald se serait mis à boire comme s'il « *essayait de noyer en lui-même ses hésitations* »[525].

Ces interprétations ne sont pourtant fondées que sur des professions de foi. L'homme au « poing serré brandi dans la poche de son veston » (une expression jamais retrouvée ailleurs) dirigea en effet une dictature fort efficace à partir de 1948 et fit preuve, pour un homme « rongé par les soupçons », d'un esprit de décision inattendu : Karel Kaplan lui-même note bien que son rôle dans l'affaire Slánský ne se borna pas à celui d'un spectateur passif ; il se serait tenu informé du mûrissement des « soupçons » qui pesaient contre son second, il l'aurait hypocritement couvert d'éloges à un moment où son sort était déjà décidé et il aurait « cédé » (de son plein gré) à l'exigence de son arrestation. Doit-on y voir une tragédie ou une expression de cynisme ?

Remarquons qu'à l'automne 1989, quelques semaines avant la chute définitive du régime communiste, la banque centrale tchécoslovaque émit un nouveau billet de cent couronnes à l'effigie de Klement Gottwald. S'agissait-il d'une tentative de conjurer l'irrémédiable ? Quoi qu'il en soit, le passage de la mémoire à l'histoire semble encore délicat à négocier en ce qui concerne le dirigeant historique du communisme tchèque. Il bénéficie jusqu'à aujourd'hui d'un statut quelque peu protégé, dans la mesure où aucune biographie, aucun travail historique d'ampleur – qui amèneraient forcément à réévaluer son parcours sous un jour dévalorisant – ne lui ont été consacrés. Dans l'historiographie professionnelle, seul le silence a succédé aux justifications complaisantes ayant émaillé les travaux publiés dans le sillage du Printemps de Prague.

Un renouveau historiographique bien timide

Le fait qu'une grande partie des historiens tchèques appartienne encore aujourd'hui à la génération de Karel Bartošek et de Karel Kaplan est un élément d'explication de cette carence historique. Les pistes de recherche collectivement suggérées au sein des structures de recherche officielles praguoises (notamment à l'Académie des sciences et à l'Institut d'histoire contemporaine) privilégient la documentation, moralement plus confortable, des activités de résistance au régime communiste. Les jeunes vocations restent proportionnellement limitées au manque de prestige d'une profession intellectuellement sinistrée par le régime de « normalisation » et financièrement soumise à un statut de misère ; quant à la bibliographie occidentale, elle s'est largement recentrée depuis 1989 sur la dernière phase du communisme (dissidence, Révolution de velours) et sur l'analyse de la transition à la démocratie.

Dans ces conditions, le renouveau qui s'était esquissé au tournant des années 1980 (Jacques Rupnik, Zdeněk Kryštůfek) n'a pas entraîné la réévaluation substantielle de la problématique des années 1950 que l'on aurait pu attendre. La référence aux traditions démocratiques, ciment de l'alliance intellectuelle entre les différents courants et facteur explicatif quasi universel, n'a pas disparu des manuels. Les thèses présentées sont en général globalisantes et, dans le cas précis de l'année 1956, évitent tout débat embarrassant sur le courage ou la lâcheté de la population. La passivité de cette dernière n'est pas thématisée mais évacuée, elle est éludée par des réponses fournies sans même que la question ne soit posée.

Mais si presque tous ont trouvé intérêt à utiliser l'« argument démocratique », la fin progressive du monopole de l'information détenu par les historiens communistes réformateurs que marque l'ouverture des archives offre de riches possibilités réinterprétatives. Les interrogations sur le rôle des démocrates entre 1938 et 1948[526] et la piste de recherche suggérée par Jacques Rupnik – qui avait été le premier à s'interroger, dans un article de 1986, sur la *« capacité du régime tchécoslovaque à trouver sinon une assise, du moins un degré d'acceptation bien plus grand que ses voisins polonais ou hongrois »* au sein de la population après 1948[527] – peuvent aujourd'hui être reprises avec profit.

La question principale ressortant de l'étude historiographique que nous venons de mener concerne les liens entretenus entre le parti communiste tchécoslovaque et la « culture démocratique » tchèque : en alla-t-il d'une relation conflictuelle, d'une simple coexistence ou d'une harmonieuse coopération ? Cette problématique renvoie à la période fondatrice allant de la fin de la Seconde Guerre mondiale à la prise du pouvoir par les dirigeants du KSČ en février 1948, à la mise en place de la « démocratie populaire », selon la terminologie communiste, ou de la « démocratie socialiste » selon celle des démocrates[528], en somme, d'un gouvernement d'union nationale où les uns et les autres exercèrent ensemble le pouvoir en jouant le jeu de la « cohabitation ». La question allemande, nommément l'expulsion des Allemands des Sudètes, joua un rôle si important dans ce contexte que nous nous devons d'y consacrer, tout d'abord, un chapitre particulier, y compris en effectuant quelques rappels historiques.

VII – Munich et l'expulsion des Allemands des Sudètes

L'expulsion des Allemands des Sudètes entre 1945 et 1947 est un sujet controversé qui a continué à perturber les relations entre la République tchèque et l'Allemagne bien après la chute du communisme[529]. S'il ne s'agit ici en aucune façon de porter un jugement sur son principe, il est indispensable de l'évoquer, dans la mesure où elle constitua un élément fondateur de la politique intérieure d'après-guerre. Le cœur de la problématique allemande remonte bien évidemment aux accords de Munich de 1938.

Les accords de Munich

Pour les Tchécoslovaques, les accords de Munich constituèrent une tragédie nationale dont l'Europe occidentale n'avait sans doute pas imaginé l'ampleur. À la fin de l'été 1938, le pays se préparait à combattre une Allemagne nazie ouvertement menaçante et qui tirait prétexte de la présence d'une importante minorité nationale allemande dans les Pays tchèques pour afficher ses ambitions territoriales. La mobilisation de l'armée semblait totale et enthousiaste, et les généraux comptaient sur les traités l'unissant à ses alliés ; pourtant, le 29 septembre 1938, les représentants de la France, de l'Italie et de la Grande-Bretagne se réunirent à Munich sous l'égide d'Adolf Hitler sans que les autorités de Prague ne soient invitées ni même consultées. Les quatre puissances s'entendirent pour transférer à l'Allemagne les territoires où vivaient plus de 50 % de citoyens tchécoslovaques de nationalité allemande : les « Sudètes »[530]. La Tchécoslovaquie avait donc été abandonnée à son sort par ses alliés français et britanniques, et s'il ne s'agissait pas *stricto sensu* d'un reniement des accords militaires les unissant, il n'en allait pas moins d'une trahison morale.

L'atmosphère psychologique entourant la conclusion des accords justifie sans aucun doute la profondeur du traumatisme tchécoslovaque. Les représentants occidentaux ne cherchèrent en rien à dissimuler leur cynisme ; Neville Chamberlain, le Premier ministre britannique, ne déclara-t-il pas sans ambages à la *BBC* la veille de la signature des accords : « *N'est-il pas affreux, fantastique, incroyable que nous soyons en train de creuser des abris et d'essayer des masques à gaz à cause d'un différend surgi dans un pays lointain, entre des gens dont nous ne savons rien... ?* »[531] Le déroulement de la conférence, d'après le compte rendu de l'historien Igor Lukeš, fut marqué par un manque de considération similaire. Chamberlain se désintéressa par exemple du sort des Tchèques, Juifs et Allemands démocrates destinés à être englobés dans les territoires abandonnés aux nazis mais posa par contre, de façon répétée, la question du bétail, jusqu'à ce que Hitler lui fasse remarquer sur un ton excédé qu'ils n'avaient pas de « *temps à perdre* » avec des « *trivialités de cet ordre* »[532]. Après neuf heures d'attente, à une heure trente du matin, les représentants tchécoslovaques tenus à l'écart furent gratifiés d'une brève réunion d'information avec Chamberlain et Daladier. Ce dernier était conscient de la honte qui s'était abattue sur lui ; il parla peu, garda la tête basse, contempla ses ongles pendant toute l'entrevue, et se garda de regarder ses interlocuteurs dans les yeux[533]. Mais Chamberlain était « *agréablement* » fatigué par sa journée[534]. Il donna le texte des accords à l'un des représentants pour qu'il le lise à haute voix et « *commença à bailler presque aussitôt, au début avec discrétion puis sans le moindre scrupule* »[535].

George Kennan, qui était alors diplomate à Prague, décrivit parfaitement dans une lettre personnelle le « *chaos* » que la « *catastrophe de Munich* » provoqua dans la vie politique tchécoslovaque : « *Rien d'autre n'est resté dans les têtes que l'amertume, le choc et le doute.* »[536] Le président Beneš, effondré, renonça à envoyer son armée à la bataille malgré l'avis contraire de militaires impatients d'en découdre. Le 5 octobre, il fut contraint de démissionner de la présidence sous la pression des nazis et il quitta le pays peu après[537]. Il devait rester marqué jusqu'à la fin de ses jours par la volonté obsédante d'éviter un « *nouveau Munich* »[538], une circonstance qui expliqua le glissement du pays pendant la guerre tant vers la gauche de l'échiquier politique que vers l'Est de l'Europe. La forfaiture de 1938 en vint à représenter une rupture symbolique avec l'Occident. Pour reprendre les termes de Petr Pithart : « *Après un temps de réflexion, Munich nous est apparu comme la trahison non seulement de nos alliés démocratiques occidentaux, mais de la démocratie tout court. Pour parler familièrement, nous avons jeté le bébé avec l'eau du bain.* »[539]

De la culpabilité des Allemands des Sudètes

Mais les alliés occidentaux ne furent pas les seuls à décevoir la Tchéco-slovaquie en 1938 : Konrad Henlein, le dirigeant du Sudetendeutsche Partei (SdP) et tonitruant représentant de la minorité allemande vivant dans les Pays tchèques, s'allia à Hitler pour saborder l'État de l'intérieur. Il fut dési-gné avec d'autant plus de complaisance comme la « cinquième colonne » de la première République que, parvenu au faîte de sa gloire en 1941, il se vanta de s'être vu attribué par Adolf Hitler au milieu des années 1930 la « *tâche politique de détruire la Tchécoslovaquie en tant que forteresse-clef de l'alliance contre le Reich allemand* »[540]. Son objectif aurait été de miner la stabilité interne du pays jusqu'à le rendre « *mûr pour la liquidation* ». Pour ce faire, il avait soi-disant dû « *transformer les trois millions et demi d'Allemands des Sudètes en trois millions et demi de nationaux-socialistes* », tout en invitant ses « *disciples* » à nier cette allégeance pour échapper à l'intervention des autorités tchèques, ce qui aurait constitué la « *plus grande épreuve mentale* » à laquelle il ait « *eu à les exposer* »[541].

Jusqu'en 1938, Konrad Henlein ne prétendit revendiquer que l'autono-mie des territoires sudètes et se présenta même au monde extérieur comme un médiateur entre les Allemands et les Tchèques[542]. Son parti, le SdP, avait reçu, dès 1935, un important soutien de la minorité allemande (63 % des votes). Sur ces entrefaites, l'entrée des troupes de Hitler en Autriche et l'Anschluss, en mars 1938, provoquèrent une flambée nationaliste dans les Sudètes. Selon le consul anglais à Liberec (Reichenberg), celle-ci fut ren-forcée par l'absence de réaction de la communauté internationale. « *Beau-coup d'Allemands* » en auraient en effet conclu que la politique de Hitler était justifiée ; « *Ce qui est vrai pour l'Autriche doit être vrai pour la Bohême* » lui sembla être le sentiment dominant[543]. Le 28 mars 1938, Henlein rencontra Hitler et reçut l'ordre de formuler des demandes impos-sibles à satisfaire, même par un gouvernement démocratique[544]. Le diri-geant sudéto-allemand s'exécuta, dès le 24 avril, lors d'un congrès du SdP à Karlovy Vary (Karlsbad) et énonça un plan en dix points exigeant du gouvernement des concessions administratives démesurées[545]. Comme prévu, ce dernier ne put les considérer que comme inacceptables.

Entre la fin mars et la fin mai 1938, le succès populaire du SdP prit des proportions massives. L'entrée de nouveaux membres se faisait à un rythme si rapide que les formulaires d'inscription commencèrent à man-quer[546]. Les partis démocratiques allemands implosèrent l'un après l'autre, proclamant leur auto-dissolution comme le petit parti du commerce, ou fusionnant avec le SdP comme le parti agraire. Le ministre allemand Franz Spina, avocat de la coopération tchéco-allemande, démissionna du gouvernement et se retira de la vie politique. Quant au ministre Ludwig

Czech, social-démocrate allemand d'origine juive, il quitta non seulement le gouvernement mais aussi la tête de son parti, où il fut remplacé par Wenzel Jaksch[547]. Aux élections municipales de mai-juin 1938, le SdP remporta 91,4 % des voix dans les Sudètes. Il est vrai que la liste communiste, qui se présentait dans l'ensemble du pays (par opposition à une étiquette exclusivement « locale »), remporta également un faible pourcentage des voix allemandes ; ceci ramène la représentation du SdP à environ 85 % de l'ensemble des voix allemandes de Tchécoslovaquie, mais cette majorité reste tout de même écrasante[548].

Henlein et les Allemands des Sudètes furent tenus pour les principaux responsables du démembrement du pays puisque ce score sans appel constitua l'argument principal de l'Allemagne nazie pour annexer les Sudètes. Le président Edvard Beneš affirma ainsi en 1945, lors de son discours d'ouverture devant le Parlement libéré, que les Allemands de Tchécoslovaquie avaient planifié le renversement de la République dès 1934, *« en total accord avec Hitler et en étant pleinement conscients de leurs responsabilités »*. Loin de vouloir simplement se rattacher au Reich, ils se seraient *« eux-mêmes mis à une majorité de 80 % à 90 % au service du nazisme barbare pour l'annihilation de l'État et pour un travail de sape des forces et valeurs morales et culturelles de la nation tchèque »*. Sa conclusion était sans appel : *« Leur conduite a brisé pour toujours les ponts qui nous unissaient. »*[549]

Certains historiens ont contesté l'affirmation selon laquelle la majorité des citoyens allemands de Tchécoslovaquie avaient pris toute la mesure de la conviction nazie de Henlein au moment des élections de 1935[550]. Les antifascistes avaient certes dénoncé les connotations nationales-socialistes de cette campagne électorale[551], mais il est vrai que même les Occidentaux considéraient alors Henlein comme un homme respectable (ou, du moins, affectaient de le faire). C'était particulièrement le cas des Britanniques, qui se méfiaient d'Edvard Beneš. Ils n'avaient guère apprécié son voyage à Moscou en 1935 et leur ambassadeur à Prague, Sir Joseph Addison, avait encore moins goûté que le président tchécoslovaque lui fasse la leçon sur les mérites de l'Union soviétique et les charmes de Staline[552].

Konrad Henlein, en revanche, qui se rendit en Grande-Bretagne en décembre 1935 et en juillet 1936, leur était sympathique, d'autant qu'il affirma devant eux ne pas être lié au NSDAP et ne pas se préoccuper de la question juive. Il prétendit être à la recherche d'un accord avec l'État et être en faveur de l'unité de la République tchécoslovaque, non de l'ordre nazi[553]. En 1936, il répéta devant un haut fonctionnaire qu'il était prêt à coopérer de façon loyale avec les autorités tchèques[554]. Les Anglais le crurent d'autant plus volontiers qu'il agitait le spectre du danger bolchevique en Tchécoslovaquie et qu'il présentait son parti comme le seul moyen de bloquer le radicalisme croissant de la minorité allemande[555].

Il laissa une si bonne impression lors de ses deux visites que même le grand historien R. W. Seton-Watson, qui avait été l'un des artisans de la création de la Tchécoslovaquie en 1918 et qui restait l'un de ses fervents avocats en Occident, en fut séduit. Il regretta, dans une interview, que Henlein soit « *injustement* » critiqué par « *certains* » de ses « *amis tchèques* »[556]. Toujours en 1936, il qualifia « *Herr Konrad Henlein* » de « *jeune et sympathique gymnaste* » (il était professeur de gymnastique) et expliqua que si le SdP reflétait « *inévitablement* » l'idéologie du Troisième Reich, c'était sous une forme « *adaptée à la fois aux compétitions créées par la liberté de la presse et à la crainte de la censure* ». Au total, « *Herr Henlein* » n'aurait pas poursuivi de « *fins séparatistes* » et son programme n'aurait rien comporté « *qui soit incompatible avec la Constitution et les lois de la République tchécoslovaque* »[557].

Le ministre des Affaires étrangères, Anthony Eden, pressa d'ailleurs l'ambassadeur tchécoslovaque à Londres, Jan Masaryk, de rapporter à son gouvernement qu'il était urgent de prendre des mesures pour détendre les relations tchéco-allemandes[558]. Il souligna également l'importance de ce problème devant son homologue tchécoslovaque, Kamil Krofta, à Genève le 29 septembre 1936[559]. D'après Igor Lukeš, le ministre tchèque aurait répliqué que les Allemands des Sudètes n'étaient pas un groupe homogène, qu'une partie d'entre eux restaient loyaux à la République et que les sociaux-démocrates, en particulier, luttaient fermement contre les nazis. Eden aurait alors interrompu Krofta avec impatience pour insister : le gouvernement tchèque devrait accorder de larges concessions à la minorité allemande pour couper l'herbe sous le pied de Hitler[560]. Ultime acte de la diplomatie britannique : le futur ministre des Affaires étrangères, Lord Halifax, assura à Hitler lors d'une visite à Berchtesgaden, en novembre 1937, que les Anglais « *n'étaient pas forcément pour que le* statu quo *demeure tel qu'il est aujourd'hui* », en remarquant également que « *le monde ne pourrait rester le même pour toujours* »[561]. Hitler aurait réagi très positivement et Halifax serait rentré à Londres avec l'impression que le Führer n'avait pas de mauvaises intentions envers la Tchécoslovaquie[562].

Konrad Henlein resta populaire dans le monde anglo-saxon pendant de longues années. Alors qu'il était au sommet de son pouvoir sous le Protectorat de Bohême-Moravie, en octobre 1941, la prestigieuse revue *Foreign Affairs* (New York) publia encore un article signé de son nom où il regrettait la défection dans le camp allié de Rudolf Hess[563].

S'il ne s'agit pas d'excuser le comportement des Occidentaux, il convient néanmoins de souligner qu'ils furent ébranlés par la situation économique désastreuse de la population des Sudètes après la crise de 1929. Le ressentiment allemand s'exprimait en effet de façon privilégiée sur ce terrain. Selon Seton-Watson, par exemple : « *La Grande dépression toucha les districts sudètes avec une sévérité particulière et le chômage et*

*la souffrance qui en furent la conséquence servirent d'agences de recrute-
ment privilégiées pour les extrémistes.* »[564] Nombre d'Allemands des
Sudètes accusaient le gouvernement de Prague de ne pas faire tout son
possible pour les soulager alors même que leur taux de chômage aurait été
trois à quatre fois plus élevé que dans le reste du pays. Cet argument économique mérite une étude plus détaillée.

Le rôle de la crise économique

Une remarquable analyse de la cohabitation tchéco-allemande en
Bohême-Moravie fut publiée à Londres en 1938 par la politiste britannique
Elizabeth Wiskemann, après qu'elle se fut livrée à une enquête de terrain
longue et détaillée[565].

Elle montra tout d'abord la difficulté à estimer avec exactitude les taux
de chômage allemand et tchèque. En effet, même les districts allemands
les plus homogènes sur le plan ethnique étaient relativement métissés et
les Tchèques des Sudètes souffraient autant de la crise que les Allemands.
De plus, le cabinet tchèque, « *comme tous les gouvernements* », aurait
manipulé les statistiques dans le sens qui lui était le plus favorable. Enfin,
les Allemands auraient eux aussi tenté de présenter les chiffres de façon à
noircir le tableau de leur misère[566]. Elle estima néanmoins que les districts les plus touchés par la crise étaient bien les districts allemands,
même s'ils ne l'étaient sans doute pas « quatre fois plus ». L'agriculture
et l'industrie lourde étaient en effet plus développées dans la zone
tchèque et la main-d'œuvre était ainsi plus nombreuse et moins dépen-
dante de l'exportation que l'artisanat allemand – l'usine de chaussures
Baťa en étant un bon exemple[567].

L'auteur mit également en avant des facteurs non quantifiables mais
décisifs dans le sentiment d'« *exaspération* » des Allemands : l'absence de
salaire minimum qui favorisa parfois les Tchèques à l'embauche, dans la
mesure où ils étaient moins bien payés ; pour la même raison, la capacité
des entreprises tchèques à remporter des contrats face à leurs concurrentes
allemandes ou encore l'envoi de chômeurs tchèques dans les districts à
majorité allemande pour accomplir certains petits travaux publics ; la tendance à licencier des employés allemands plutôt que tchèques lorsqu'il fallait réduire la force de travail, afin de conserver la faveur du gouvernement
et de continuer à remporter des contrats publics ; ou encore l'ignorance fré-
quente à Prague des conditions locales[568]. L'historien Johann Bruegel, lui-
même Allemand des Sudètes, souligne néanmoins que le ministre de la
Protection sociale depuis 1929 n'était autre qu'un Allemand, le social-

démocrate Ludwig Czech, et que c'étaient les syndicats qui avaient pour tâche de redistribuer les allocations-chômage. Les centrales allemandes auraient reçu une part équitable de l'aide sociale, proportionnelle au niveau de misère plus élevé de leurs cotisants[569].

Au-delà de tout débat sur les chiffres, Elizabeth Wiskemann conclut que la question économique symbolisait en réalité l'évolution de la relation dominant-dominé entre Tchèques et Allemands. Elle cita à titre d'exemple le fait que le gouvernement tchèque avait sauvé les petits épargnants allemands en rachetant leurs compagnies d'assurances en faillite au début des années 1930 ; or, alors que ce geste sembla « *généreux* » aux autorités de Prague, les Allemands des Sudètes considérèrent comme « *impardonnable* » ce « *sacrifice de leur indépendance économique* »[570]. Le véritable problème était que la domination économique allemande en Bohême-Moravie était progressivement mise à mal. En conséquence de la crise, les Allemands en vinrent même à dépendre financièrement du gouvernement de Prague, une situation qu'ils vécurent comme une atteinte à leur intégrité nationale. Leurs ex-parents pauvres étaient en passe de les rattraper au niveau des salaires, de la puissance industrielle et financière et de la qualification de la main-d'œuvre, et ils avaient naturellement tendance à estimer que ce n'était que justice s'ils parvenaient à surmonter ce qu'ils considéraient comme un legs de l'histoire et à s'imposer sur leur territoire national[571]. Elizabeth Wiskemann souligna donc l'irréductibilité du conflit ; pour elle, la question des relations germano-tchèques était insoluble, quelle que soit la bonne volonté du gouvernement en place, tant que le nationalisme racial resterait l'échelle d'appréciation principale de toute action[572].

La démocratie tchèque en tant qu'arme offensive

Le président Beneš demeura cependant convaincu tout au long des années 1930 que la démocratie était à même de triompher des tensions nationales. Cette certitude favorisa incontestablement son ouverture d'esprit vis-à-vis des revendications « sudètes ». Lors d'une visite à Liberec (Reichenberg) en août 1936, par exemple, il déclara devant un public constitué d'Allemands qu'aucune nationalité ne devait se sentir menacée en Tchécoslovaquie et il plaida pour un accord politique en les assurant de sa confiance[573]. D'après lui, les conflits nationaux n'étaient pas à craindre dans un pays qui bénéficiait d'une Constitution et d'une pratique politique tolérantes : « *Notre philosophie et notre morale politiques, c'est la démocratie, qui nous donne la clef de la solution de tous les problèmes car elle fixe comme base de tous les actes politiques le respect de la personnalité humaine et la parfaite égalité civique. »*[574] Il conclut son discours sur une note philosophique : *« La vie commune des Tchèques et des Allemands dans notre pays est, en réalité, une communauté de destin, "eine Schicksalsgemeinschaft", et [...] tout se réduit à cette question : voulons-nous réciproquement nous rendre plus facile ou plus pénible cette communauté de destin ? La réponse ne peut faire de doute. »*[575]

Munich et ce qui fut perçu comme le rejet allemand des valeurs nationales tchèques devaient pourtant modifier les données de la problématique allemande de façon radicale. Le 8 juin 1939, Edvard Beneš dévoila son programme de lutte en tant que président en exil et représentant du gouvernement tchécoslovaque. Son discours, tenu à Chicago, portait un titre hautement symbolique : *« La vérité vaincra. »*[576] Par cette formule, il rappelait tout à la fois la devise de la République tchécoslovaque et une vision masarykienne de la nation. Il se replaçait dans une longue tradition culturelle remontant à Jan Hus et marquée par la défaite de la Montagne-Blanche en 1620 : même lorsqu'elle était martyrisée et que ses élites étaient contraintes à l'exil, la nation tchèque était toujours destinée à triompher sur le plan moral par l'établissement de la vérité. Dans ce processus, la culture, l'esprit, le combat intellectuel, devaient tenir une place plus importante que la lutte armée. Se battre pour que la vérité soit établie devenait même, pour le président Beneš, la seule façon de dénoncer la *Realpolitik* qui avait été imposée par les accords de Munich.

Dans sa petite brochure *La Barbarie nazie en Tchécoslovaquie*, publiée à Londres en 1940[577], il mit donc à nouveau en avant la composante culturelle de l'identité tchèque. Le chapitre « La destruction spirituelle et morale de la nation », consacré pour l'essentiel à « la destruction de la culture », y tenait une place bien plus importante que la destruction de l'économie ou même que le thème des « *persécutions individuelles* ». Il souligna que *« La nation tchèque a*[vait] *toujours été fière que sa culture, unie à la culture de l'Occident par de riches liens ancestraux, soit reconnue par l'ensemble du monde civilisé »*[578] et établit une comparaison riche d'enseignements avec la Pologne : en effet, si la destruction nazie était « *matérielle, physique et brutale* » dans ce dernier pays, cette « *extermination violente* » n'invoquait que la « *loi de la guerre* ». En Tchécoslovaquie, en revanche, il se serait agi avant tout de la « *préparation systématique d'un meurtre et d'une extermination* spirituels », car cette résistance morale aurait semblé « *plus essentielle* » aux Allemands[579]. Le caractère hypothétique de cette affirmation ne doit pas dissimuler le fait que le président considérait cette résistance comme la seule manifestation possible de la survie de la nation. Pour lui, un niveau élevé de culture – ou, à tout le moins, ce qu'il tenait pour tel – n'était pas un luxe mais une condition existentielle. C'est également dans ce cadre de pensée que s'inscrit la fierté face à l'expérience démocratique de la première République que nous avons rencontrée chez de nombreux auteurs : qu'il suffise de dire que la démocratie était et reste perçue comme étant constitutive de l'identité tchèque.

La radicalisation progressive du président Beneš

Sur la base d'un tel principe ontologique, l'évolution de la pensée du président Beneš face à une question aussi délicate que l'expulsion de la minorité allemande de Tchécoslovaquie (trois millions de personnes) devient particulièrement intéressante à étudier. Comment concilier une identité démocratique et une mesure aussi violente, tant sur le plan du symbole que de sa réalisation pratique ? Rien d'étonnant à ce que le processus intellectuel ayant mené le président tchécoslovaque à cette décision irrémédiable ait été douloureux et empreint de contradictions internes. Cependant, ces hésitations initiales furent autant que possible dissimulées au public après la guerre. Dans l'objectif – peut-être inconscient – de faire taire les doutes qui auraient pu s'élever au sein de la société tchèque, le compte rendu des débats ayant précédé la décision d'expulsion fut retravaillé dans une double perspective : il s'agissait de conférer à cette mesure un caractère d'inéluctabilité, tout en la présentant comme indispensable à la résurrection de la démocratie tchèque. En d'autres termes, le président Beneš entreprit de reconstruire *a posteriori* son attitude envers le problème allemand pour justifier un radicalisme qu'il n'avait pas à l'origine.

Une illustration de ce phénomène peut être trouvée dans l'évolution des échanges épistolaires au cours de la guerre entre le leader des sociaux-démocrates allemands en exil à Londres, Wenzel Jaksch, et le président Beneš. Trois versions de leur correspondance peuvent être comparées :
– celle présentée dans les mémoires de ce dernier, publiés en 1947 ;
– celle présentée dans les documents annexés auxdits mémoires, documents réédités en tchèque en 1995 par la Société Edvard Beneš ;
– et celle présentée dans la correspondance entre les deux hommes, telle qu'elle a été publiée en République fédérale d'Allemagne en 1973.

Les documents annexés n'ont par exemple que bien peu à voir avec la version présentée dans les *Mémoires* de Beneš eux-mêmes. On y retrouve quelques passages mais la construction et surtout le ton général y sont très différents. Dans les documents originels, l'irritation de Beneš envers un Jaksch évidemment très opposé à l'expulsion est à peine déguisée mais son hésitation est perceptible quant au problème allemand ; dans les *Mémoires* en revanche, Beneš se présente comme plus modéré dans ses relations personnelles avec le leader allemand mais nettement plus radical dans les solutions qu'il propose. Citons ici quelques exemples d'écarts entre les débats de l'époque de la guerre et les affirmations d'après-guerre.

Tout d'abord, certains des arguments que le président exilé prétend avoir employés devant Wenzel Jaksch pendant la guerre sont d'un anachronisme flagrant. Ils datent visiblement bien plus de 1947 que de 1941-1942 et semblent même tout droit tirés d'un discours de Gottwald. Beneš aurait ainsi affirmé que le « *plus petit dénominateur commun* » pour la solution du problème allemand était qu'il deviendrait nécessaire de « *débarrasser notre pays de toute la bourgeoisie allemande, de l'intelligentsia pangermaniste et des travailleurs passés au fascisme* » au cours de la « *révolution sociale* » qui allait « *certainement se produire* ». Associer ladite « *révolution sociale* » à cette « *révolution nationale* » aurait non seulement constitué une solution définitive mais même la seule solution possible. « *Ce plan* », aurait-il conclu à l'intention de Jaksch, « *contient même un élément marxiste et de la dialectique marxiste dans le processus révolutionnaire qui accompagnera inévitablement les changements de structure sociale de la Nation après cette catastrophe immense et mondiale.* »[580]

Or, le président Beneš ne se réfère à la « dialectique marxiste » dans aucun document certifié de l'époque de la guerre. De plus, l'alliance entre la « révolution nationale » et la « révolution sociale » ne devint un thème de propagande privilégié – communiste – qu'à partir de 1945. Il est donc clair que le président saisit l'occasion de ses *Mémoires* pour adapter ses souvenirs à l'esprit du temps.

Deuxième et troisième exemples de reconstruction postérieure de l'attitude présidentielle : la question de l'expulsion en tant que telle. Le 22 juin 1942, dans une lettre personnelle au président Beneš respectueuse mais critique, Wenzel Jaksch affirma que le châtiment des crimes « sudètes » devait être confié aux Allemands démocrates et non pas aux Tchèques, et il dénonça par avance le principe de l'expulsion de ses compatriotes, une « *vengeance aveugle* » qui reviendrait à « *détruire les fondements d'une coopération démocratique pour toute une génération* »[581]. La réaction du président Beneš témoigne sinon de son malaise, du moins d'une certaine hésitation. À en croire tant ses *Mémoires* que la réédition tchèque récente des documents d'époque, il refusa sèchement d'aborder le thème de l'expulsion dans sa réponse, une lettre personnelle adressée à Jaksch en janvier 1943, et pria ce dernier de se référer à sa déclaration officielle du 1er décembre 1942[582]. Qu'y avait-il dit ? Il avait résumé le sujet du « *transfert des populations* » à un choix entre « *tuer tous les coupables* », « *créer pour eux des prisons et des camps de concentration à grande échelle* » ou les faire « *définitivement quitter le pays* ». Cette question, avait-il cependant affirmé, ne concernait pas uniquement la Tchécoslovaquie et ne pourrait trouver une solution qu'au niveau européen. Tant qu'elle ne serait pas résolue par les traités internationaux de l'après-guerre, une position offi-

cielle tchécoslovaque ne serait « *certainement pas* » adoptée de façon définitive et les membres du gouvernement avaient d'ailleurs, d'après lui, des
opinions contradictoires à ce sujet, certains y étant « *opposés* »[583].

De même, dans un article publié en 1942 par la revue *Foreign Affairs*, il
se contenta de noter qu'« *une partie* » des minorités hongroise et allemande
en Tchécoslovaquie avait « *abusé* » des libertés que la République leur
accordait[584], une formulation prudente éloignée de ses affirmations répétées
d'après-guerre selon lesquelles lesdites minorités avaient massivement
œuvré à la destruction de la République[585]. De plus, le président affirma
qu'il n'était pas en faveur de « *méthodes impliquant la brutalité ou la violence* » et ne faisait que suggérer l'expulsion : « *Il sera peut-être possible,
dans certains cas, de modifier les frontières sur le plan local pour diminuer
un peu la taille des minorités dans les États. Il sera peut-être nécessaire
d'entreprendre, cette fois, le transfert des populations minoritaires.* »[586]

Dans ses *Mémoires*, en revanche, il explique avoir compris « *immédiatement après Munich* » que l'expulsion était la seule solution possible :
« *Lorsque cet accord serait annulé* [...], *le problème des* minorités de
l'État, *en particulier le problème de nos Allemands, devrait être résolu de
façon radicale et définitive.* »[587] Comment procéder ? Toujours d'après
les *Mémoires*, il avait l'intention de s'en tenir à ses habitudes d'avant-
guerre et de se comporter de façon correcte, « *fair-play* », en respectant
autant que possible les principes de justice et de démocratie[588]. Mais une
certaine « *efficacité* » devait prévaloir : tant les Britanniques, les Français, les Américains et les Soviétiques que, « *si possible* », les Allemands
et les Tchécoslovaques eux-mêmes, devaient être convaincus d'adopter le
principe d'une « *réduction radicale de la taille des minorités* » pour que
la Tchécoslovaquie « *d'avant Munich* » puisse être restaurée[589]. On voit
donc que, dans cette version, il n'était plus question d'attendre les règlements internationaux de la fin de la guerre ou de faire état de quelconque
dissension au sein du gouvernement.

La publication en allemand de la correspondance entre Jaksch et Beneš
n'est pas non plus exempte de petites retouches historiques. Par exemple,
le passage de la lettre du 22 juin 1942 cité plus haut – « *Le transfert de la
population serait une vengeance aveugle. Elle reviendrait, monsieur le
Président (ici, je voudrais m'exprimer franchement), à détruire les fondements d'une coopération démocratique pour toute une génération* » – qui
avait particulièrement irrité le président Beneš, a disparu[590]. Mais il y
figure, et il s'agit là de notre quatrième exemple, une réponse de ce dernier à cette lettre, datée du 15 juillet 1942, et qui est pourtant absente tant
de l'édition en tchèque de 1995 que des *Mémoires*[591]. Le ton de Beneš y
est nettement moins sec que dans sa réponse officielle de décembre 1942
et que dans sa lettre personnelle de janvier 1943, les seuls documents
invoqués dans les publications tchèques. Sa lettre est même amicale et

chaleureuse. Il s'excuse de n'avoir pas répondu plus tôt à Wenzel Jaksch, le remercie « *sincèrement* » de lui avoir fait part de ses positions personnelles et remercie également le collectif des sociaux-démocrates allemands, qui lui avaient envoyé un message de sympathie après que l'assassinat de Heydrich, le *Reichsprotektor*, eût exacerbé la répression nazie en Bohême-Moravie[592]. Enfin, il lui promet une réponse plus détaillée à venir. Ajoutons qu'une autre lettre de Beneš qui figure dans l'ouvrage *L'Europe en route vers Potsdam* de Wenzel Jaksch, datée du 11 novembre 1942, est également polie et chaleureuse. Encore une fois, Beneš remercie ce dernier de lui avoir envoyé de ses nouvelles et s'excuse d'avoir dû repousser son entretien avec lui. Il lui promet de le recevoir au plus tôt et le salue « *cordialement* »[593].

Enfin, cinquième et sixième exemples : au début de la guerre, le président Beneš envisageait de n'expulser que les Allemands des Sudètes membres du parti national-socialiste. Ce n'est que plus tard, surtout après que les villages de Lidice et Ležáky eussent été rasés et leurs habitants fusillés, en représailles à l'attentat contre Heydrich, que l'idée d'expulser toute la population allemande mûrit en lui[594]. De plus, en 1944 encore, les démocrates ne prévoyaient pas d'expropriation globale des Allemands expulsés. La confiscation ne devait s'appliquer qu'aux auteurs de « crimes contre la République », tandis que les autres devaient recevoir une indemnisation proportionnelle aux avoirs abandonnés en Tchécoslovaquie[595]. Pourtant, le moment venu, l'option retenue fut une expropriation sans compensation.

Ces éléments montrent donc que la position de Beneš face au problème allemand changea de façon plus progressive qu'il ne voulut bien le faire croire après la guerre et que le virage essentiel à cet égard se situa au tournant de l'année 1943. En effet, le mois d'août 1942 vit le Parlement britannique reconnaître le gouvernement tchécoslovaque en exil à Londres, tandis que le gouvernement de Sa Majesté dénonçait les accords de Munich. Pour le président Beneš, ce geste capital signifiait à terme l'acceptation du retour des Sudètes dans le giron tchécoslovaque. Il en tira dès lors une assurance accrue pour mener à bien ses négociations. À l'en croire, c'est le 5 juin 1943, par le biais de son ambassadeur à Londres, que Moscou lui donna son accord de principe concernant l'expulsion des Allemands des Sudètes ; dès le lendemain, Roosevelt aurait fait de même lors d'un entretien privé à Washington[596]. L'attitude présidentielle subit alors son infléchissement radical et définitif. L'expulsion des Allemands devint une revendication officielle tchécoslovaque et le dialogue fut définitivement rompu avec les sociaux-démocrates allemands en exil.

Une fois la rupture consommée, les démocrates tchécoslovaques prirent de moins en moins la peine d'épargner Jaksch et ses partisans. Un pamphlet datant de 1944 du ministre en exil Hubert Ripka, un avocat fervent et précoce de l'expulsion, alla jusqu'à affirmer que la « *politique malheureuse du groupe Jaksch* » avait renforcé la nécessité de « *trouver une solution entièrement nouvelle à la question allemande en Tchécoslovaquie* » : le « *destin déplorable* » de ce « *socialiste allemand* » aurait été d'avoir « *mené à son apogée le travail de destruction entamé par Henlein, le nazi* ». Et Ripka de conclure : « *On ne peut qu'avoir pitié des Allemands qui ont été trompés par Jaksch.* »[597]

Notons que c'est au moment même où la position tchèque se radicalisait que le président Beneš fit allusion, dans sa lettre à Wenzel Jaksch du 10 janvier 1943, au fait que la démocratie, considérée comme qualité intrinsèque du peuple tchèque, ne pourrait être rétablie qu'au détriment de la minorité allemande qui l'avait si clairement bafouée. En effet, expliqua-t-il, la Tchécoslovaquie ne pouvait être tenue responsable du nazisme et de la guerre. Au contraire, le « *peuple tchèque et donc l'État tchécoslovaque* » leur avait mieux résisté que le « *peuple allemand* », un succès dont il « *revendiqu*[ait] *la paternité avec fierté* » car il considérait qu'il s'agissait là en grande partie du « *résultat de son travail* »[598]. Ce qui s'était donc passé en 1938, concluait-il, y compris dans la politique intérieure tchécoslovaque, « *n'était pas seulement une attaque contre la démocratie allemande chez nous. C'était surtout une attaque contre l'État tout entier et, au premier chef, contre la* démocratie tchèque. »[599] Or, de *condition* du rétablissement démocratique, l'expulsion des Allemands allait rapidement devenir, par un discret glissement sémantique, un *acte* démocratique.

Expulsion et démocratie

Les hostilités, le Protectorat et l'humiliation subie par les Tchèques ne laissèrent plus aucune place, en 1945, à un débat subtil sur la date de la conversion nazie du SdP. Pour les dirigeants et certainement pour la plus grande partie de la population, les Allemands étaient responsables et devaient être mis hors d'état de nuire.

Contrairement à l'expropriation, l'expulsion fut mise en œuvre sur le terrain sans avoir jamais fait à proprement parler, *de jure*, l'objet de mesures gouvernementales ou législatives. Cependant, son principe fut officiellement entériné par les trois Grands à l'issue de la conférence de Potsdam, le 2 août 1945[600]. Le transfert forcé des populations allemandes d'Europe centrale et orientale fut d'ailleurs loin de concerner la seule Tchécoslovaquie. La Pologne, par exemple, expulsa à elle seule près de six millions de personnes et les pertes civiles y furent considérables. Il est vrai que les circonstances historiques étaient quelque peu différentes. Les nazis avaient eux-mêmes expulsé les Polonais pendant la guerre sur une grande échelle[601] et l'étendue des dégâts humains et matériels provoqués par l'occupation allemande était sans équivalent. De plus, les Polonais étaient également chassés de leurs territoires orientaux annexés par l'Union soviétique et ils eurent beau jeu de clamer que le traitement des Allemands expulsés n'était pas pire que le leur propre[602].

Mais surtout, les expulsés de Pologne étaient des « Allemands du Reich », c'est-à-dire des personnes qui se retrouvèrent incorporées dans la nouvelle Pologne de 1945 par le jeu du déplacement des frontières, alors qu'ils habitaient auparavant sur le territoire allemand. Ils avaient donc toujours été citoyens allemands, au contraire des Allemands des Sudètes qui avaient été citoyens tchécoslovaques avant la guerre et qui estimaient avoir toute légitimité à rester sur place. Ceux-ci ne firent d'ailleurs aucune tentative pour s'enfuir. La majorité des « Allemands de Pologne », pour leur part, partirent vers l'Ouest dès l'hiver 1944-1945, dans la panique et au milieu des combats. L'évacuation, repoussée par les nazis, fut chaotique et s'effectua au dernier moment, alors que les Soviétiques étaient déjà sur les talons des réfugiés. Des conditions climatiques drastiques (la température descendit jusqu'à 20° en dessous de zéro en janvier 1945) aggravèrent encore la situation[603]. Ainsi, les Polonais reconnaissent qu'il s'est bien agi d'une « marche de la mort » mais en reportent la responsabilité sur les combats, l'attitude des autorités nazies et la désorganisation générale née de la défaite[604].

Le transfert forcé des Allemands des Sudètes fit l'objet de critiques bien plus vives et les Tchèques ne firent certainement qu'aggraver les rancœurs en justifiant l'expulsion par la nécessité de sauvegarder leur démocratie. Tant les démocrates que les communistes refusèrent d'y voir une vengeance et insistèrent sur le fait qu'il ne s'agissait que d'une condition de sécurité[605]. Le paradoxe entre ces bonnes intentions et la brutalité, symbolique et physique, du départ des Allemands, fut relevé avec aigreur par ses opposants. Était-il démocratique, au nom de la sauvegarde de l'identité nationale, d'adopter une mesure aussi radicale que l'exclusion d'un tiers de la population ? Et était-il acceptable, pour une nation qui se voulait démocratique, que ce départ s'accompagne d'exactions contre des civils sans défense ? L'évolution politique du président Beneš et de la classe politique tchèque amène à la brûlante question de la « culpabilité collective » des Allemands, même si celui-ci ne la formula pas en tant que telle, car le terme ne naquit que plus tard.

Une abondante historiographie dénonce la forme concrète prise par l'expulsion. En effet, celle-ci s'accompagna, surtout à ses débuts, d'exécutions sommaires, de tortures, d'internements arbitraires et autres mauvais traitements, qui provoquèrent des protestations internationales. De plus, des décrets du président Beneš pris les 19 mai, 19 juin, 21 juin et 25 août 1945 concernant « *les collaborateurs, les traîtres, les Allemands et les Hongrois* », stipulèrent que les Allemands devaient recevoir les mêmes rations de nourriture que les Juifs sous l'Occupation, porter un brassard blanc et limiter leurs achats à certaines heures de la journée. Ils n'avaient plus le droit d'utiliser les moyens de transport en commun, de déménager, ou encore de pénétrer dans les lieux de récréation publics. Toutes leurs écoles furent fermées. Ils furent astreints à un travail obligatoire pour remédier aux dommages causés par la guerre et pour restaurer l'économie. Enfin, tous leurs biens immobiliers et une bonne partie du reste leur furent confisqués sans indemnisation[606]. Ce n'est qu'à partir du 19 juin 1946, sous la pression des Américains, que les expulsés furent autorisés à emporter leurs montres, leurs alliances, leurs réveils, leurs livrets d'épargne sur des comptes en banques situés en Allemagne et 100 kg de bagages au lieu de 50 kg[607]. Il est à noter que les ouvriers spécialisés et experts allemands reconnus « indispensables » au fonctionnement de l'industrie furent épargnés. Avec leur famille, ils formèrent la moitié des 177 000 Allemands autorisés à rester[608]. Or, avaient-ils été moins « nazis » que les autres ?

Les Hongrois de Slovaquie subirent des sanctions similaires. Le gouvernement proclama leur responsabilité collective dans le démembrement de la Tchécoslovaquie et les déchut de leur citoyenneté. Le Conseil national slovaque licencia par décret tous les employés hongrois de l'administration. Les Hongrois d'origine slovaque présumée furent visés par un décret de « reslovaquisation » et tentative fut faite en 1946-1947 de déporter la minorité vers les anciennes Sudètes dépeuplées par le départ des Allemands[609].

Mais c'est la loi 115 du 8 mai 1946 qui suscita sans doute le plus de critiques. Elle fut votée juste avant les premières élections d'après-guerre par les députés de l'Assemblée provisoire, qui n'avaient pas de mandat direct. Elle permit d'amnistier les actes commis par les Tchécoslovaques dans le cadre de leur combat pour la liberté entre le 30 septembre 1938 et le 28 octobre 1945[610]. La limite temporelle accordée dépassant largement la période de l'Occupation, d'aucuns estimèrent que les parlementaires avaient ainsi apporté leur caution aux exactions commises contre les Allemands après la Libération. Le silence régnant sur cette question dans la vaste majorité des publications tchèques consacrés à la problématique sudéto-allemande atteste bien d'une certaine gêne[611].

Il n'en reste pas moins que les mesures prises contre les Allemands et les Hongrois furent accueillies avec satisfaction par la population tchèque et slovaque, qui avait souffert des atrocités commises sous le régime nazi. La Tchécoslovaquie ne se distingua d'ailleurs pas des autres pays européens qui connurent tous, à des degrés divers, violence et règlements de compte sommaires à la fin de la guerre. C'est surtout le contraste entre une pratique peu glorieuse et la volonté affichée de se présenter comme une nation démocratique qui exacerba les protestations. Le président Beneš n'ignorait pas que la presse internationale se livrait à de sérieuses critiques, parlait d'une expulsion « *honteuse* » et accusait les Tchèques d'imiter les « *méthodes non civilisées des nazis* » et d'agir à l'encontre de leurs « *traditions nationales* » et de leur « *réputation morale* »[612]. Sa réponse lapidaire ne s'encombra cependant pas de précautions oratoires : « *Même si ces reproches sont justifiés dans des cas individuels, je proclame de façon catégorique que nos Allemands doivent partir pour le Reich et qu'ils partiront.* »[613] Le problème est que cette détermination ne répondait pas aux critères démocratiques qui étaient censés en sous-tendre la philosophie et qu'elle eut des conséquences néfastes sur le fonctionnement du régime tchécoslovaque d'après-guerre.

Un débat étouffé sur l'expulsion

L'expulsion ne fut pas approuvée par tous les Tchèques, même en 1945-1946. Certains individus, surtout des conservateurs, y étaient même farouchement opposés[614]. Nombre d'entre eux émigrèrent après février 1948 et continuèrent à manifester leur désaccord de l'étranger – on peut citer par exemple le périodique *Bohemia*, publié à Munich entre 1950 et 1956, qui se voulait le journal de « l'exil tchèque » en Allemagne. Le ton de ses articles est tout aussi vindicatif envers les représentants démocrates en exil, notamment Ferdinand Peroutka à New York, qu'envers les communistes.

L'historienne Eva Hahn recense plusieurs autres groupes de ce type. Le général Lev Prchala, à la tête d'un Conseil national tchèque en exil, fut l'un des critiques les plus connus de l'expulsion. En Suisse, la revue *Skutečnost* (Réalité) servit de plate-forme aux opposants du transfert forcé tandis que, de Londres, l'ancien ministre Jaroslav Stránský et l'ancien diplomate Karel Lisický exprimaient leur désaccord. Enfin, une organisation d'exilés tchèques catholiques mena en signe de protestation une coopération exemplaire avec l'association sudéto-allemande modérée Ackermann-Gemeinde[615].

D'après l'historien Ygael Gluckstein, la population tchèque fut contrainte de participer à l'expulsion des Allemands sans avoir de véritable volonté en ce sens. Les scènes de haine auraient été orchestrées pour la compromettre. Johann Bruegel partage cette thèse et estime que les « *violences odieuses* » perpétrées à l'encontre des Allemands en mai-juin 1945 ne furent que dans une « *faible mesure* » l'expression d'une « *colère populaire spontanée* »[616]. Il cite pour exemple le fait que c'est le gouvernement de Prague – et non une quelconque « *volonté populaire* » – qui prit la décision de geler les avoirs de tous les Allemands sans distinction, y compris de ceux d'entre eux qui étaient « *absolument irréprochables* » ou même qui revenaient des camps de concentration, avec « *l'intention évidente de les laisser mourir de faim s'ils ne préféraient pas, dans leur désespoir, "retourner au Reich".* » Johann Bruegel est donc persuadé que « *bien des cruautés commises en Europe centrale furent présentées comme des manifestations d'une volonté populaire irrésistible, alors qu'en réalité elles étaient perpétrées par d'anciens collaborateurs tchèques qui, voulant faire oublier leur complicité avec les pires des Allemands, s'en prenaient vertueusement à tous les Allemands* »[617].

Cette thèse intéressante est corroborée par les multiples références des archives, notamment celles de *Radio Free Europe*, à une crainte exprimée par la population dans les années 1950 et que l'on pourrait résumer ainsi : « *Cela a été une grave erreur d'expulser les Allemands et maintenant nous allons le payer.* »[618] Rappelons également qu'Antonín Novotný édicta le 11 mai 1956 un programme d'action contre les « *voix ennemies* » qui avaient demandé la convocation d'un congrès extraordinaire du KSČ et qu'il fit figurer en bonne place, sur la liste des tâches à accomplir, l'ordre de justifier l'expulsion des Allemands en 1945 en tant qu'« *acte historique de notre révolution nationale et démocratique* »[619]. Ceci montre apparemment que certains membres du KSČ doutaient encore en 1956 du bien-fondé de l'expulsion.

Mais pour en revenir à la détermination du président Beneš, si l'expulsion des Allemands ne faisait pas l'unanimité elle aurait dû, dans le cadre d'une démocratie, faire l'objet d'un débat. Or, les élites politiques, y compris les démocrates, s'entendirent pour l'éviter. L'expulsion, « sauvage » puis organisée, fut prônée à l'unanimité, débuta bien avant les élections et plaça l'électorat devant le fait accompli. Cependant, la Tchécoslovaquie se voulant une démocratie, il était impossible de freiner l'expression des désaccords sans édicter des principes d'ordre général. Ceux-ci furent donc adoptés avant les élections de 1946 par les quatre partis tchèques et les deux partis slovaques autorisés : tout d'abord, aucun d'entre eux ne devait critiquer la politique du gouvernement ; ensuite, aucun d'entre eux ne devait en remettre en cause l'orientation prosoviétique ; et enfin, tous devaient faire savoir qu'ils entendaient poursuivre la politique du Front national après les élections[620]. Le quotidien du parti populaire, *Lidová demokracie*, qualifia l'accord gouvernemental de « *règle de politesse et d'honneur pour la lutte électorale* ». Sous le titre « *Le gouvernement du Front national restera en place après les élections* », l'article n'occupa pas plus de deux paragraphes, comme si l'enjeu n'était que d'importance mineure[621]. Accessoirement, le puissant parti agrarien et les autres partis de droite – qui avaient séduit plus de la moitié de l'électorat aux élections de 1938 et où se seraient certainement regroupés une bonne partie des opposants à l'expulsion – avaient été exclus de la vie politique au nom de leur collaboration supposée avec l'occupant allemand[622].

De plus, les démocrates n'hésitèrent pas à surenchérir sur les communistes au cours de la campagne électorale de 1946. Leur crainte était de voir ces derniers s'approprier le bénéfice politique exclusif de l'expulsion des Allemands. Ivo Ducháček, par exemple, lorsqu'il était encore jeune député à l'Assemblée nationale constituante, rappela ainsi devant ses pairs que même s'il ne souhaitait « *exclure personne* » du « *succès* » qu'avait constitué l'expulsion, il avait fallu attendre jusqu'en 1942 pour que le parti communiste ait des « *conceptions slaves aussi nettes et aussi intransigeantes qu'aujourd'hui* ». Il s'exclama ainsi : « *[...] je considérerais comme une véritable falsification de l'histoire et comme une légende, que je n'hésite pas à appeler légende préélectorale, si les communistes, entre tous les partis, prétendaient que l'expulsion des Allemands de notre pays est due uniquement ou presque uniquement à eux.* »[623] C'est que les démocrates ressentaient quelque difficulté à s'imposer aux côtés des communistes dans la République tchécoslovaque d'après-guerre : comme les commentateurs le firent abondamment remarquer par la suite[624], l'expulsion marqua une rupture symbolique avec l'Allemagne qui précipita d'autant plus les Tchèques dans les bras protecteurs des Soviétiques que le président Beneš avait établi, dès après Munich, le rapprochement avec l'URSS comme nouveau cadre de sa politique étrangère.

Le rapprochement avec l'URSS

John Foster Dulles, le diplomate américain, appréciait beaucoup Edvard Beneš depuis leur étroite collaboration à la Conférence de la paix à Paris en 1919. Il le croisa à Londres en 1942 et selon le compte rendu qu'il en fit dans ses mémoires (1950), le président était « *devenu amer* », ce qui « *reflétait l'esprit de son peuple* ». La politique des grandes puissances à Munich et l'échec de la Société des Nations, dans laquelle il avait placé « *de grands espoirs* », l'avaient « *convaincu* » qu'un petit pays ne pouvait plus rien attendre d'une politique de sécurité collective : « *Les événements avaient prouvé, d'après lui, que les petites nations ne pouvaient survivre qu'en devenant les satellites de grandes puissances qui les protègeraient.* »[625] Depuis 1935, la Tchécoslovaquie avait déjà été liée par un traité d'« *amitié* » avec les Soviétiques ; convaincu que les Tchécoslovaques étaient restés à l'automne 1938 « *entièrement seuls avec l'URSS* »[626], c'est vers un pacte d'« *assistance mutuelle* » beaucoup plus contraignant que son président franchit le pas le 12 décembre 1943. Selon Jacques Rupnik, il offrit à Staline et Molotov son intégration dans la sphère d'influence soviétique, notamment en leur proposant de ne rien entreprendre en politique étrangère sans leur approbation[627].

Vojtěch Mastný, démocrate qui avait choisi l'exil en 1948, porta sur cette politique un jugement sévère[628]. Se fondant sur les notes prises pendant les réunions de Moscou par l'assistant de Beneš, Jaroslav Smutný, il qualifia le pacte de « *document dévastateur sur la médiocrité politique* » du président tchécoslovaque[629]. Les discussions entre les trois dirigeants n'auraient consisté qu'en monologues de ce dernier, qui aurait invité ses interlocuteurs à intervenir dans ses affaires intérieures et à punir les Slovaques responsables d'activités « *antisoviétiques* ». Il aurait également dispensé un cours à Molotov sur la nécessité d'éradiquer le « *féodalisme* » en Pologne et en Hongrie, et lui aurait « *vivement* » conseillé d'occuper cette dernière pour ne pas la laisser à des Anglais et Américains jugés « *trop indulgents* »[630].

Si ce règlement de comptes après coup doit être pris pour ce qu'il est, certains éléments mis en avant par Vojtěch Mastný sont intéressants, en particulier la volonté présidentielle de se servir des Soviétiques pour régler l'épineux problème slovaque et pour neutraliser l'ennemi hongrois[631]. De plus, l'historien a sans doute raison de souligner que la candeur n'était pas l'attitude la plus appropriée face à des interlocuteurs comme Staline et Molotov. Cette ingénuité semble pourtant avoir caractérisé l'ensemble de la politique étrangère tchécoslovaque de l'époque. John Foster Dulles, encore, qui entretenait également de bonnes relations avec Jan Masaryk, le ministre des Affaires étrangères – dont la mère était américaine – nota ainsi que ce dernier pariait sur la satisfaction de l'URSS en alignant la Tchécoslovaquie sur les positions de sa puissante voisine. Il espérait que celle-ci se contenterait de cette alliance politique et de cette solidarité internationale et ne se mêlerait pas des affaires intérieures de son pays[632]. Dulles conclut : « *Et donc Jan Masaryk, en tant que délégué principal de la Tchécoslovaquie à l'ONU, votait constamment selon les désirs du gouvernement de l'URSS. Ainsi qu'il me le fit remarquer une fois, les propositions soviétiques sentaient parfois tellement mauvais qu'il devait se boucher le nez d'une main tout en levant l'autre pour voter. Mais il le faisait.* »[633]

L'histoire montra rapidement que cette politique ne jouait pas en faveur des démocrates. En juillet 1947, par exemple, la Tchécoslovaquie fut contrainte de refuser le plan Marshall. De retour de Moscou où il avait été convoqué par Staline, Masaryk admit devant son collègue Hubert Ripka que son pays était devenu un vassal de l'URSS[634].

La célébration des « valeurs » tchèques

La force des discours démocratiques sur la nécessité de l'expulsion s'accompagna d'une célébration nationale. La foi dans les valeurs de civilisation tchécoslovaques fut entretenue avec ferveur, voire grandiloquence, par les élites politiques. Jan Masaryk écrivit par exemple : « *Nous sommes peut-être un État socialisant, mais un État d'hommes libres. Un État de justice impartiale et de vraie démocratie. Ni un rideau ni un pont mais un maillon dans la chaîne démocratique qui traverse le monde et unit le globe. Un pays petit et béni, rendu grand et fameux par sa tradition de vérité triomphante.* »[635]

La réconciliation sembla donc totale entre l'affirmation nationale et la démocratie. Pourtant, elle se fit aux dépens de la seconde, un processus d'autant moins visible qu'il s'accomplissait justement en son nom. La préservation des apparences empêcha de nombreux démocrates de réaliser qu'ils étaient en train de tomber dans un piège fatal. C'est en toute confiance que le président Beneš fit ses concessions politiques aux communistes. Bien qu'il les ait détestés, il aurait été persuadé que la démocratie tchèque était capable de les « *avaler et de les digérer* » en absorbant leur programme et en les plaçant à des postes de responsabilité[636]. En fin de compte, comme le fait remarquer Jacques Rupnik, il ne fit que contribuer à poser les fondations du régime totalitaire. « *L'idée d'alternance démocratique* », écrit ce dernier, était « *totalement absente des institutions* » et ne prévoyait aucune issue de secours en cas de difficulté ; le prolongement logique en fut la crise de février 1948 et la déroute finale de la démocratie[637].

Les principes définis par le Front national, même justifiés à court terme par l'expulsion des Allemands, étaient tous à l'avantage des communistes et les dirigeants du KSČ surent les exploiter de façon magistrale. Le départ des Allemands fut utilisé pour accroître la mainmise du parti sur la vie politique. Une machine de propagande efficace, dans la ligne de la « révolution nationale et démocratique », fut rapidement mise en place. Les heures de la démocratie étaient déjà comptées.

VIII – LA POLITIQUE DU KSČ :
1945-1948

Entre 1945 et 1948, les dirigeants du KSČ firent preuve d'une certaine souplesse idéologique pour mieux séduire les classes moyennes. Ils abandonnèrent, sinon toujours dans les faits, du moins dans les discours, deux de leurs revendications traditionnelles les plus intransigeantes : d'une part, la défense des minorités nationales, notamment des Allemands des Sudètes ; d'autre part, un bouleversement économique et social trop spécifiquement dirigé contre la bourgeoisie.

Le KSČ et les minorités nationales avant et après 1943

La contrepartie obtenue par le président Beneš à sa réorientation pro-soviétique fut l'abandon par les communistes tchécoslovaques de leur politique traditionnelle vis-à-vis de la question nationale. Aux débuts de son histoire, le KSČ avait défendu les minorités nationales comme son modèle, le Komintern. Les débats au sein du parti avaient été vifs pendant la première République en écho à la lutte entre Trotsky et Staline sur la meilleure tactique à adopter pour la survie du communisme mondial (« révolution internationale prolétarienne » contre « socialisme dans un seul pays »). Ils reflétaient aussi la composition du parti : Paul (Pavel) Reiman, Bruno Köhler, Karl (Karel) Kreibich ou Friedrich (Bedřich) Geminder, pour ne citer que quelques noms parmi les dirigeants historiques du KSČ, étaient allemands, tandis que Jenő (Evžen) Fried et Viliam Široký étaient des Hongrois de Slovaquie. Une troisième minorité largement représentée, qui recoupait souvent les deux précédentes, était la minorité juive avec, par exemple, Rudolf Slánský (Salzmann) et André Simone (Otto Katz).
Dès 1925, une fraction du KSČ appelée « groupe de Karlín » s'en était prise au dirigeant de l'époque, Bohumír Šmeral, en lui reprochant d'avoir

accepté la légitimation masarykienne de l'État multinational tchécoslovaque et de s'être ainsi écarté de l'« autodétermination jusqu'à la séparation » prônée par le Komintern à partir de 1924[638]. Après que Gottwald eût pris le pouvoir au sein du parti en 1929, le KSČ continua à manifester sa plus grande sympathie aux minorités nationales. Il dénonça les injustices réelles ou imaginaires dont étaient victimes les Allemands des Sudètes et les autres minorités, lutta contre l'influence nazie qui se répandait au sein de leur classe ouvrière et défendit les antifascistes. En luttant pour le droit des minorités, il se posait en défenseur de la démocratie.

En 1935, ses dirigeants affectèrent de ne pas s'étonner du score important de Konrad Henlein, qu'ils justifièrent par la « *politique de la bourgeoisie tchèque* », qui avait « *mené à une terrible misère, à la pauvreté et à l'oppression nationale dans les districts allemands* ». Selon eux, la seule solution était de donner « *du travail et du pain aux masses laborieuses des districts allemands* » et de les « *libérer du joug de l'oppression nationale* »[639]. Des dizaines d'exemples de cette attitude peuvent être trouvés dans l'ouvrage *1938 Nous voulions combattre*[640]. En 1940, Zdeněk Fierlinger, qui était tenu pour un expert de la question nationale[641], continua à affirmer que le SdP avait exploité avec habileté les « *besoins égoïstes que l'ordre capitaliste* [entretenait] *dans le peuple* » en complément de sa politique de terreur[642]. Mais ce qui aurait exercé la plus grande influence sur les Allemands des Sudètes aurait été le « *sentiment que le monde ne faisait rien contre ces méthodes* » et qu'il nourrissait une « *sympathie secrète* » pour Hitler. Fierlinger souligna enfin qu'il s'était malgré tout trouvé, parmi les Allemands, des « *vaillants défenseurs de la République et de la démocratie* » dont la « *lutte désespérée* » n'avait pas été inutile au moins sur le plan moral[643]. En 1943 encore, Bruno Köhler (membre du Comité central) promit une place aux Allemands dans la République tchécoslovaque d'après-guerre lors d'émissions à la radio de Moscou destinées au public tchécoslovaque : « *Les fascistes disparaîtront mais les Allemands des Sudètes et les Tchèques demeureront pour vivre en bons voisins, quel que soit le régime qui s'établira en Europe après la guerre. La défaite de Hitler, qui est inéluctable, ne signifiera pas notre fin. Elle* […] *donnera aux Allemands des Sudètes la possibilité de déterminer leur propre sort et de régler leur vie conformément à la volonté des hommes qui aiment la liberté.* »[644] Pour le KSČ d'alors, la lutte ne se définissait donc qu'en termes de classes sociales et le facteur national ne jouait aucun rôle : un antifasciste allemand valait mieux qu'un « réactionnaire » tchèque.

Au cours de la seconde moitié de la guerre, la volte-face fut pourtant totale. Après que Staline eut accepté le principe de l'expulsion des Allemands en juin 1943, les communistes tchécoslovaques se mirent à défendre cette nouvelle stratégie avec autant d'acharnement que la thèse inverse quelques mois plus tôt. Le ministre de l'Intérieur (communiste) du gouvernement en formation, Václav Nosek, joua ainsi son nouveau rôle avec conviction. D'après Ygael Gluckstein, il n'hésita pas, en effet, à interdire la publication d'un journal bilingue, *Rudý prapor – Rote Fahne*, créé aux premiers jours du retrait de l'armée allemande de Bohême en signe de fraternisation entre les ouvriers communistes tchèques et allemands[645].

Les sociaux-démocrates allemands, soutenus pendant des années par le KSČ, furent abandonnés à leur sort. En 1944, ils étaient les derniers à croire qu'une réconciliation était encore possible ; leur objectif officiel était de *« purger les Sudètes du gangstérisme et de l'influence nazis, et de restaurer les institutions démocratiques »*, tout en étant *« fermement convaincus »* qu'ils pourraient *« arriver à une compréhension amicale et durable sur tous les problèmes communs entre une démocratie sudète restaurée et les peuples tchèque et slovaque libérés »*[646]. Mais les Allemands des Sudètes, même antifascistes, n'avaient plus aucun poids dans la coalition en formation entre les démocrates et les communistes. Leurs représentants au sein du KSČ s'adaptèrent rapidement à la nouvelle situation. Le 2 juin 1945, Paul Reiman, devenu Pavel Reiman, déclarait ainsi : *« Il n'existe pas de mouvement allemand antifasciste en Tchécoslovaquie. Il y eut au mieux des disciples d'origine germanique qui, isolés de tout mouvement parmi leurs compatriotes, soutinrent le mouvement tchèque de libération nationale. »*[647]

Sa nouvelle ligne idéologique allait permettre au KSČ de récupérer puis d'incarner, voire de susciter, le nationalisme tchèque en jouant sur trois tableaux : le panslavisme, la transfiguration de la trahison « nationale » en trahison « idéologique et sociale » et la mise en avant de l'Union soviétique en tant que protecteur unique contre le « péril allemand ».

Tout d'abord, une doctrine panslave fut défendue avec énergie et un État uniquement tchéco-slovaque fut présenté par le KSČ comme un idéal à atteindre. Gottwald expliqua que l'impérialisme allemand s'était révélé être le plus grand ennemi des Slaves. La nécessité de leur union, pour la protection de leur liberté et de leur indépendance, en serait devenue impérieuse : *« Le souci de se garder de la possible répétition d'une agression allemande est l'objectif principal qui unit aujourd'hui les nations slaves et qui les associe autour de la plus puissante d'entre elles, l'URSS. »*[648] Il s'appliqua à promouvoir cette nouvelle politique, en *« repartant sur de nouvelles bases »* avec le gouvernement polonais, en entretenant les relations *« les plus amicales »* avec la Yougoslavie et en trouvant de *« nouvelles formes de rapports »* avec la Bulgarie. À l'en croire, la défense contre une éventuelle agression allemande et les liens culturels et économiques étaient ses seuls motifs et il ne souffla mot du communisme[649]. Il exprima également l'espoir que l'appui de l'URSS serait suffisant sur le plan international pour lui permettre d'exclure la minorité hongroise de Slovaquie[650] comme elle avait su le faire dans le cas des Allemands[651], martelant que la

Tchécoslovaquie n'aurait jamais obtenu sans elle le blanc-seing des trois Grands à la conférence de Potsdam[652].

L'aspect « national » de la trahison des Allemands des Sudètes fut ensuite élargi, dans un glissement sémantique remarquablement démagogique, au champ idéologique et social. Rudolf Slánský souligna ainsi le lien entre la structure de classe de l'Union soviétique et sa victoire sur le nazisme : « *Les Soviétiques ont gagné parce qu'en URSS il n'y avait pas de cinquième colonne, il n'y avait pas de Quisling ni de Pétain, il n'y avait pas de Henlein ni de Beran ; le gouvernement soviétique avait écrasé d'une poigne de fer, bien avant la guerre, tous ceux qui avaient voulu effectuer un travail de sape (les trotskystes).* »[653] L'« *acceptation de fait* » du diktat de Munich par les dirigeants tchécoslovaques restés au pays en 1938, une « *trahison* », fut interprétée comme le résultat de leur velléité à préserver leurs intérêts « *de classe* »[654]. Si la « révolution nationale » consistait à reprendre le pouvoir des mains de la « *nation allemande* », il était donc nécessaire, confirma Gottwald, de mener en parallèle « *la lutte contre ceux qui ont aidé le pouvoir d'occupation, c'est-à-dire contre la réaction tchèque et slovaque et contre la trahison* »[655]. Le mouvement était ainsi infléchi dans une tout autre direction : « *Puisque notre lutte, notre révolution est dirigée contre la trahison et la réaction tchèques et slovaques et leurs représentants politiques et économiques, notre révolution est en même temps une révolution démocratique.* »[656]

La transformation de la « révolution nationale » en « révolution démocratique » permit également au KSČ de redistribuer les biens des Allemands en s'abritant derrière un argument « national ». Une grande partie des bouleversements économiques et sociaux s'opéra sous la houlette des comités nationaux (contrôlés par les communistes) qui avaient pris la place de l'ancienne administration avec l'accord des démocrates. Les domaines agricoles furent morcelés en petites exploitations et redistribués, les ateliers d'artisans liquidés et certaines usines transférées en Slovaquie. Lors de la Conférence de Paris sur les réparations, les biens mobiliers et immobiliers des Allemands des Sudètes furent déclarés propriété de la Tchécoslovaquie et ne furent donc pas pris en compte[657]. Leurs habitations furent redistribuées avec une générosité toute calculée : entre 1945 et 1947, les régions ex-Sudètes se repeuplèrent de 1 460 000 immigrés intérieurs qui bénéficièrent de nombreux avantages[658]. En 1946, le vote communiste y fut d'ailleurs le plus important de tout le pays.

Enfin, l'Union soviétique fut présentée comme le protecteur naturel de la Tchécoslovaquie. Dès le 29 mai 1945, l'idéologue en chef du KSČ, Zdeněk Nejedlý, déclara sans ambiguïté : « *Ce n'est plus le moment d'hésiter. Nous ne pouvons plus dire que nous ne nous orienterons ni vers l'Est ni vers l'Ouest et que nous attendrons.* » Dire « *oui ou non* », se décider « *pour l'Est ou pour l'Ouest* », ne devait pas, selon lui, être un problème bien difficile à résoudre pour le peuple tchèque, qui appartenait à la « *grande famille slave, à la tête de laquelle se trouvent le grand peuple russe et son chef Staline* »[659]. Même s'il eût plutôt convenu de souligner qu'elle n'y avait pas été invitée, les communistes exploitèrent abondamment le fait que l'URSS n'avait pas signé la « trahison de Munich »[660]. Dans la bouche de Gottwald, le pathos de Munich fut réincarné dans une menace imaginaire pesant sur l'alliance de la Tchécoslovaquie avec l'URSS, menace qu'il fallait bien entendu combattre car elle signifierait « *trahir notre propre identité, nos enfants, le futur de nos nations, cela signifierait préparer un nouveau Munich* »[661]. Il se posa en protecteur de la République, assurant que les communistes ne « *laisser*[aient] *jamais un autre Munich, une autre occupation allemande, arriver* »[662] ! « *Pour que Munich ne se répète pas* » fut d'ailleurs le thème principal de son discours pré-électoral radiodiffusé de 1946[663].

En somme, Gottwald parvint à lier tout à la fois la soi-disant nécessité de cette alliance à la lutte pour une « purification » nationale et sociale, et aux réformes économiques et administratives promues par son parti, tout en tirant parti d'une certaine angoisse de la division vis-à-vis des Slovaques. Son brio en matière de propagande donna l'illusion d'une grande cohérence interne : « *Nous avons écarté de l'administration nationale et étatique la clique hautaine de traîtres qui a amené la nation et l'État à la catastrophe pour sauver ses privilèges étroits de classe et d'exploitation. Nous avons créé le gouvernement de Front national des Tchèques et des Slovaques, et nous avons permis la participation du peuple à l'administration publique grâce aux comités nationaux. Nous avons également posé les bases écono- miques de notre régime populaire en nationalisant des positions-clefs dans l'économie nationale, offrant ainsi à notre peuple la garantie que le fruit de son travail ne serait pas utilisé contre lui. Nous avons établi de nouvelles et fraternelles relations entre les Tchèques et les Slovaques. Nous nettoyons le pays de la cinquième colonne allemande et nous ramenons la terre tchèque entre les mains du peuple tchèque. En politique étrangère, nous appuyons la République sur notre alliée la plus fidèle, la puissante Union soviétique, qui est et restera le meilleur rempart de la liberté de nos nations et de l'in- dépendance de notre État.* »[664]

Les résultats électoraux de 1946 prouvèrent l'efficacité de cet ensemble car le KSČ obtint 38 % des voix dans l'ensemble du pays. Dans le cadre d'un scrutin proportionnel, c'était un score remarquable et Klement Gottwald fut nommé président du Conseil. Les communistes n'obtinrent que 30 % des suffrages en Slovaquie mais dans les Pays tchèques, leur score se monta à 40,3 % ; les deux partis marxistes (communiste plus social-démocrate) y remportèrent même 55,75 % des voix à eux deux et avec le troisième parti socialiste (dit « socialiste-national »), ils recueilli- rent 79,41 % des votes. Les bulletins blancs et nuls ne constituèrent que

0,35 % des voix, tandis que la participation électorale (obligatoire) fut de 93,61 %. Le score du seul parti non socialiste, le parti populaire (catholique), ne fut que de 20,24 %[665].

Staline avait donc judicieusement choisi le panslavisme, le slogan de la « révolution sociale » et la mise en avant de l'URSS comme protecteur contre l'Allemagne pour favoriser les communistes. Le succès de ces thèmes de propagande explique que la politique traditionnelle de défense des minorités nationales ait pu être abandonnée avec autant de légèreté par les dirigeants du KSČ. Une fois les démocrates écartés et les Allemands expulsés, ils revinrent à une attitude plus tolérante vis-à-vis des minorités : entre 1948 et 1954, celles-ci retrouvèrent peu à peu toutes leurs prérogatives, y compris leur citoyenneté et le droit de vote[666].

En revanche, la propagande communiste continua à mettre en scène jusqu'en 1956 la menace impérialiste supposée venue d'Allemagne. Entre le début de l'année et la révolution hongroise, une série d'articles dans *Mladá fronta* (plus de soixante) montre que le quotidien de l'Union de la jeunesse était fermement décidé à ne pas laisser cette question perdre de son importance aux yeux des jeunes générations. La réunification allemande était en effet un sujet d'actualité. La Tchécoslovaquie y était favorable, à la condition qu'elle s'effectue par une soviétisation de l'Allemagne de l'Ouest et non par une occidentalisation de l'Allemagne de l'Est.

Les rapports de la StB montrent que la population continuait à évoquer un « danger allemand » en 1956[667], mais ils suggèrent aussi une tendance à compenser cette peur par l'espoir que l'Allemagne de l'Ouest viendrait « libérer » l'Allemagne de l'Est et même la Tchécoslovaquie[668]. Cette source est cependant trop isolée pour permettre d'en tirer des conclusions définitives.

La « voie tchécoslovaque vers le socialisme » ou la séduction des classes moyennes

En 1945, ainsi que le souligna fort justement Eduard Táborský, la Tchécoslovaquie était un pays où les chances de succès de l'idéologie communiste étaient excellentes. L'économie était industrialisée et moderne, le « prolétariat » éduqué et conscient, la noblesse ne jouait plus aucun rôle politique depuis 1918, les intellectuels marxistes étaient influents, la majorité de l'intelligentsia était orientée à gauche, le prestige de l'Armée rouge était immense et le pays était déjà, *de facto*, presque « socialisé » : l'administration était entre les mains de comités nationaux formés sur le modèle des Soviets, tandis que les nationalisations étaient menées tambour battant. Les mouvements politiques de droite étaient désormais interdits et un

« Front national » de coalition entre tous les partis autorisés tenait les rênes du pouvoir. Ainsi que cela a été décrit plus haut, ceux-ci se mirent d'accord avant la campagne électorale de 1946 pour ne pas critiquer la politique officielle et pour s'abstenir d'en proposer des alternatives.

Dès son retour sur le territoire tchécoslovaque, le 8 avril 1945 à Košice (Slovaquie orientale), Gottwald prit ses distances avec les partisans d'une révolution bolchevique immédiate et prôna la modération envers les démocrates : « *Nous ne pouvons pas gouverner sans eux et eux ne peuvent pas gouverner sans nous.* »[669] Plutôt que de s'imposer par la force, les communistes partirent à la conquête électorale des classes moyennes et en particulier de la bourgeoisie. Ils proclamèrent ainsi que le gouvernement du Front national représentait les ouvriers, les paysans, les artisans, « *l'intelligentsia travailleuse* », mais aussi une partie de la bourgeoisie tchèque et slovaque[670]. Sa politique n'aurait été dirigée que contre les Allemands, les Hongrois, et « *la fraction de la grande bourgeoisie* » qui avait collaboré avec les occupants[671]. Le slogan était martelé : « *Il faut en prendre conscience encore et toujours : nous procédons selon une ligne nationale et démocratique et non pas socialiste.* »[672] Les classes moyennes devaient en outre se convaincre que le KSČ n'était pas le parti d'un « *égalitarisme petit-bourgeois* » et qu'il n'était pas favorable à une égalisation par le bas des salaires de l'intelligentsia par rapport à ceux des ouvriers, étant donné que la « *direction responsable* » et le « *travail qualifié* » devaient être « *appréciés et récompensés à leur juste mesure* »[673].

Les communistes s'efforcèrent également de s'assurer le soutien d'une classe sociale traditionnellement méfiante, la paysannerie. Ils soulignèrent que c'était un ministre de l'Agriculture communiste, Július Ďuriš, qui avait promulgué la nouvelle loi de redistribution des terres, une loi « *mille fois plus juste* » que celle de la première République, qui n'avait alors profité, d'après eux, qu'aux grandes familles foncières, aux Allemands et aux Hongrois, bref aux « *ennemis de la nation* ». Les communistes, eux, « *ramenaient maintenant la terre tchèque entre des mains tchèques* »[674] et ils nièrent explicitement toute volonté de créer des kolkhozes et des sovkhozes sur le modèle soviétique. Dans l'important « Programme de Hradec Králové » de 1947, le ministre de l'Agriculture s'engagea ainsi à ce que le droit à la propriété jusqu'à cinquante hectares soit garanti par la nouvelle Constitution en préparation[675].

En somme, les communistes se proposaient de créer un nouveau système politique, économique et social, décrit par Gottwald dès 1945 comme un régime de « *révolution nationale et démocratique, original, de type tchécoslovaque* », dont le développement dépendrait de la future prise en compte des « *conditions spécifiques* » nationales[676]. Cette conception fut baptisée « *voie tchécoslovaque spécifique vers le socialisme* » à l'occasion d'une réunion du Comité central du KSČ des 25 et 26 septembre 1946. Ce « *nou-*

veau type de démocratie », la « *démocratie populaire* », impliquait l'existence d'une « *autre voie vers le socialisme que celle passant par le modèle soviétique de contrôle de l'État* » et était destiné à être mis en place, entre autres, par la Bulgarie, la Pologne et la Tchécoslovaquie[677].

Tout un appareil de propagande fut alors mis sur pied pour transformer les « *centaines de milliers d'ouvriers, de paysans et d'intellectuels* » récemment entrés au KSČ en « *membres et communistes ayant une conscience politique développée* »[678]. Les membres de plus longue date devaient être eux aussi rééduqués car ils avaient soi-disant « *perdu le contact* » avec les textes théoriques pendant les six années de guerre et devaient surtout renoncer à adopter le nouvel enseignement comme une « *bible de formules toutes prêtes, valables en toutes circonstances* »[679]. En clair, le dogmatisme des années précédentes devait laisser place à une attitude plus ouverte.

En 1946, les organisations de base du parti lancèrent une formation sur les thèmes « *Qu'est-ce que le communisme ?* », « *Notre parti* », « *Comment un communiste doit-il se comporter ?* », « *Notre voie vers le socialisme* », etc.[680] Le 15 septembre 1946 fut créée une école politique centrale avec un programme d'études de six mois pour former des cadres, tandis que des écoles offrant des formations plus courtes virent le jour au niveau des régions et des districts. Une dizaine d'entre elles fonctionnait déjà à l'été 1947[681].

À l'occasion du cinquantième anniversaire de Gottwald, toujours en 1946, le présidium du Comité central inaugura un fonds culturel Klement-Gottwald pour promouvoir au travers de bourses d'études le « *socialisme scientifique* » et l'analyse des « *traditions progressistes dans l'histoire tchécoslovaque* ». Il s'agissait de contribuer au développement du « *socialisme humaniste* ». Ce fonds participa également à la fondation d'une « Académie socialiste » destinée à devenir un centre théorique et idéologique et qui fut inaugurée le jour de la fête nationale, le 28 octobre 1946[682]. Le Comité central décida également de créer des bibliothèques Klement-Gottwald dans les organisations de base et cinq mille d'entre elles entrèrent en activité en un an[683]. Les communistes entendaient se présenter comme les héritiers des traditions nationales et tenaient à le faire savoir. À en croire Slánský, par exemple, ils voulaient que leur pays, « *jadis hussite et taborite* » et qui avait été « *à l'avant-garde du progrès en Europe au Moyen Âge* », prenne la succession de ses « *pères* » et « *soit de nouveau au premier rang de ceux qui se battent pour le progrès, pour une démocratie des plus conséquentes, pour une vie radieuse de l'humanité* »[684]. Le KSČ ne se voulait pas seulement l'héritier de ces traditions lointaines mais aussi des intellectuels progressistes tchèques, « éveilleurs de la nation » au XIXe siècle. Pêle-mêle, Kollár, Šafařík, Jungmann, Havlíček, Palacký, Jirásek, Němcová et Smetana furent présentés comme les précurseurs des communistes du temps présent[685].

Lors d'une réunion du Comité central en 1947, enfin, il fut constaté que les membres du KSČ les plus fidèles avaient parfois du mal à établir le lien entre les canons du marxisme-léninisme et la pratique politique du moment. Ils auraient eu l'impression que le parti ne respectait pas la théorie. Pour bien faire comprendre aux membres de base l'importance de la « voie spécifique », une revue théorique, *Nová mysl*, fut créée à l'intention des intellectuels et des « éducateurs politiques ». Elle commença à paraître le premier mai 1947 sous la direction de Jaromír Dolanský[686]. La presse communiste était d'ailleurs en plein essor. *Rudé právo*, l'organe du Comité central, tirait à 500 000 exemplaires dans des Pays tchèques qui ne comptaient que huit millions d'habitants. *Rovnost* (Brno) tirait pour sa part à 96 000, *Pravda* (Plzeň) à 45 000, *Nová svoboda* (Ostrava) à 55 000, *Stráž lidu* à 28 000 et *Naše pravda* à 18 000, sans compter l'hebdomadaire national *Tvorba* à 40 000[687].

L'application pratique : la campagne de recrutement dans le KSČ

Les dirigeants affirmèrent qu'ils tenaient à respecter les règles du jeu démocratique et à remporter légalement les élections prévues pour mai 1948. Comme le proclamait le slogan, il fallait « *gagner la majorité de la nation, la majorité du peuple* »[688]. Ce n'était pas par volonté démocratique mais par souci d'efficacité, pour permettre au président du Conseil, Klement Gottwald, de mener une politique moins entachée de « *querelles inutiles* » avec les autres partis du Front national. « *Cela* » ne voulait pas dire qu'il entendait « *détruire le Front national et le reste* ». Mais il pourrait ainsi « *écarter les causes subjectives des difficultés* [du gouvernement] »[689]. Il était d'ores et déjà évident que Gottwald comptait prendre le pouvoir de toutes les façons ; la seule question était de savoir s'il le ferait légalement ou non. D'après Karel Kaplan, il se préparait à toutes les éventualités car il craignait que le KSČ ne manque la majorité absolue de trois ou quatre points[690].

Quoi qu'il en soit et tant qu'il s'agissait encore de respecter les formes et de « *conquérir 51 % de l'électorat* », les dirigeants du KSČ lancèrent une grande campagne de recrutement. Ils partaient du point de vue très simple que les membres du parti voteraient pour lui. Ce grand intérêt pour les chiffres remontait aux élections de 1946, qui avaient vu les organisations locales déployer une grande activité pour estimer à l'avance le nombre de voix qu'elles obtiendraient[691]. Les résultats avaient montré que le KSČ comptabilisait environ deux votes pour un membre[692].

La croissance fut donc très rapide. Au moment du VIIIe Congrès, au printemps 1946, il y avait déjà quatorze fois plus de membres qu'aux moments les plus fastes de la première République. Les membres inscrits avant 1945 ne constituaient plus que 2,8 % des effectifs[693]. Les portes étaient ouvertes à tous. Selon les ordres du Comité central, les restrictions, dans les Pays tchèques, ne concernaient que les « trotskystes », sans définition plus précise, et les collaborateurs du Protectorat de Bohême-Moravie. En outre, les Allemands, même combattants antifascistes, n'étaient pas admissibles, sauf s'ils étaient membres de longue date et qu'ils parlaient tchèque, et en cas de mariage mixte avec un ou une Tchèque. Enfin, les candidats soupçonnés de « carriérisme » devaient subir une période d'observation de six mois[694]. Mais aucune restriction ne fut imposée en termes de classes sociales. L'objectif officiel de créer une organisation locale dans toutes les communes fut atteint à la fin du mois de février 1948[695]. Le KSČ cherchait de manière organisée et systématique à s'étendre dans tous les secteurs de la vie économique et dans tous les groupes de population, visant en particulier le recrutement des citoyens dont les qualités personnelles inspiraient le respect de leurs pairs[696]. La détermination de la direction peut aussi être mesurée au niveau d'information exigé : en effet, des rapports sur les résultats de la campagne étaient préparés à son intention chaque semaine, parfois tous les jours ou tous les deux jours[697].

En juin 1947, le Comité central ordonna de poursuivre la campagne et de recruter 1 250 000 membres avant la fin de l'année. Dans le but explicite de remporter au moins trois millions de voix (soit un score d'environ 60 %) aux élections de 1948, Gottwald éleva ce chiffre à la fin de l'été 1947 à 1 500 000[698]. Après le 25 février 1948 et la prise du pouvoir par les communistes, la campagne s'emballa encore et le nouvel objectif fut fixé à deux millions de membres[699]. En fait, il ne s'agissait plus de remporter la majorité, mais les trois-quarts des voix : le vote devait servir à confirmer la légitimité du régime d'après-février aux yeux de la population comme de la communauté internationale[700]. Pour plus de sûreté, il fut d'ailleurs décidé, dès le 5 avril, de n'autoriser qu'une liste unique de candidats ; Gottwald aurait en effet jugé qu'il était « dangereux » que le KSČ ne remporte « que » 65 % des voix[701]. Le nombre de membres acceptés au KSČ enfla donc encore, soit 147 004 personnes en mars 1948, 188 398 en avril, 235 146 en mai, et encore 175 378 en juin. La production de cartes de membre atteignait 10 000 par jour[702].

Le KSČ contrôlait tous les leviers du pouvoir et aurait pu mettre fin à sa politique de « portes ouvertes ». Le recrutement massif continua pourtant et un concours fut organisé entre les régions. Le 28 avril 1948, Marie Švermová indiqua que le chiffre de deux millions de membres allait être atteint plus tôt que prévu, dès le premier mai 1948[703]. Pour la première fois, Gottwald proposa qu'il soit mis fin à la campagne de recrutement collectif

Membres du KSČ entre le 1er janvier et le 31 décembre 1948[709]

1948	Membres du KSČ	Femmes %	- de 25 ans %	Ouvriers qualifiés %	Ouvriers non qual. %	Transfuges du parti soc. national	Transfuges du parti soc. démocrate	Transfuges du parti populaire
Janvier	1 354 343	34,5	23,2	27	16,4	1 804	2 545	422
Février	1 409 661	35	23,9	26,9	16,6	2 764	3 432	699
Mars	1 556 665	35,1	21,7	26,6	16,6	22 715	7 423	4 420
Avril	1 745 063	34,8	21,6	26	16,2	52 658	15 558	9 916
Mai	1 980 209	34,7	22	25,3	16,7	88 291	32 837	17 539
Juin	155 587	34,3	24,3	25	15,4	111 773	52 340	24 046
Juillet	205 641	34,1	22,3	25	15,2	116 204	74 791	25 157
Août	2 245 709	34	22,2	25,1	15,2	118 083	101 592	25 672
Septembre	266 318	33,7	22,2	25,1	15,1	118 867	115 869	25 932
Octobre	2 295 714	33,6	22,1	25,2	15	119 725	140 609	26 098
Novembre	2 319 803	33,6	22	25,1	14,9	119 832	163 909	26 136
Décembre	2 332 084	33,5	22	25,1	14,9	120 351	172 540	26 187

151

(pour l'essentiel au sein des usines), en suggérant de ne « *prendre ce qui viendrait encore* » que sur une base individuelle ; cette mesure ne fut cependant adoptée que le 11 juillet 1948[704] (elle n'avait de toutes façons qu'une portée limitée car le recrutement « collectif » ne constituait qu'un quart des entrées)[705]. Il resta donc possible d'intégrer quasi librement le KSČ jusqu'au 1er décembre 1948[706].

Au contraire de la Hongrie et de la Pologne, ce n'est pas non plus la rivalité avec la social-démocratie qui explique cette frénésie d'effectifs. En Tchécoslovaquie, le recrutement se poursuivit plusieurs mois après la fusion de juin 1948 entre le KSČ et les sociaux-démocrates et leur intégration fut de toute façon insignifiante d'un point de vue statistique (7,6 % des membres du KSČ)[707]. Les transfuges du parti socialiste-national en représentaient en outre 5,2 % et ceux du parti populaire 1,1 %[708]. Ainsi, au tournant de l'année 1949, seuls 13,9 % des membres du KSČ venaient d'un autre parti politique.

À la fin de l'année 1948, le KSČ atteignit un sommet, avec 2 500 000 membres, le chiffre officiel annoncé dans *Rudé právo* (les candidats à l'entrée au parti, considérés en instance d'entrée, avaient été ajoutés aux 2 332 084 inscrits). Cela représentait 22,72 % de la population totale tchécoslovaque, soit un adulte sur trois ou encore 49,2 % de la population active tchèque[710]. Le parti communiste avait ainsi deux fois plus d'adhérents par rapport à la population qu'en Hongrie[711] et presque quatre fois plus qu'en Pologne[712].

Le succès du KSČ

Combien le parti communiste aurait-il obtenu de voix si les élections de mai 1948 étaient restées libres ? Aurait-il vraiment obtenu la majorité absolue ? D'après Karel Kaplan en tout cas, avant d'adopter le système de liste unique, le KSČ s'attendait à remporter 58 à 59 % des voix dans les Pays tchèques[713]. En revanche, Hubert Ripka, le ministre démocrate du Commerce jusqu'en février 1948, évoque dans ses mémoires un sondage secret effectué par le ministre communiste de l'Information, Václav Kopecký, en janvier 1948, qui aurait révélé qu'il était sur le point de perdre 8 à 10 % de ses voix[714]. La version de Karel Kaplan est plus cohérente avec la politique générale de recrutement, mais Hubert Ripka est un témoin direct et sa version est compatible avec une critique croissante des méthodes communistes par les démocrates au tournant de l'année 1948. Une certaine incertitude demeure donc.

Structure sociale du KSČ [715]

Groupe social	Membres au 28 février 1948 en %	Recrutés de mars à juin 1948 en %	Recrutés de juillet à déc. 1948 en %	Membres au 31 déc. 1948 en %
Ouvriers	47,5	38,71	36,77	43,2
Employés	3,6	20,55	22,77	11,7
Agriculteurs	6,9	6,1	5,55	6,6
Artisans	3,7	5,74	6,89	4,6
Professions libérales	0,4	0,64	0,5	0,5
Étudiants	1,0	2,52	0,5	1,2
Femmes au foyer	21,0	15,72	9,19	18,4
Retraités et invalides	3,6	2,31	4,58	3,3
Total des membres (chiffres absolus)	1 409 661	745 926	176 497	2 332 084

Quoi qu'il en soit, le succès de la campagne de recrutement montre la prégnance du contrôle communiste sur la société. L'opportunisme joua un rôle parfois non négligeable, ce que l'on peut observer par exemple dans le cas des « employés ». Ce groupe social était pris dans un sens très large en Tchécoslovaquie puisqu'il incluait des professions libérales telles que professeur, médecin, avocat, ingénieur, technicien, instituteur ou infirmière, tant qu'il s'agissait de personnes à la solde d'un employeur, en particulier de l'État. Il comprenait donc l'« intelligentsia » au sens large.

En 1946, cette catégorie était la moins bien représentée au KSČ et ne constituait que 9,2 % des membres contre 16,7 % de la population active[716]. Le parti attirait en priorité les classes sociales plus basses et les ouvriers, et la direction s'efforça donc de corriger ce qu'elle estimait être une représentation insuffisante des classes moyennes dans ses rangs[717]. Cette politique ne remporta guère de succès puisque celles-ci baissèrent à 5,8 % des membres du KSČ au 31 janvier 1947[718] et même à 5,6 % au 1er février 1948[719]. C'est après le 25 février et l'arrivée des communistes au pouvoir que la situation commença à changer. Le tableau qui précède montre que ce sont elles qui s'inscrivirent proportionnellement le plus au parti entre février et décembre 1948. Il s'agissait d'abord des fonctionnaires de l'État, avec 6,3 fois plus d'entrées entre février et juin 1948 qu'avant février, et 8,7 fois plus entre juin et décembre, multipliant par plus de cinq leur poids au sein du parti[720]. Les employés de l'administration publique (les comités nationaux) arrivèrent en deuxième position avec un accroissement de 280 % et les employés du secteur privé en troisième avec 250 %[721]. Cette entrée massive les ramena pratiquement à un niveau proportionnel à leur poids dans la société : au 28 février 1950, ils représentaient 13,7 % du total des membres du KSČ[722].

La stratégie d'intégration des classes moyennes est donc manifeste. Le KSČ était destiné à diriger entièrement l'État après la prise du pouvoir en février 1948 ; les classes moyennes assurèrent leur avenir en se plaçant du côté des vainqueurs. Si les pressions du parti furent au moins aussi importantes en Pologne et en Hongrie, elles ne réussirent à aucun moment à convaincre une population beaucoup plus réticente. L'« opportunisme » tchécoslovaque (surtout tchèque, en l'occurrence, car les effectifs slovaques étaient très faibles) est le signe du refus d'une opposition frontale. La population ne se comporta d'ailleurs pas autrement que le président Beneš et l'Assemblée nationale, qui s'inclinèrent chacun sans résistance[723].

Mais les classes moyennes avaient-elles vraiment le choix ? Quelle alternative avaient-elles entre la liquidation physique et l'entrée au parti, même au prix d'une perte de leur identité[724] ? Il est avéré que quelque 30 % des électeurs manifestèrent leur désaccord avec le système de candidature unique lors des élections de mai 1948 : 10 % d'entre eux ne se rendirent pas aux élections (pourtant obligatoires), 10 % votèrent blanc, 5 %

à 10 % votèrent nul et 1 % à 5 % de « corrections » furent réalisées au niveau local pour assurer un plus grand succès au KSČ, de l'aveu même de Slánský[725]. Mais celui-ci parle aussi d'une « *humeur de pogrom* » enregistrée par exemple à Kladno ; les bulletins blancs auraient été offerts par un jeune homme en uniforme SS et les bulletins du Front national par une jeune fille en tenue populaire folklorique. À Louny, quatre citoyens ayant remis des bulletins blancs virent immédiatement des croix gammées peintes sur leurs fenêtres. Enfin, deux électeurs de Brno qui avaient remis des bulletins blancs furent jetés dans un étang. « *On ne peut que féliciter nos camarades d'avoir créé une telle psychose* », conclut Slánský[726]. Un certain climat de terreur régnait donc déjà ; et même si le présidium décida de ne pas engager de représailles contre les citoyens ayant voté blanc, cela n'empêcha pas les vengeances politiques au niveau local de se poursuivre un certain temps[727].

Du militantisme à la conviction « forcée » : la base de soutien du KSČ

Qu'elle soit entrée par peur ou par conviction, une proportion aussi élevée de la population adulte dans ses rangs conféra au KSČ un grand pouvoir. Et le système auto-entretenait ce soutien : une fois membre, le citoyen subissait une pression soutenue. Il devait se rendre à toutes sortes de démonstrations de soutien, manifestations, brigades socialistes « volontaires », réunions et autres meetings militants, sans compter les heures de travail supplémentaires gracieusement « offertes ». Même pour les militants convaincus, il était parfois difficile de ne pas se lasser. Rosemary Kavan, par exemple, qui avait sacrifié un certain nombre de samedis après-midi pour tenter de convaincre ses voisins de joindre une marche de protestation contre la barbarie américaine, en plus d'avoir offert le salaire d'une journée de travail à la cause coréenne, témoigne du fait qu'il était « *mal vu* » de terminer un meeting à l'heure ou d'être le premier à partir. Les sujets de bien des réunions étaient identiques, mais la présence à l'une n'excusait pas l'absence à l'autre. « *De toute façon* », constate-t-elle de façon désabusée, « *nous établissions nos scores de participation comme échelle de notre enthousiasme politique.* »[728]

Cette superposition de militantisme sincère et de conviction « forcée » par la pression sociale constitua la base de la stabilité du KSČ et de la société tchécoslovaque pendant des décennies. S'il devint presque impossible d'entrer au parti dans les années 1950, il était tout aussi difficile d'en sortir, à moins d'en être exclu. Or, malgré les purges qui affectèrent le KSČ (il perdit 43 % de ses effectifs en dix ans), les effectifs tchécoslovaques restèrent largement supérieurs à ceux des autres pays de « démocratie populaire » ; en 1954, le parti polonais comptait par exemple 1 296 938 membres[729] alors que le KSČ, pour une population totale de 50 % inférieure, en comptait 1 489 234[730]. En 1962, le pays gardait le plus haut pourcentage au monde de membres du PC par habitant, avec 17,8 % de la population adulte inscrite au parti, contre 7,6 % en Pologne et 7,1 % en Hongrie[731].

La composition du KSČ et la façon dont il s'était construit entre 1945 et 1948 eurent évidemment des conséquences fondamentales en 1956. L'habileté communiste, contrepoids du désarroi idéologique démocrate, avait fait de lui un parti bien implanté, destiné à la stabilité pour autant que les structures du régime ne soient pas remises en cause par une pression sociale importante, bien plus forte que celle qui s'exerça en 1956. Pourquoi celle-ci fit-elle défaut ? Nous allons examiner deux séries de facteurs achevant d'en rendre compte : la situation géostratégique de la Tchécoslovaquie, notamment l'état de ses relations avec la Pologne, la Hongrie et l'URSS ; et la situation économique de chacun des trois pays « satellites », avec la mise en évidence d'un différentiel important de niveau de vie entre la Tchécoslovaquie et ses voisines.

IX – DU FACTEUR NATIONAL AU FACTEUR ÉCONOMIQUE : TCHÉCOSLOVAQUIE, HONGRIE ET POLOGNE 1945-1956

Le traitement démagogique de la « menace allemande » consolida la popularité du KSČ après la guerre. Pourquoi alors, serait-on en droit de se demander, le parti communiste polonais n'en tira-t-il pas cette même légitimité ? C'est que la question nationale ne se limitait pas à ce dossier ; les relations entretenues entre les « satellites » et la nouvelle grande puissance régionale préparèrent ici un terrain favorable au communisme (Tchécoslovaquie) et là, un marécage où les partis communistes commencèrent par patauger puis par s'enfoncer (Hongrie et Pologne).

Dans la petite Europe centrale que constituaient ces trois pays, le cataclysme de la Seconde Guerre mondiale ne fut pas suivi d'une paisible période de reconstruction mais d'un face-à-face avec un nouveau prétendant au pouvoir : Staline. Le premier contact entre l'armée soviétique et les populations concernées se révéla déterminant : le statut de vainqueur ou de vaincu de la Seconde Guerre mondiale, la présence éventuelle d'une animosité populaire à l'encontre des Russes, l'existence ou non d'un contentieux territorial avec l'URSS et la forme d'exploitation économique imposée par celle-ci modifièrent la perception du communisme de chaque population et préparèrent l'avenir. En d'autres termes, « 1956 » trouve ses racines en 1945 et déjà, la Tchécoslovaquie se distingua sur presque tous les plans.

La Tchécoslovaquie, la Hongrie et la Pologne : situation comparée en 1945

Tout d'abord, la Tchécoslovaquie fut la seule à être vraiment libérée – et non pas occupée – par l'armée soviétique. Une petite partie occidentale du pays fut même symboliquement délivrée par l'armée américaine. D'un commun accord, l'ensemble des troupes étrangères se retira dès le 1er décembre 1945. Le pays étant considéré comme vainqueur de la guerre et ami des Soviétiques, il n'eut pas à subir de déportations massives de sa population vers l'URSS[732]. Le NKVD s'abstint également d'agir ouvertement sur son territoire.

La Pologne connut une situation bien différente. Bien que le pays ait été admis du côté des Alliés, l'arrivée de l'Armée rouge – pour la seconde fois en quelques années – fut ressentie comme une occupation et la résistance se retourna contre elle. Entre 25 000 et 30 000 soldats de l'AK (armée intérieure) furent arrêtés par le NKVD et l'armée soviétique en 1944[733]. De plus, seize des leaders de la résistance, dont le délégué en chef du gouvernement en exil de Londres et le commandant de ladite AK, tombèrent dans une embuscade et furent jugés à Moscou du 18 au 21 juin 1945 pour « crimes contre l'Armée rouge »[734]. Bien qu'ils n'aient pas été exécutés, leur procès renforça le ressentiment populaire.

La Hongrie, quant à elle, était un pays classé « vaincu » après la guerre et fut traitée sans pitié. Elle avait été le dernier des pays de l'Axe en dehors de l'Allemagne à signer un armistice avec les Alliés, le 20 janvier 1945, et n'eut pas non plus le sens politique de retourner ses armées contre Hitler au dernier moment, à l'instar de la Bulgarie et de la Roumanie. L'entrée des troupes soviétiques sur son territoire en 1945 fut vécue comme une « *tragédie nationale* »[735]. Comme en Pologne, l'Armée rouge et le NKVD se comportèrent en terrain conquis. Les pillages, viols, arrestations arbitraires et surtout la déportation de plus de 250 000 personnes vers les camps de travaux forcés constituèrent le menu sanglant de l'occupation soviétique[736]. Dans les trains à destination de la Sibérie, les hommes politiques étaient accompagnés de civils arrêtés au hasard[737].

Aux termes de l'armistice, les autorités hongroises furent placées sous l'autorité d'une Commission de contrôle alliée dirigée par un Soviétique, le maréchal Vorochilov[738]. La politique étrangère et intérieure, l'expulsion des Allemands de Hongrie, la liberté de mouvement et les mesures de censure étaient de son unique ressort, les Anglais et Américains présents dans la Commission n'étant pas en mesure d'intervenir[739]. Sous la protection du ministère de la Justice et des forces d'occupation soviétiques, l'ÁVO, la nouvelle police politique dirigée par les communistes, put se livrer en toute impunité à des exactions contre les « *ennemis de la démocratie* » qu'elle désignait elle-même[740].

L'état des sentiments d'animosité vis-à-vis des Russes

Des courants russophiles aussi bien que russophobes existaient dans les cultures tchèque et slovaque depuis le XIXe siècle et étaient relativement équilibrés[741]. À la Libération, l'image d'une URSS protectrice fut facilement imposée à des consciences fortement germanophobes, quoique la russophilie invoquée par les communistes tchécoslovaques ait souvent été surestimée. Un rapport de l'ambassade américaine à Prague détaille d'ailleurs des « *points de faiblesse* » soviétiques ayant entamé le capital russophile du pays : les promesses économiques de Moscou n'avaient pas été tenues et l'Armée rouge avait commis un certain nombre de pillages, viols et vols, moins graves que dans les autres pays mais laissant tout de même des souvenirs très désagréables, en particulier en Moravie du Sud[742]. Le dernier point, « *les Tchécoslovaques sont fortement nationalistes* », décrit parfaitement la russophilie de circonstance qui régnait à Prague : si les Tchèques étaient une « *race très têtue* » qui « *subiss*[ait] *la dictature de mauvaise grâce* », il était « *possible* » que ce « *désavantage psychologique* » pour les Soviétiques soit compensé par un sentiment de « *fraternité slavophile* ». Il n'en allait pas d'une « *affaire de sentiment* » mais d'une « *raison de sécurité* » pour un peuple qui vivait auprès de soixante-dix millions d'Allemands et qui ne renâclait donc pas à appartenir au groupe des « *deux cents millions de Slaves* »[743].

Pour leur part, les Polonais étaient loin d'être aussi neutres envers les Russes. Les relations entre les deux peuples étaient mauvaises depuis l'alliance de la Russie et de la Prusse au XVIIIe siècle. La Pologne avait été démembrée entre ses deux puissants voisins en 1772, 1792 et 1795, ce qui avait à chaque fois suscité une révolte populaire[744]. Les insurrections supplémentaires de 1830-1831, 1848-1849 et 1863-1864 avaient été écrasées dans le sang par les troupes russes[745]. Enfin, quatre événements particulièrement meurtriers venaient encore d'envenimer leurs rapports : la persécution de la minorité polonaise d'URSS dans les années 1930, l'occupation sanglante des territoires polonais en conséquence du pacte Molotov-Ribbentrop de 1939[746], le massacre des officiers polonais à Katyń en 1940 par le NKVD[747] et le refus de l'Armée rouge de venir en aide au soulèvement de Varsovie en 1944, lors duquel 200 000 civils trouvèrent la mort[748]. Néanmoins, les appréhensions par rapport à la frontière occidentale de la Pologne (« Oder-Neisse ») favorisèrent une certaine retenue, notamment en 1956[749].

En Hongrie, par contre, rien ne compensait l'hostilité envers les Soviétiques. Une certaine russophobie était ancrée dans l'histoire nationale depuis que l'Empire tsariste avait apporté sa contribution à l'écrasement de la révolution hongroise de 1848-1849. De plus, les Hongrois étaient prompts à se méfier du panslavisme, lui attribuant fréquemment les malheurs de leur histoire nationale[750]. Enfin, Béla Kun et son régime de terreur en 1919 avaient laissé un très mauvais souvenir du communisme. Mais c'est surtout le rôle de l'Armée rouge, à partir de 1945, qui attisa les rancœurs[751]. Les Hongrois avaient la réputation d'être germanophiles, et il est vrai que ce sont les Alliés qui durent se charger d'expulser leur minorité allemande après la guerre[752], mais ils n'étaient pas non plus des inconditionnels de l'Allemagne. En 1939, par exemple, l'amiral Horthy avait décliné de participer à l'invasion de la Pologne, refusé de laisser passer les troupes allemandes sur son sol et ouvert ses frontières aux réfugiés polonais[753]. Ce n'est qu'après le blanc-seing des Allemands pour l'annexion hongroise de la Transylvanie, le 30 août 1940, que les partisans de la collaboration avec l'Allemagne, menés par Béla Imrédy, avaient acquis une influence décisive[754]. Mais pour dire les choses simplement, dans le contexte de l'occupation par l'Armée rouge à partir de 1945, la simple absence de germanophobie suffisait à garantir le débordement des sentiments russophobes. Cela explique en partie les attitudes extrêmes de la Hongrie et de la Tchécoslovaquie en 1956 : « révolutionnaire » d'un côté et « contre-révolutionnaire » de l'autre, la Pologne adoptant une attitude médiane.

Les contentieux territoriaux avec l'URSS

La Tchécoslovaquie fut le seul des trois pays à ne pas perdre de territoire important au profit de l'URSS à l'issue de la Seconde Guerre mondiale. Seule lui fut retirée la Ruthénie subcarpatique, dont elle avait hérité en 1919 pour des raisons stratégiques[755]. Les Tchèques surtout, qui s'y étaient beaucoup investis, en ressentirent certainement un pincement au cœur[756] mais il ne s'agissait d'un territoire historique ni de la Bohême ni de la Slovaquie, et l'intérêt qu'ils lui manifestaient n'avait rien en commun avec l'attache émotionnelle des Hongrois et des Polonais aux territoires qui leur furent « enlevés » (ou « repris », selon les points de vue). De plus, la Tchécoslovaquie retrouva ses frontières d'avant-guerre sur tous les autres fronts avec le retour des Sudètes, de la Slovaquie méridionale et de la région de Těšín. Tous ces territoires avaient été libérés de l'occupation allemande par l'Armée rouge (à part le secteur de Plzeň) et ils lui furent remis sans condition. Non seulement ses intérêts ne furent pas menacés par l'URSS mais elle eut le sentiment que justice lui était rendue dans son conflit avec les Allemands, les Hongrois et les Polonais.

À l'inverse, ces derniers vécurent leurs amputations territoriales comme un drame. La Pologne, tout d'abord, reçut des terres prises à l'Allemagne mais en perdit à l'Est au profit de l'URSS. D'un point de vue économique, ces territoires n'étaient pas négligeables[757]. Stratégiquement, la nouvelle frontière était plus difficile à défendre que celle des Marches de Pripet situées plus à l'Est et la distance approximative entre Varsovie et la frontière Est se voyait réduite à 150 km[758]. Mais c'est surtout sur le plan sentimental que les Polonais tenaient à ces terres, qui étaient liées à leur histoire et à leur culture depuis plusieurs siècles[759].

Côté hongrois, les passions territoriales n'étaient pas moins vives. En 1920, le traité de Trianon avait enlevé à la Hongrie plus des deux tiers de son territoire, un fait ressassé avec amertume[760] – « Va te faire voir en France » devint même une insulte populaire. Entre 1938 et 1941, les Hongrois avaient réussi à reprendre la Slovaquie méridionale, la Ruthénie subcarpatique, la région yougoslave de Bačka et surtout la Transylvanie. La frustration nationale de 1945 fut donc d'autant plus cuisante que c'était la seconde du genre et qu'elle semblait bien être définitive. Seule la Ruthénie leur fut « prise » directement par les Soviétiques, la Tchécoslovaquie, la Roumanie et la Yougoslavie se partageant le reste. Mais les Hongrois portèrent une appréciation très négative sur l'intervention de Staline. C'est en effet un traité signé à Moscou le 20 janvier 1945 qui annula les conquêtes territoriales de la Hongrie et qui rétablit les frontières de 1937[761].

L'historien Stephen Kertész (ex-haut fonctionnaire du ministère des Affaires étrangères hongrois, exilé en Occident) affirme avec une certaine vraisemblance que les Américains étaient plus hungarophiles que les Soviétiques après la guerre. Ils auraient essayé d'adoucir les termes du traité d'armistice de janvier 1945, proposé de réexaminer la question des réparations et se seraient opposés à l'application du principe de « culpabilité collective »[762]. Mihály Fülöp montre que les autres Alliés occidentaux, dont la France, apportèrent leur soutien à une rectification du traité de Trianon au bénéfice de la Hongrie en proposant notamment un réajustement de la frontière avec la Transylvanie ; c'est toutefois à un veto soviétique qu'ils se heurtèrent[763]. La déconvenue des dirigeants hongrois fut d'autant plus grande que, forts de la contribution précoce de leur nation au mouvement communiste mondial, ils avaient pendant longtemps entretenu l'illusion que les Soviétiques les défendraient tant sur le dossier roumain que sur le dossier slovaque[764]. « *Pourquoi Staline a-t-il voulu punir la Hongrie, tout le peuple hongrois ? »*, s'interrogea l'historien exilé Péter Gosztonyi. « *Les Hongrois n'avaient-ils pas été des dizaines de milliers à verser leur sang aux côtés de l'Armée rouge pendant la guerre civile, se sacrifiant pour la victoire de Lénine ?! »*[765]

La forme d'exploitation économique imposée par les Soviétiques en 1945

La Tchécoslovaquie étant un pays vainqueur, elle n'eut pas à payer de réparations et bénéficia tout au contraire de contributions allemandes et hongroises. L'Armée rouge se garda de piller ses infrastructures et une véritable exploitation économique ne lui fut imposée qu'à la fondation du Conseil d'aide économique mutuelle (Comecon) en janvier 1949[766].

Chez les Polonais, en revanche, la russophobie trouva un espace d'expression supplémentaire. Les Soviétiques leur appliquèrent en effet, dès la fin de la guerre, des dispositions économiques draconiennes, en particulier dans le domaine du charbon. En août 1945, un « accord » leur imposa, au nom des réparations de guerre, d'en livrer des millions de tonnes pour un dixième des prix du marché mondial, tandis que le reste leur était acquitté à un tarif inférieur de 25 % aux prix du marché[767]. Leur sucre fut également réquisitionné pour moitié du prix qu'ils payaient pour importer le sucre tchécoslovaque[768]. En 1956, l'une des revendications principales de Gomułka, qui devait d'ailleurs être satisfaite, fut d'obtenir l'abolition de ces ruineuses livraisons de charbon[769].

Le contentieux économique avec l'URSS fut au moins aussi important dans le cas de la Hongrie. La notion de « butin de guerre » fut interprétée dans son sens le plus large par les soldats de l'Armée rouge. Nombre de machines-outils de valeur, parfois des usines entières, furent démantelées et envoyées en Union soviétique[770]. Du grain, de la nourriture et presque la moitié du cheptel prirent la direction de l'Est. Les coffres-forts des banques furent pillés et des maisons individuelles, dépôts, magasins et autres bâtiments gouvernementaux réquisitionnés[771]. La présence visible de « conseillers économiques » constitua une source d'exaspération supplémentaire ; par le biais d'entreprises mixtes, l'Union soviétique mit en effet la main sur plusieurs secteurs importants de l'économie hongroise[772]. La Hongrie fut surtout astreinte à payer des réparations de guerre fixées à trois cents millions de dollars, sans compter les frais de séjour de l'Armée rouge. D'après l'historien Miklós Molnár, cette somme représenta 30 % du revenu national brut pendant plusieurs années et fut *« à la limite du supportable pour ce pays dévasté »*[773]. En 1947, les réparations payées en nature absorbèrent par exemple 71 % des exportations[774]. L'inflation était galopante car les autorités n'avaient trouvé comme expédient pour financer l'occupation soviétique que la production de papier-monnaie[775]. Ce n'est que la restitution par les Américains du stock d'or de la Banque nationale hongroise transféré en Allemagne à la fin de la guerre qui permit la stabilisation d'une nouvelle monnaie, le 1er août 1946[776].

Reste à évoquer un dernier élément de différenciation entre les trois sociétés : le facteur religieux. Tous les régimes communistes réprimèrent l'Église, en particulier l'Église catholique, mais dans un contexte chaque fois différent. En Tchécoslovaquie, le facteur religieux n'était pas fondamental, même s'il gardait une importance certaine en Slovaquie. La population était peu pratiquante dans la partie tchèque et la religion ne jouait en tout cas aucun rôle dans l'État. En Hongrie, l'importance du facteur religieux est également relative. La libération du cardinal Mindszenty constitua bien un enjeu en 1956 mais ce dernier, un conservateur intransigeant, était plutôt impopulaire, même chez les révolutionnaires. En Pologne, en revanche, le facteur religieux avait une importance centrale. Rappelons qu'un million de fidèles pria collectivement pour la libération du cardinal Wyszyński, le 25 août 1956, fêtant ainsi à sa façon le tricentenaire du couronnement de la vierge de Częstochowa[777].

En somme, l'URSS ne heurta le sentiment patriotique tchèque sur presque aucun plan, une situation inédite qui favorisa la compatibilité entre nationalisme et communisme. La Tchécoslovaquie était bien mieux prédisposée que la Pologne et la Hongrie à entrer dans le bloc soviétique et l'hostilité des relations qu'elle entretenait avec ces deux dernières ne fit qu'élargir ce fossé.

La mauvaise image de la Pologne et de la Hongrie en Tchécoslovaquie

Au XIXᵉ siècle, les Hongrois s'étaient retrouvés en concurrence avec les Tchèques et les Slovaques pour faire valoir leurs droits nationaux. Les Hongrois avaient vu leur combat couronné de succès en 1867 avec l'instauration de la dualité monarchique et la création de l'Empire austro-hongrois mais les Tchèques, tout aussi nombreux, furent tenus à l'écart par la couronne impériale. Cet échec nourrit chez eux un sentiment d'injustice d'autant plus prononcé que c'est la Hongrie qui s'opposa en 1871 à la conclusion d'un accord visant à établir le trialisme[778]. De plus, au même moment, les Hongrois « magyarisaient » la Slovaquie sur un mode s'apparentant à une forte oppression nationale[779].

Au XXᵉ siècle, le conflit se focalisa sur la question de la zone frontalière entre les deux pays (Slovaquie méridionale pour les uns, « Haute-Hongrie » pour les autres), qui fut attribuée à la Slovaquie à l'issue de la Première Guerre mondiale mais qui était essentiellement peuplée de Hongrois. En 1918-1919, les troupes hongroises résistèrent, malgré l'armistice, à l'entrée des troupes tchécoslovaques. Bratislava ne fut prise que le 4 janvier 1919[780]. Le 20 mai de la même année, Béla Kun tenta de réoccuper ces terres et n'échoua que sous la pression des Occidentaux, un épisode qui précipita d'ailleurs sa chute.

La Tchécoslovaquie démocratique et la Hongrie autoritaire entretenaient des relations hostiles entre les deux guerres. Dès après Munich, la Hongrie s'empressa de reprendre la région contestée. L'« arbitrage de Vienne » du 2 novembre 1938 lui attribua notamment, sous le patronage allemand, les régions de Žitný ostrov (Csallóköz) et de Košice (Kassa), Bratislava et Nitra demeurant en Slovaquie[781].

Si la Tchécoslovaquie triompha une nouvelle fois en 1945, le « danger hongrois » restait très présent à l'esprit des Slovaques. Des observateurs britanniques remarquèrent que la haine contre les Allemands des Sudètes qui régnait en Bohême ne semblait pouvoir être égalée que par l'hostilité envers les Hongrois en Slovaquie[782]. Le président Beneš avait d'ailleurs pour intention d'expulser les seconds de la même manière que les premiers. Cette requête fut pourtant rejetée à la conférence de Potsdam, le 2 août 1945, au bénéfice d'un échange de populations avec les Slovaques de Hongrie[783]. Personne ne sembla apprécier ce compromis, les Tchécoslovaques blâmant l'Occident pour une solution trop partiale à leurs yeux, tandis que les Hongrois attribuèrent aux Soviétiques cette décision de « *traiter avec brutalité* » la minorité hongroise de Slovaquie[784].

Les négociations de paix entre la Tchécoslovaquie et la Hongrie furent amères et difficiles. Le 27 février 1946, un accord fut trouvé au sujet dudit échange de populations mais il fut signé la mort dans l'âme côté hongrois[785] (en pratique, il ne fut appliqué que sur une très petite échelle). Le traité de Paris (février 1947) rétablit définitivement les frontières de 1938 et attribua à la Tchécoslovaquie trois villages supplémentaires dans la région de Bratislava[786]. Les Slovaques affichèrent leur déception à l'idée que la majorité des Hongrois demeure sur place, tandis que les Hongrois déplorèrent que tant d'entre eux aient dû quitter la Slovaquie[787].

L'antagonisme entre les deux pays se manifesta crûment lors de la réunion internationale où il aurait dû être le plus discret : la première conférence du Kominform en septembre 1947. Le délégué hongrois József Révai ouvrit les hostilités en déclarant que la situation des Hongrois en Slovaquie favorisait à elle seule le « *chauvinisme réactionnaire hongrois* »[788]. Slánský répliqua que la Hongrie ne mettait pas en pratique l'accord négocié à la conférence de Paris et rappela les « *racines profondes* » de la rancœur ressentie dans son pays : « *Pendant presque mille ans, les Slovaques ont été dominés par les Hongrois. La magyarisation a pris des formes que l'on trouve rarement dans l'histoire. Elle a mené la nation slovaque à deux doigts de la disparition.* »[789] D'après lui, la majorité de la population hongroise de la Slovaquie du Sud avait soutenu l'annexion de cette région à la mère-patrie en 1938. « *Après cette amère expérience*, conclut Slánský, *le peuple slovaque considère la présence de Hongrois dans son pays comme un danger vivant de révisionnisme et comme une menace pesant sur l'existence de sa nation.* »[790]

Révai affirma que désigner les Hongrois et les Allemands des Sudètes comme les principaux coupables du démembrement de la Tchécoslovaquie en 1938 était une explication « *extrêmement partiale* »[791]. Il estima que les « camarades » tchécoslovaques passaient commodément sous silence le rôle de la « *bourgeoisie réactionnaire* » et du « *fascisme slovaque* ». Le blâme unilatéral rejeté sur les Hongrois aurait affaibli la lutte contre la « *réaction* » tchèque et surtout slovaque[792]. De plus, il dénonça le fait que les cadres communistes hongrois, parfois membres depuis vingt ans du KSČ, ne soient pas considérés comme des « *membres à part entière* » et que « *beaucoup d'entre eux* » n'aient pas été acceptés en son sein depuis la Libération[793]. Il réassura l'assistance quant à la bonne volonté des Hongrois sur la question des minorités et affirma que les Slovaques de Hongrie disposaient de plus de droits nationaux que les Hongrois de Slovaquie[794]. Enfin, il s'en prit au manque d'« *internationalisme* » des communistes tchécoslovaques, qui s'étaient gardés d'inviter des représentants du parti hongrois au VIIIᵉ Congrès du KSČ en 1946. Ceux-ci auraient répondu aux requêtes de Budapest qu'ils n'invitaient que des camarades slaves ou vainqueurs de la guerre, ravivant ainsi la « *haine traditionnelle* » entre les deux pays. Les Hongrois, eux, les auraient invités à leur congrès mais les Tchécoslovaques n'auraient même pas pris la peine de leur répondre ou de les remercier, et encore moins d'y envoyer des représentants[795].

Le délégué slovaque, Štefan Bašťovanský, ne fut pas particulièrement ému par ces récriminations. Il considéra que le ton du « *camarade Révai* » était « *sidérant* » et que son discours était « *dirigé contre les accords de paix* »[796]. C'était pour lui la preuve que le « *révisionnisme* » hongrois était toujours bien vivant et qu'il favorisait la « *réaction* »[797].

Il est à noter que les autres délégations, y compris celle en provenance d'Union soviétique, se tinrent à l'écart et s'abstinrent de commenter cet échange verbal haineux contraire à tout internationalisme prolétarien. Mais l'on peut aussi relever avec quelle conviction les communistes tchécoslovaques se posèrent en défenseurs de l'intégrité nationale.

Les relations de la Tchécoslovaquie avec la Pologne étaient moins conflictuelles mais elles étaient tout de même loin d'être amicales. La création de la Tchécoslovaquie en 1918 entraîna une dispute d'ordre territorial autour de la région de Těšín et d'Ostrava[798]. Un accord ne fut trouvé qu'*in extremis* et une petite minorité polonaise subsista en Tchécoslovaquie entre les deux guerres. Le régime autoritaire de Piłsudski, comme celui d'Horthy, ne trouva guère de terrain d'entente avec la démocratie de Masaryk. En 1938, la Pologne profita elle aussi de Munich pour annexer le territoire contesté, jouant en outre de la faiblesse tchécoslovaque pour s'emparer d'autres districts[799]. La Tchécoslovaquie sortit vainqueur de ce conflit (qui restait tout de même mineur) en 1945 mais un incident grave faillit opposer les deux pays lorsque la Pologne, qui ne se résignait pas à perdre Těšín, réoccupa la région le 19 juin 1945. C'est une médiation soviétique qui permit de résoudre définitivement le différend au profit des Tchécoslovaques[800].

Les Tchécoslovaques et la révolution hongroise

En 1956, l'estime et l'intérêt que la population tchécoslovaque aurait pu porter à une contestation anticommuniste s'effaça pour une large part derrière l'hostilité qu'elle ressentait envers les Hongrois. Les témoignages abondent, par exemple dans les rapports de la StB, sur le profond dégoût des Tchèques face à la violence révolutionnaire.

Remarquons que des rapports de police sur la population sont toujours à aborder avec une circonspection particulière. Il convient d'écarter l'illusion selon laquelle ces documents vont révéler une « vérité » univoque, immédiatement déchiffrable. La présentation policière est en soi subjective. Pour citer Nicolas Werth : « *Dans l'analyse du rapport, il faut toujours savoir faire la part de l'attente et des demandes du Pouvoir, mais aussi de la vision propre de ses représentants, des typologies apprises ("koulaks", "éléments antisociaux", "clérico-monarchistes", etc.) et de la permanence de schémas explicatifs répétés à l'envi.* »[801] L'élément central du discours des fonctionnaires de la police politique peut ici se ramener à une stratégie du silence sur le XXe Congrès du PCUS et sur le rapport secret de Khrouchtchev, sur la politique du parti communiste et enfin sur les victimes de l'oppression politique. De plus, ces rapports ne sont pas forcément représentatifs. Leur objectif premier était d'informer les dirigeants du pays de tout risque réel ou potentiel d'insurrection, non d'établir un sondage scientifiquement représentatif de l'opinion populaire. Ceci étant, cette enquête a l'immense mérite d'exister, un privilège ressenti jusque dans les plus hautes sphères du pouvoir : le plus fervent lecteur de ces rapports n'était nul autre qu'Antonín Novotný[802].

Comment tirer le meilleur profit de cette masse d'informations sans tomber dans le piège d'une lecture au premier degré ? Ceci n'est possible qu'en croisant l'étude de ces documents avec celle d'autres types de sources : sources orales (entretiens effectués ces dernières années avec des témoins, qui étaient en 1956 communistes, prisonniers politiques, étudiants, ouvriers ou intellectuels, mais aussi les rapports compilés à l'époque par les enquêteurs de *Radio Free Europe* sur la base d'entretiens menés en 1956 et 1957 avec des Tchécoslovaques en visite ou en exil à l'étranger[803]), rapports des diplomates, archives écrites du régime comme les comptes rendus des réunions du bureau politique du parti communiste, ou encore presse officielle. Cette dimension comparative permet d'induire quelques observations, sinon incontestables, du moins empreintes d'une grande vraisemblance.

La grande majorité du public tchèque fut ainsi choquée par la violence de l'insurrection hongroise. Un appelé écrivit à sa mère que les Hongrois étaient « *tellement vicieux* » qu'on aurait pu les prendre pour des « *bêtes sauvages* » ou des « *SS* ». D'après lui, certains « *éléments fascistes* » avaient tué des gardes et porté leurs têtes sur des piques. « *Soit c'est moi qui les tuerai, soit c'est eux qui m'auront* », concluait-il. « *C'est avec ces pensées que nous allons tous garder la frontière.* »[804] Deux ouvriers étaient d'avis que les révolutionnaires hongrois étaient « *clairement des fascistes* », étant donné la « *bestialité* » dont ils avaient fait preuve. Ils espéraient que les frontières allaient être fermées « *bien hermétiquement* », afin qu'aucun « *criminel* » ne puisse s'enfuir à l'Ouest[805]. Selon un prêtre, il valait mieux « *un peu de répression* » que « *de la gloire sur les cadavres dans les rues et dans les champs* »[806]. Un ancien commerçant affirma à l'auberge, devant un grand nombre de personnes, qu'au vu de ce que les « *membres de diverses bandes* » avaient commis en Hongrie, une « *vraie barbarie* », il était temps que l'on « *parle concrètement* » de « *pendaisons et d'autres traitements des contre-révolutionnaires* »[807]. Un ancien fonctionnaire du parti socialiste-national s'étonna en privé de ce que les Hongrois ont pu « *assassiner de façon aussi bestiale* ». « *Que Dieu nous garde d'une telle chose chez nous* », concluait-il[808]. Un prêtre commenta qu'il ne pouvait approuver le « *chaos fratricide* » qui régnait en Hongrie et que les « *bestialités commises là-bas* » se « *passaient de commentaire* »[809]. L'épouse d'un homme emprisonné pour « vol de la propriété nationale » stigmatisa le « *putsch contre-révolutionnaire en Hongrie* » pour sa « *sauvagerie* » et afficha son soutien à l'action de l'Armée rouge[810]. Un ancien membre du parti socialiste-national jugea que tout homme sensé devait condamner la « *bestialité menée par la réaction sur des victimes innocentes* » en Hongrie. Mais malgré tout, il remerciait en esprit ladite « *réaction* » pour avoir « *montré son vrai visage* », estimant qu'il ne serait dorénavant plus possible de trouver quelqu'un « *qui voudrait que l'on en revienne à l'ancien temps* »[811]. Un mineur critiqua lui aussi la « *bestialité* » qui régnait en Hongrie et expliqua que, contrairement à ses habitudes passées, il suivait dorénavant de près les actualités car il en allait de la « *sécurité des Tchèques* ». Il exprima la conviction que les « *capitalistes* » allaient s'en prendre à eux, ainsi qu'aux Allemands, et conjura Dieu de ne pas laisser revenir ces derniers en Bohême car ils « *nous tueraient tous* »[812]. Une employée sans appartenance politique expliqua qu'elle avait décidé de laisser les journaux de côté pour quelques jours car ces « *portraits de Hongrois torturés à mort* » étaient « *horribles* » et elle n'en dormait plus[813]. Enfin, une ouvrière, elle aussi sans appartenance politique, condamna devant d'autres femmes la « *contre-révolution* » et la « *bestialité horrible* » qui régnait en Hongrie, où femmes et enfants étaient d'après elle assassinés[814].

Dans une remarquable unanimité, tant les archives du régime que les sources anticommunistes attestent du dégoût de la population face aux photographies de policiers pendus aux réverbères dans les rues de Budapest.

Même la presse tchécoslovaque anticommuniste (publiée à l'étranger) en fut troublée.

Incidemment, la population tchécoslovaque exprima sa crainte que la révolution ne rime avec un retour de l'irrédentisme dans la politique officielle hongroise, ce qui favorisa un *statu quo* en faveur du régime. Les rapports de la StB peuvent encore une fois en être pris pour preuve. Une citoyenne du Nord de la Bohême, persuadée que la Hongrie voulait « *rattacher à elle toute la Slovaquie et une partie de la Roumanie* », écrivit ainsi à une amie de ne pas « *perdre la tête* », de ne pas « *céder à la peur et à la panique* » et de cacher ses bijoux dans un petit paquet à portée de main « *au cas où* ». Elle concluait en lui recommandant de garder le silence et de ne « *jamais faire de commentaire sur quoi que ce soit* »[815]. Un homme affirma que les événements de Hongrie « *alarmaient fortement les Slovaques* » et que les Hongrois entendaient « *rattacher la Slovaquie à la Hongrie* », un projet qui pouvait, d'après lui, « *provoquer un grand malheur* »[816]. Une femme écrivit à son mari : « *La Hongrie veut reprendre la Slovaquie pour former la Grande Hongrie. J'ai tellement peur pour toi, peur que tu doives aller à la guerre et que nous soyons séparés peut-être pour toujours.* » Elle décrivit une réunion publique à laquelle elle avait participé et le discours d'un « *monsieur* », père d'un petit bébé qui « *devrait se résigner à la guerre, avoir peu à manger et avoir peur des bombes* » s'il y avait une guerre. L'assistance avait applaudi : « *Nous avions les yeux humides. Je pense, et je m'en suis aperçue encore hier, que même si tout le monde, moi y comprise, sommes mécontents, nous irions défendre notre République les armes à la main...* »[817] Une délégation slovaque affirma, pendant une réunion des syndicats à Prague, que les Hongrois de Slovaquie attendaient ouvertement l'ordre de Budapest pour prendre part à l'insurrection[818]. Un supposé « *ancien de la StB* » raconta que, aux dires de ses amis hongrois de Košice, « *tous sympathisaient avec la révolution* ». D'après lui, cette communauté serait la première à se « *soulever contre le communisme* »[819]. Enfin, la rumeur se répandit que, dans certains districts slovaques à majorité hongroise, les Hongrois « *célébraient* » le début de la « *contre-révolution* » et se « *réjouissaient déjà* » du « *retour de la Slovaquie du Sud à la Hongrie* »[820].

La méfiance de la population rapportée par ces rapports (et qui semble incontestable), était partagée par les autorités politiques de plus haut niveau. La StB, surtout en Slovaquie, fut mise sur le pied de guerre. Les Hongrois de Slovaquie furent placés sous très haute surveillance et nombre d'entre eux furent arrêtés. Un rapport en détaille les motifs individuels dans la région de Nitra : « *...pour avoir dit sur son lieu de travail que ce n'était pas une "bande" mais le peuple qui se battait en Hongrie, un peuple qui avait déjà été occupé et exploité onze ans par l'armée soviétique. Il a dit que quelque chose de similaire se passerait chez nous* »[821] ;

« ...pour avoir crié lors d'une réunion : "Que vivent Budapest et la révolu-tion !" Il s'en est ensuite pris aux fonctionnaires et aux communistes pré-sents »[822] ; « ...pour avoir affirmé en état d'ébriété que le peuple devait tirer sur les policiers et sur tous les Slovaques »[823] ; « ...pour avoir dit que chez nous c'était la même chose qu'en Hongrie, un ouvrier travaillait pour soixante-dix couronnes et en recevait cinquante. Il a encore dit qu'il fallait ligoter Zápotocký et Rákosi et les jeter à l'eau »[824] ; « ...pour avoir crié en état d'ébriété qu'il était Hongrois, qu'il allait se battre pour la Hongrie, qu'ils allaient tuer les Slovaques et en faire du salami hongrois »[825] ; « ...pour avoir, en tant qu'organiste, joué et chanté l'hymne national hon-grois après la messe, que les citoyens présents dans l'église ont ensuite repris en choeur »[826] ; « ...pour avoir dit publiquement dans une auberge : "Vivent les insurgés en Hongrie et attendez un peu, les Slovaques, ça ira mal pour vous." Ensuite il a chanté l'hymne hongrois »[827] ; « ...pour avoir chanté dans une auberge une chanson horthyste en relation avec la situa-tion en Hongrie »[828] ; « ...pour avoir dit en état d'ébriété : "Je suis Hon-grois, mon sang hongrois me fait mal, je vais me battre en Hongrie et vous, les sales communistes, vous allez vous balancer au bout d'une corde." »[829] ; « ...pour avoir entonné l'hymne hongrois dans une auberge. Les autres citoyens présents ont également chanté »[830] ; « ...pour avoir exigé, en relation avec les événements de Hongrie, le retour de leurs terres confisquées en 1955 et pour avoir menacé de les reprendre de force »[831] ; « ...pour avoir dit que le territoire de la Slovaquie du Sud reviendrait à la Hongrie et pour avoir menacé des Slovaques »[832] ; « ...pour avoir dit publiquement que la monnaie et les frontières hongroises de 1938 revien-draient. Il a dit que le communisme allait tomber chez nous et en Hongrie, et qu'il fallait pendre les communistes »[833] ; « ...pour avoir crié "Sales Russes" et qu'il fallait exclure les Slovaques »[834] ; enfin, dernier exemple, « ...pour avoir salué, en état d'ébriété, les événements de Hongrie et pour avoir dit en brandissant un couteau de cuisine qu'ils avaient bien fait de couper la gorge des membres de l'AVÓ [police politique hongroise] et qu'on devrait faire la même chose chez nous »[835].

Les dirigeants d'entreprise furent priés de rapporter le comportement de leurs employés hongrois. D'après eux, ceux-ci semblaient garder leur calme mais ils suivaient de très près les événements de Hongrie et écou-taient la radio au lieu de travailler[836]. L'ensemble de ce dossier d'archive montre clairement une vive inquiétude des Slovaques. Ces craintes sem-blent cependant ne pas avoir été fondées car la communauté hongroise de Slovaquie demeura dans son ensemble remarquablement pacifique, à quelques kilomètres à peine de lieux où la bataille faisait rage.

Les relations tchéco-slovaques

Si les Slovaques se méfiaient des Hongrois, les relations tendues entre les Tchèques et les Slovaques favorisèrent la stabilité du régime côté tchèque. En effet, un certain nombre de Tchèques (une évaluation chiffrée précise étant impossible par manque de données) ne faisaient pas confiance aux Slovaques et craignaient une contagion de la révolution hongroise et un renouveau des tentations autonomistes. Le nationalisme slovaque avait été réprimé par les autorités de Prague dans les années 1950 mais l'épisode du régime fasciste de Monseigneur Tiso était loin d'être oublié. C'est ainsi qu'un agriculteur morave dénonça les « *gredins de Slovaques* », qui « *seraient bien capables de commencer quelque chose* » puisque « *ça se rapprochait de leurs frontières* »[837]. Un ancien fonctionnaire socialiste-national estima que la situation était en train de changer mais qu'il n'y aurait pas d'incidents car les Tchèques étaient « *plus intelligents* » ; les seuls dangers provenaient d'après lui des étudiants et de la Slovaquie[838]. Un autre citoyen exprima sa conviction que les événements de Hongrie ne pourraient avoir de conséquences dans les Pays tchèques mais qu'il n'en était pas de même chez les Slovaques, car ceux-ci « *n'arriv*[ai]*ent pas à oublier leur État indépendant* » et ils étaient destinés « *un jour* » à « *donner un coup de pied au c...* » des Tchèques[839]. Un mineur, qualifié d'« *hostile au régime actuel* », afficha néanmoins son aversion face à la « *contre-révolution* » hongroise et affirma qu'il était impossible de faire confiance aux Slovaques ; en effet, ceux-ci avaient le sang « *chaud* » et pourraient rapidement « *commencer quelque chose* », étant donné que pour eux, il n'« *y en a*[vait] *que pour Tiso, à son époque, ils se portaient bien et presque tout le monde* [tenait] *cette période en estime* »[840]. Un serrurier estima que la situation hongroise ne s'étendrait peut-être pas en Bohême-Moravie mais que les Slovaques, en revanche, piaffaient de se « *détacher* » des Tchèques et avaient « *depuis toujours* » le désir d'être « *indépendants* »[841]. Un maire d'une petite commune affirma, lors d'une réunion publique, que les événements en Hongrie (qu'il semblait approuver) avaient de l'influence sur la Slovaquie et qu'« *on supposait* » que le « *soi-disant État slovaque* » serait rétabli, ou alors que la Slovaquie serait rattachée à la Hongrie, ce qui « *ferait renaître une structure comparable à l'ancienne Autriche-Hongrie* ». Il ajouta avoir entendu de la bouche des Slovaques qu'ils se « *portaient mieux sous le soi-disant État slovaque* »[842]. Selon un prêtre, les Slovaques voulaient obtenir leur autonomie même au prix d'un rattachement à la Hongrie[843]. Enfin, un citoyen du Nord de la Bohême prédit sombrement que si « *quelque chose arrivait* », cela « *commencerait en Slovaquie* » et que tout le monde était « *libre d'y aller* » mais que l'on n'avait pas la « *garantie* » d'en « *revenir vivant* »[844].

Au vu de ces archives, le thème des relations tchéco-slovaques dans les années 1950 mériterait une étude très détaillée. Le seul constat possible à ce stade est que l'ambiguïté des relations tchéco-slovaques ne put être contenue en 1956 que par l'appel à la seule force qui disposait d'un véritable pouvoir de cohésion : le parti communiste et les institutions qu'il dirigeait.

Le catalogue des tensions nationales régnant dans la région en 1956 était donc bien fourni : les Polonais étaient passablement russophobes et ne s'entendaient pas très bien avec les Tchèques, les Tchèques étaient particulièrement hostiles aux Hongrois et entretenaient des relations ambiguës avec les Slovaques, les Slovaques se méfiaient fortement de leur minorité hongroise et observaient avec anxiété la révolution à leur frontière, et les Hongrois donnaient libre cours à leur haine de l'Union soviétique, à défaut d'exprimer leurs ressentiments envers la plupart des nations les entourant (Slovaques, Roumains et Yougoslaves). Pourtant, et on pourrait presque dire, contre toute attente, tant les Tchèques et les Slovaques que les Hongrois de Slovaquie refusèrent de se laisser emporter par ce tourbillon de passions et demeurèrent parfaitement calmes. Serait-il possible que le facteur économique ait été plus décisif que l'appartenance nationale ?

Le facteur économique en Pologne, Hongrie et Tchécoslovaquie

L'explication principale des comportements en 1956 ne réside-t-elle pas, en fin de compte, dans les conditions de vie endurées par les populations ? C'est bien sûr sur ce plan que résident les plus grandes différences entre Pologne et Hongrie d'un côté, et Tchécoslovaquie de l'autre. La situation économique de chaque pays fut d'ailleurs le premier facteur à attirer l'attention des observateurs de l'époque.

En 1949, le salaire réel moyen polonais n'atteignait déjà que 85 % de celui de 1938. Or, si l'on prend une base 100 en 1949, il passa à 108 en 1950, redescendit à 88 en 1953 et ne remonta qu'à 98 en 1955[845]. Ainsi, en 1956, il n'avait pas encore rattrapé celui de 1949 et encore moins celui de 1938 (qui n'était déjà pas très élevé). Dès 1955, les autorités polonaises commencèrent à réfléchir à une solution de substitution offrant plus d'autonomie aux entreprises[846]. Pour leur part, les travailleurs exigèrent de confier leur gestion à des conseils ouvriers. Cette mesure fut finalement adoptée en octobre 1956, les partisans de Gomułka ayant peu ou prou instrumentalisé cette revendication à des fins politiques[847].

La situation hongroise était encore plus critique : si l'on prend une base 100 pour le salaire réel moyen en 1948, on remarque que celui-ci se situait à 134 avant la guerre mais qu'il connut une chute dramatique pour atteindre 78,3 en 1953. En 1955, il n'était remonté qu'à 89,9. Il fallut attendre l'année 1963 pour retrouver le niveau de vie moyen de 1938 en termes réels[848]. La situation économique catastrophique de la Hongrie s'expliquait, comme partout ailleurs dans les « satellites », par la politique d'industrialisation forcenée mise en œuvre au début des années 1950. Cependant, le pays ne disposait que de très peu de ressources naturelles et les déséquilibres structurels et spatiaux furent particulièrement marqués[849]. L'agriculture, gravement négligée, occupa 52 % de la population active en 1950 mais ne produisit que 37 % du revenu national. En pleine campagne de collectivisation, elle ne reçut que 13 % des investissements nationaux[850]. Le mécontentement économique et social causé par ce désastre perdura évidemment jusqu'en 1956.

La Tchécoslovaquie bénéficia pour sa part d'un héritage bien différent : au contraire des deux autres pays, elle avait été hautement industrialisée bien avant la Seconde Guerre mondiale. De plus, sa capacité industrielle n'avait que peu souffert des hostilités, au contraire de la Pologne et de la Hongrie qui avaient été dévastées. L'industrie légère avait été délaissée mais l'industrie lourde avait été développée pour alimenter la machine de guerre. Bien que vieillie par une utilisation intensive et des réparations limitées au strict minimum, elle sortit donc presque intacte du conflit[851]. Ajoutons que les Tchèques ne furent pas mobilisés dans les forces armées et qu'ils ne furent réquisitionnés que pour servir de main-d'œuvre, ce qui réduisit d'autant leur taux de mortalité pendant la guerre.

Comme dans les autres pays du Comecon, la politique économique de la Tchécoslovaquie fut dictée de Moscou à partir de 1949. Au cours du premier plan quinquennal (1949-1953), l'économie souffrit de déséquilibres majeurs entre la production énergétique et industrielle, le développement de l'agriculture et de l'industrie, et entre la production de biens de consommation et de biens d'équipement. Le plan quinquennal dut être abandonné en 1953 pour remédier à ces problèmes[852]. Deux plans annuels inspirés des recommandations de Malenkov et mettant l'accent sur l'énergie, l'agriculture et les biens de consommation furent adoptés pour 1954 et 1955.

Dans son rapport annuel sur la situation de l'économie tchécoslovaque en 1955, le conseiller commercial de l'ambassade de France à Prague nota qu'une amélioration se dessinait depuis la chute du niveau de vie de 1953. Quatre baisses des prix avaient été décrétées, tandis que les salaires des contremaîtres, des professeurs de l'enseignement supérieur et technique, des médecins et des paysans avaient été augmentés[853]. Pour l'année 1956, le même conseiller nota que les événements de Pologne et de Hongrie n'avaient pas eu d'effets perturbateurs en Tchécoslovaquie et s'interrogea : les autorités étaient-elles fondées à interpréter cette passivité comme un acquiescement à leur politique ? Il jugea que les conditions d'existence des

Tchécoslovaques, sans être « *attrayantes* », n'étaient pas « *insupportables au point de faire sortir de son train quotidien un peuple qui a perdu, depuis longtemps, le goût du risque* »[854]. Si le ravitaillement restait irrégulier, les magasins étaient mieux fournis et les produits de meilleure qualité : « *Personne n'a faim : au contraire, dans de nombreuses usines, les anniversaires et fêtes des employés sont célébrés avec de la pâtisserie et même du vin.* » La population praguoise, sans atteindre à l'élégance des villes occidentales, aurait « *un peu mieux soigné sa mise* », la circulation aurait été « *beaucoup plus dense* », avec même quelques embouteillages aux alentours de la capitale à la fin du week-end et, d'une façon générale, les gens auraient eu des économies. Ces différents faits auraient donc tendu à prouver que la population n'était pas « *malheureuse* »[855].

C'est que, au cours de l'année 1956, le gouvernement s'était efforcé de juguler tout mécontentement potentiel en décrétant deux baisses des prix, le 1er avril et le 11 décembre, ce qui portait à six le nombre de baisses des prix depuis 1953. Au 1er octobre, la charge de travail passa de quarante-huit à quarante-six heures hebdomadaires. Les primes des mineurs furent augmentées en mai et les salaires des travailleurs du bâtiment en juin. Les traitements des médecins furent relevés en juillet et ceux des instituteurs en septembre. L'augmentation de la production et des importations de biens de consommation durables se confirma, tandis que l'accent était également porté sur la construction de nouveaux logements. Au total, le niveau de vie augmenta légèrement, ce qui se manifesta par l'augmentation des salaires moyens, l'accroissement des dépôts dans les Caisses d'Épargne et l'augmentation de la consommation[856]. Il est d'ailleurs significatif que les économistes de l'époque aient continué à comparer les performances de l'économie tchécoslovaque avec celles des pays occidentaux et non pas avec celles des autres démocraties populaires[857].

Entre 1953 et 1956, c'est donc un véritable contrat social tacite qui fut conclu : le régime échangea la passivité politique de la population contre la satisfaction relative de ses besoins économiques. Ivo Ducháček qualifia ce procédé de « *stalenkovisme* », soit un mélange de détente économique malenkovienne et de stalinisme au niveau politique[858]. Lorsque leurs intérêts économiques avaient été remis en cause, les Tchèques et les Slovaques ne s'étaient pas comportés autrement que les Polonais et les Hongrois et avaient fortement réagi ; rappelons que la suppression des primes de Noël en 1951, au plus fort de la terreur stalinienne, avait attiré huit à dix mille personnes dans les rues de Brno, sans parler de la réforme monétaire du 30 mai 1953. On peut imaginer la réaction de ces personnes si elles avaient eu faim, comme c'était le cas des manifestants de Poznań en juin 1956. La grande différence réside dans le fait que, en 1956, les indicateurs économiques et sociaux étaient dans leur ensemble relativement bons en Tchécoslovaquie et qu'ils étaient en plus orientés à la hausse.

En revanche, c'est sans doute l'érosion des termes de ce « contrat » qui fut à l'origine du Printemps de Prague. Après le boom de la deuxième moitié des années 1950, la Tchécoslovaquie entra dans une période de récession économique. Le rythme de croissance commença à décélérer en 1961, pour montrer un net coup d'arrêt en 1962 et régresser en 1963 avec une « croissance négative » de 3 % : « *C'était l'une des récessions économiques les plus sévères depuis la fin de la Seconde Guerre mondiale ; un cas de "miracle économique inversé" qui choqua profondément l'ensemble de la superstructure.* »[859] Le déficit de la balance des paiements, la baisse de la productivité, les investissements retombés en 1963 au niveau de l'année 1950, l'accumulation des stocks invendables et l'épuisement des réserves de main-d'œuvre contraignirent les autorités à réviser d'urgence le système de direction planifiée[860]. Les économistes Radislav Selucký, Evžen Löbl (victime réhabilitée du procès Slánský) et Ota Šik, directeur de l'Institut d'économie de l'Académie des sciences, se mirent à critiquer ouvertement la politique économique. Fin 1963, une conférence d'experts économiques décida de s'inspirer des principes en vigueur dans l'économie de marché[861]. L'aggravation des difficultés du commerce extérieur, en 1965, contribua à placer la question économique au premier plan des préoccupations politiques tchécoslovaques[862].

Au début des années 1960, la Tchécoslovaquie s'engagea ainsi sur la même voie que la Hongrie et la Pologne en 1956. La direction communiste se discrédita lorsqu'elle devint incapable de continuer à remplir sa part du « contrat ». En 1962, les pénuries de biens de consommation devinrent sérieuses. La viande était quasi introuvable ainsi que, par périodes, les œufs, les légumes et les graisses. Le 1er mai 1962, les étudiants de Prague défilèrent sous la pancarte : « *Nous avons Gagarine et Titov mais nous n'avons pas de viande !* »[863] En conséquence des pénuries, les prix des biens de consommation augmentèrent. Le 14 août 1962, sous la menace du mécontentement populaire (comme en 1953), le plan quinquennal fut abandonné et un plan annuel adopté pour 1963[864]. La nécessité de réformer devint donc urgente. Or, pour réformer il fallait pouvoir critiquer ; et dans un régime d'essence totalitaire tel que le régime communiste, débattre de la politique économique revenait nécessairement à s'en prendre au régime lui-même.

Les protagonistes du Printemps de Prague ne dissimulèrent d'ailleurs nullement l'importance du facteur économique à l'origine du processus de contestation. Antonín Liehm par exemple, intellectuel important du mouvement de 1968, décrivit la transposition du désordre économique dans la sphère politico-culturelle. D'après lui, la voix de l'intelligentsia ne prit une importance décisive qu'après une dégradation considérable de l'économie et au vu de l'effondrement imminent de ses structures. Le soutien des économistes fut décisif dans la montée en puissance des intellectuels[865]. Eduard Goldstücker, président de l'Union des écrivains tchécoslovaques en 1968, confirme que c'est la découverte en 1961 de l'état chaotique dans lequel était tombée l'économie qui fut le point de départ d'une « *longue discussion* » : « *Il est ensuite devenu évident que la réforme économique ne pourrait être menée avec succès si le système politique existant était maintenu – ce système politique bureaucratique et centralisé qui rendait la mise en œuvre de la réforme économique fondamentalement impossible.* »[866] La porte fut ainsi ouverte aux revendications politiques, qui prirent rapidement le dessus.

Nationalisme et communisme

En 1956, une partie de la population tira fierté de la relative bonne situation économique de la Tchécoslovaquie par rapport à ses voisins ; en 1968, c'est de son mouvement culturel qu'elle s'enorgueillit. Dans les deux cas, c'est le parti communiste qui parraina cette forme de satisfaction et qui prouva ainsi sa capacité à canaliser les sentiments patriotiques. Eduard Goldstücker, l'un des intellectuels les plus en pointe du Printemps de Prague, « *constata* » ainsi en 1968, « *sans le moindre nationalisme et sans esprit de clocher exagéré* », que la Tchécoslovaquie était entrée dans la « *phase socialiste de son évolution historique* » comme le pays « *le plus avancé d'entre tous les pays socialistes* ». En effet, il était un « *fait historique* » que les Tchèques et les Slovaques avaient connu « *l'expérience la plus directe en matière de démocratie, fût-elle de démocratie bourgeoise* ». Pour lui, le Printemps de Prague n'était donc « *rien d'autre* » que la « *mise en forme du socialisme* […] *dans le cadre des exigences de la vie, des traditions et des possibilités* » de son pays[867].

C'est précisément cette conviction d'être le représentant régional privilégié de valeurs jugées « occidentales » qui singularise le nationalisme tchèque – quelles que soient les dénégations d'Eduard Goldstücker. La grande spécificité locale est que cette forme du chauvinisme, fierté plus que revendication, se différencia nettement après la guerre des nationalismes polonais – fortement russophobe – et hongrois – de surcroît irrédentiste. C'est ainsi que l'idéologie communiste, loin de s'opposer au nationalisme tchèque, parvint à de nombreux égards à se l'approprier, voire à l'incarner.

CONCLUSION

Dans le débat sur la relation entretenue entre démocratie et communisme au sein du contexte culturel tchèque, les arguments sont contrastés ; certains soulignèrent les facteurs de prédisposition de la société à l'instauration d'un régime communiste, tandis que d'autres crurent voir une rupture radicale entre une démocratie authentique et un régime de terreur. Mais la plupart s'accordent sur le fait que le parti communiste tchécoslovaque constitua le pivot entre une identité démocratique quasi intrinsèque et un stalinisme imposé par définition de l'extérieur. Révélateur supposé du heurt entre l'héritage culturel local et la soumission au mouvement communiste international, de la « dualité », voire d'un véritable duel, entre ce que le socialisme a pu apporter au monde de bon et de mauvais, l'histoire du KSČ symbolise pour beaucoup l'incompatibilité entre démocratie et totalitarisme.

Au cours de cette étude, la simple mention de trois noms, trois communistes ayant eu un rôle à la fois en 1956 et en 1968, suggère pourtant que la ligne de fracture passait bien plus au sein des individus qu'au sein du parti. Doit-on d'ailleurs vraiment parler de fracture ? En 1956, Vasil Biľak et Josef Korčák étaient deux apparatchiks presque anonymes. Leurs prises de position sur le « rapport secret » de Khrouchtchev montrent qu'ils étaient plutôt ouverts au changement. À l'inverse, l'ambassadeur tchécoslovaque en Grande-Bretagne, Jiří Hájek, afficha sa loyauté avec les orientations conservatrices de Novotný ; il hésita longuement à accorder un visa tchécoslovaque au député britannique Koni Zilliacus, et ne se résolut à le faire qu'après y avoir été encouragé par les Soviétiques. En 1968, tant Biľak que Korčák trahirent le Printemps de Prague, se placèrent du côté des occupants et devinrent des figures du régime de « normalisationw ». Jiří Hájek, en revanche, n'était devenu nul autre que le ministre des Affaires étrangères d'Alexander Dubček et symbolisait la version la plus humaine, la plus tolérante, du communisme tchécoslovaque. Progressivement réduit à l'anonymat et démis de toutes ses fonctions, il se joignit au mouvement dissident des années 1970. De quelle « dualité » ces trois hommes se firent-ils porteurs, sinon de celle inhérente à tout parcours humain soumis à des pressions variables et contradictoires ?

C'est peut-être le destin de Klement Gottwald qui illustre le mieux la confrontation entre individu et attitude politique. Dans cette étude, nous avons remonté en trois étapes son cheminement entre histoire et mémoire, ou plutôt entre mémoire et histoire. En 1956, c'est son honneur qu'il convint à tout prix de protéger : Gottwald avait certes commis des erreurs, avait fait l'objet d'un certain « culte de la personnalité », avait été entouré de personnages peu recommandables, comme son gendre Alexej Čepička, mais il restait la plus grande figure du communisme tchèque, un « *camarade* » qui inspirait « *l'amour et le respect* », pour reprendre les termes de Novotný. En 1952, à en croire les communistes réformateurs – voire les historiens occidentaux – qui en firent plus tard le portrait, c'était un homme miné par le remords, l'inquiétude, le soupçon, dont le tragique destin était d'avoir trahi sous la pression les engagements qu'il avait pris et les espoirs qu'il avait fait naître. Or, en 1945, qui retrouvâmes-nous ? Un Gottwald inspiré, séduisant, populaire, mais aussi habile, déterminé et inféodé en tout point à Moscou. En fin de compte, tant en 1956 qu'en 1952 et en 1945, les aspects les plus contestables de sa personnalité furent passés sous silence. On s'étendit sur ses sentiments les plus intimes en 1952, en passant sur ceux de 1945. À l'inverse, ses discours publics de 1945 furent analysés en détail, alors que ceux de 1952 étaient laissés de côté. De même que Gottwald attend encore de faire l'objet d'une biographie renouvelée, c'est la construction et le maintien du lien entre le parti communiste et la société qu'il nous a été indispensable de retracer pour comprendre l'année 1956 en Tchécoslovaquie et la façon dont une société démocratique moderne s'accommoda d'un régime foncièrement antidémocratique.

Dans ce travail, nous sommes partie d'une étude détaillée de l'année 1956 au travers des documents d'archives récemment devenus accessibles. Ceux-ci nous ont habilités à établir que, contrairement à des images répandues dans la littérature spécialisée, la passivité de la population avait été un phénomène réel. Un rappel historique des situations ayant prévalu en Pologne et en Hongrie depuis 1953 nous a permis de constater que la Tchécoslovaquie ne connut, contrairement à ces deux autres pays « satellites », ni contestation intellectuelle ni protestations sociales de grande ampleur. En plongeant au cœur du parti communiste et de la société tchécoslovaques, en suivant le parcours du « rapport secret » et les réactions qu'il engendra, nous avons pu constater que l'immobilisme tchèque n'était dû ni à un manque d'information ni à un accroissement des moyens de répression. Nous nous sommes ainsi inscrits en faux contre la thèse qui voit en l'absence de contestation l'absence de *moyens* de contestation. Les divisions au sommet du parti, ce facteur si caractéristique des situations hongroise et polonaise en 1956, ne furent pas la cause du mécontentement social mais leur résultat ou tout au moins leur conséquence logique ; réciproquement, l'absence de divisions au sein du KSČ nous a incitée à nous interroger plus avant sur les relations entre le parti et la société.

Cette démarche nous a poussée à remonter vers la phase du stalinisme (1948-1953) et à la mise en place de la dictature gottwaldienne, en menant une réflexion sur la société tchèque au sein d'un régime de terreur. Nous avons dû pour cela nous tourner vers un deuxième type de sources, les ouvrages historiques, qui constituent un outil pertinent pour aborder l'histoire sociale de cette période. Qu'avons-nous pu constater ? Cette époque est si douloureuse pour la nation tchèque, ce thème est si sensible, que l'écriture de cette histoire a été largement soumise à la volonté de justifier, de disculper, de légitimer la « seule démocratie » de la région et, en fin de compte, d'en motiver le silence face à des pratiques jugées indignes d'elle.

C'est ainsi que nous avons été amenée à contester la thèse d'une répression politique particulièrement sévère en Tchécoslovaquie – fort répandue à partir des travaux de l'historien Karel Kaplan –, ainsi que de son corollaire, l'affirmation selon laquelle cette brutalité s'expliquait par la nécessité d'éradiquer une tradition démocratique bien ancrée au sein du parti comme de la société. Nous avons encore examiné, et critiqué, d'autres thèses fondées sur les mêmes prémisses et qui attribuent au parti communiste tchécoslovaque des caractéristiques particulières, par exemple celle du « retard » (retard lors de sa constitution, de sa bolchevisation, de sa prise du pouvoir, de sa déstalinisation, etc.). En mettant en évidence la dimension contre-productive d'un certain tchéco-centrisme, nous avons souligné le caractère intellectualisé de nombre d'explications historiques, là où une mise en comparaison aurait récusé l'unicité de la situation tchécoslovaque : les partis communistes français, hongrois, polonais, yougoslave, connurent eux aussi bien des difficultés à gérer leurs relations avec l'Internationale communiste avant la guerre, ils virent s'affronter en leur sein des tendances réformistes et orthodoxes, ils furent victimes à des degrés divers de la répression soviétique.

Il apparaît d'autre part que la vision historique des années 1950 en Tchécoslovaquie est encore imprégnée jusqu'à nos jours d'argumentaires inspirés du communisme réformiste de 1968 – un état de fait qui résulte du monopole des archives dont bénéficièrent les historiens officiels dans les années 1960, ainsi que de leur grande légitimité en tant qu'avocats du « socialisme à visage humain ». Enfin, l'étude des travaux de Karel Bartošek et de Karel Kaplan nous a démontré à quel point la réflexion sur le communisme tchèque était encore passionnelle et empreinte des engagements individuels passés. La nécessité de remonter encore dans le temps pour s'intéresser à la phase « triomphale » du KSČ, la période 1945-1948, qui l'avait vu séduire la majorité des intellectuels, voire de la population, n'en est devenue que plus impérieuse.

Ainsi, cette interrogation sur l'année 1956 nous a conduite à une relecture de l'histoire du parti communiste tchécoslovaque depuis 1945 et de son implantation dans la société tchèque.

En amont, le retour sur l'année 1938 et la problématique allemande s'est avéré indispensable pour comprendre comment les communistes se retrouvèrent à même d'instrumentaliser la question nationale. D'une part, ils troquèrent, sur ordre de Staline, leur politique traditionnelle de défense des minorités nationales pour un soutien à l'expulsion des Allemands des Sudètes, soutien immédiatement capitalisé par une propagande habile mettant en avant le rôle protecteur de l'URSS et leur propre contribution au nouveau « départ » de la nation tchèque, non seulement sur le plan ethnique mais aussi dans les domaines économique et social. La bataille contre la « trahison » et l'« ennemi national » se transforma ainsi en lutte contre la « grande bourgeoisie » censée avoir collaboré et contre l'« ennemi de classe ». D'autre part, ce soutien fut négocié contre une certaine compromission des élites démocratiques, qui durent transiger avec eux pour parvenir à leur objectif principal, le départ des Allemands. Le président Beneš, abattu par les accords de Munich et la capitulation peu glorieuse des démocraties occidentales, ouvrit à bien des égards son pays aux Soviétiques et accepta de parrainer un système politique *« chargé de contradictions internes »* (Jacques Rupnik). Il ne fit pas d'objection à ce que l'ensemble des partis politiques s'engagent à ne pas critiquer la politique du gouvernement et à ne pas remettre en cause l'alliance avec l'Union soviétique, laissant ainsi le KSČ libre de se consacrer à la conquête du leadership politique.

En aval, l'étude des indicateurs économiques montre que les communistes, qui avaient hérité d'un appareil industriel puissant, purent continuer, malgré les déboires de la réforme monétaire, à tirer avantage jusqu'en 1956 (mais pas jusqu'en 1968) de la relative satisfaction des besoins socio-économiques de la population. Si les Tchèques et les Slovaques ne se manifestèrent pas en 1956, c'est d'abord et avant tout parce qu'ils avaient été pacifiés par un niveau de vie convenable.

Au centre de l'explication se trouve finalement la remarquable affinité entre le communisme et le nationalisme tchèques. La « spécificité démocratique » tchèque ne consiste pas à avoir imprégné les membres du parti d'une vraie culture démocratique ; elle tient au fait que la démocratie, composante intégrale du nationalisme tchèque, fut assimilée par le parti communiste. Une union exceptionnelle fut forgée entre le parti communiste et sa population après la Seconde Guerre mondiale pour des raisons à la fois culturelles, internationales et économiques : la société tchèque était à la fois progressiste et égalitariste ; elle était antigermanique et prosoviétique ; elle bénéficiait d'un niveau de vie largement supérieur aux autres pays de la région. Elle tirait fierté non pas de sa capacité de résistance à l'envahisseur russe mais de son niveau de développement politique et économique. En absorbant l'autoreprésentation collective en tant que « nation démocratique », le parti communiste en vint à incarner le sentiment nationaliste tchèque.

Force est pourtant de constater l'absence de discussion, tant dans la vie politique du pays en 1945 que dans la littérature spécialisée sur cette période, sur la portée des convictions quant à l'adhésion profonde des Tchèques aux valeurs occidentales. Or, une question-clef aurait été de savoir si cette imprégnation démocratique pouvait immuniser une société contre un régime aux visées totalitaires. Le cas français incite à la prudence. En effet, Annie Kriegel a décrit la contre-culture des militants d'après-guerre, avec un PCF modelé sur la société soviétique[868], dans lequel le « culte de la personnalité » version locale n'avait rien à envier à son modèle oriental[869]. L'auteur relève d'ailleurs de nombreuses similitudes entre le PCF et le KSČ[870], tout comme Jacques Rupnik, qui estime que le PCF était le « *seul vrai jumeau du KSČ* »[871].

De plus, Krzysztof Pomian décrit les conditions nécessaires à l'implantation d'un régime totalitaire : l'absence soit de structures traditionnelles capables d'en limiter l'impact, soit de structures démocratiques[872]. La Tchécoslovaquie de 1945 était dans ce double cas. En expulsant les Allemands des Sudètes, les Tchèques sacrifièrent provisoirement certaines valeurs démocratiques ; or, ces valeurs démocratiques étaient en même temps leurs valeurs « traditionnelles », puisque c'est sur la démocratie qu'ils avaient fondé leur identité nationale. La portée de cet événement constitutif de la République d'après-guerre ne fut pas suffisamment prise en compte par des élites politiques démocratiques ; celles-ci se laissèrent leurrer par l'apparence de défense que constituait justement ce passé démocratique national. Il nous appartient donc aujourd'hui de conclure que la démocratie n'était pas une condition suffisante pour prévenir la formation et le maintien durable de l'un des régimes communistes les plus orthodoxes du bloc soviétique.

NOTES

[1] Voir Muriel Blaive, « Rok 1956 : Proč byli Češi tak hodní? Rozhovor s Petrem Pithartem » (Pourquoi les Tchèques sont-ils restés aussi sages en 1956 ? Entretien avec Petr Pithart), *Listy*, 26, (6), 1996, p. 42.

[2] Archives de l'ambassade de France à Prague, Carton 353, 20-21, TS 5.3.1 ; « Attitude du peuple tchécoslovaque », *Dépêche de Berne*, n° 3201, 21 décembre 1956.

[3] « Děda mráz » en tchèque.

[4] General Records of the Department of State, 1955-1959, Dossier 749.00/10-156, Carton 3300, Rapport de l'ambassade des États-Unis à Prague, 13 décembre 1956. Il convient toutefois de préciser que la retraite dudit Père-la-Gelée n'était que provisoire ; il effectua son retour, dès 1957, et perdura jusqu'au début des années 1970.

[5] Archives du ministère fédéral tchécoslovaque de l'Intérieur XXXII – 16 I (3), 4ᵉ partie, Rapport de Nitra, 29.10.56 : Poznatky ze zájezdu osob zaměstnaných u restaurací a jidelních v kraji Nitra (Remarques à propos du voyage de quelques personnes employées dans les restaurants et cantines de la région de Nitra), p. 24-25. NB : Toutes les archives du ministère fédéral tchécoslovaque de l'Intérieur citées ici, dont la cote débute par « XXXII – 16 », ont été consultées à Budapest, aux archives du ministère hongrois des Affaires étrangères.

[6] Jacques Rupnik, « Un rendez-vous manqué : l'année 1956 vue de Prague », *L'Autre Europe*, (11-12), 1986, p. 12.

[7] Archives du ministère fédéral tchécoslovaque de l'Intérieur XXXII – 16 I (3), 5ᵉ partie, Rapport de Komárno, 5 décembre 1956 : Opis z agentúrnej zprávy o výrokoch príslušníkov PČK (Rapport sur les insultes proférées par les membres de la Croix-Rouge polonaise).

[8] *Id.*

[9] *Cf.* le titre de l'article de Jacques Rupnik, « Un rendez-vous manqué : l'année 1956 vue de Prague », art. cité.

[10] Voir H. Gordon Skilling, *Czechoslovakia's Interrupted Revolution*, Princeton, Princeton University Press, 1976.

[11] Voir Peter Hruby, *Fools and Heroes The Changing Role of Communist Intellectuals in Czechoslovakia*, Oxford, Pergamon Press, 1980.

[12] Voir Jiří Pelikán (dir.), *The Czechoslovak Political Trials, 1950-1954*, Londres, Macdonald, 1971, 360 p.

[13] Voir Edward Taborsky, *Communism in Czechoslovakia 1948-1960*, Princeton, Princeton University Press, 1961.

[14] Muriel Blaive, « Rok 1956... », art. cité, p. 42.

[15] *Id.*, p. 42.

[16] Afin d'étudier le point de vue tchèque, toutes nos références aux discours du XXᵉ Congrès proviennent de leur traduction tchèque dans *Nová mysl*, « XX sjezd komunistické strany Sovětského svazu » (XXᵉ Congrès du PCUS), février 1956, 571 p. Pour le

« rapport secret », qui ne fait pas partie de la compilation publiée en Tchécoslovaquie (ni dans aucun autre pays du bloc soviétique), nous utilisons la traduction française publiée par Amalric Rossi (pseudonyme d'Angelo Tasca, un communiste italien qui avait travaillé au secrétariat du Komintern au tournant des années 1930), *Autopsie du stalinisme*, avec le texte intégral du rapport Khrouchtchev, Paris, Pierre Horay, 1957, p. 59-156. Un autre ouvrage mérite également d'être cité : Branko Lazitch, *Le Rapport Khrouchtchev et son histoire*, Paris, Seuil, 1976, 191 p. Son analyse est excellente et il consacre une large part aux nuances de traduction, un point souvent négligé. Enfin, pour une comparaison de l'original russe des travaux du XXᵉ Congrès et de la traduction tchèque, nous nous servirons de l'ouvrage *XX sjezd Kommunističeskoj partiji Sovětskovo sojuza* Stěnografičeskoj otčot (XXᵉ Congrès du parti communiste de l'Union soviétique, *Compte rendu sténographique*), 14-25 février 1956, 2 tomes, Moscou, Gosudarstvěnoje izdatělstvo političeskoj litěratury, 1956, 610 p et 559 p.

[17] N. S. Chruščev, « Zpráva o činnosti Ústředního výboru Komunistické strany Sovětského svazu XX. sjezdu strany » (Rapport sur l'activité du Comité central du PCUS), *Nová mysl*, février 1956, p. 62.

[18] Voir Hélène Carrère d'Encausse, *La Déstalinisation commence*, Bruxelles, Complexe, 1984, p. 41-42.

[19] N. S. Chruščev, « Zpráva o činnosti ÚV KSSS » (Rapport sur l'activité du CC du PCUS), *op. cit.*, p. 62.

[20] *Id.*, p. 21.

[21] *Id.*, p. 64.

[22] A. I. Mikojan, « Diskusní příspevěk soudruha A. I. Mikojana » (Contribution du camarade Mikoyan), *Nová mysl*, février 1956, p. 158.

[23] *Id.*, p. 64. Voir « Le rapport Khrouchtchev », *in* Amalric Rossi, *Autopsie du stalinisme, op. cit.*, p. 64.

[24] *Id.*, p. 266-269.

[25] *Id.*, p. 68-119.

[26] *Id.*, p. 125.

[27] *Id.*, p. 126.

[28] *Id.*, p. 152-155.

[29] Karel Kaplan, *Dans les archives du Comité central*, Paris, Albin Michel, 1978, p. 65.

[30] Leo Gluchowski, « Krushchev's Second Speech », *Cold War International History Project Bulletin*, (10), mars 1998, p. 44.

[31] Voir « Zasedanije dvadcatoje » (Vingtième session), *in XX sjezd Kommunističeskoj partiji Sovětskovo sojuza* (XXᵉ Congrès du parti communiste de l'Union soviétique), tome 2, p. 402.

[32] Voir Branko Lazitch, *Les Partis communistes d'Europe 1919-1955*, Paris, Les Îles d'or, 1956, p. 92.

[33] Voir Pierre Buhler, *Histoire de la Pologne communiste*, Paris, Karthala, 1997, p. 81.

[34] Voir M. K. Dziewanowski, *The Communist Party of Poland*, Cambridge, Harvard University Press, 1976, p. 124-126, p. 130-131, p. 135-138.

[35] *Id.*, p. 147-150.

[36] Voir Andrzej Paczkowski, « Pologne, la "nation-ennemie" », *in* Stéphane Courtois (dir.), *Le Livre noir du communisme*, Paris, Robert Laffont, 1997, p. 400. Voir aussi Branko Lazitch, *Les Partis communistes d'Europe 1919-1955, op. cit.*, p. 94-95.

[37] Voir M. K. Dziewanowski, « Limits and Problems of Decompression, The Case of Poland », *in* Henry L. Roberts (dir.), *The Satellites in Eastern Europe*, Philadelphie,

AAPSS, 1958, p. 89-90. Bierut aurait usé d'une excuse similaire pour repousser *ad vitam aeternam* la construction d'un monument à la gloire de Staline. Il aurait lancé concours sur concours sans jamais être « satisfait » : *« Non camarades ! Ce n'est pas digne de notre grand Meneur ! Nous devons avoir une statue beaucoup, beaucoup plus impressionnante de Lui ! »*, aurait-il dit (*id.*, p. 90).

[38] Voir Robert Conquest, *Power and Policy in the USSR*, New York, Harper & Row, 1961, p. 274.

[39] Cet épisode de l'histoire polonaise a été largement commenté. Voir par exemple Henri Rollet, *La Pologne au XXe siècle*, Paris, Pedone, 1984, p. 463.

[40] Paul Barton, *Misère et révolte de l'ouvrier polonais*, Paris, Force ouvrière, 1971, p. 24-25.

[41] Voir M. K. Dziewanowski, *The Communist Party of Poland, op. cit.*, p. 278.

[42] Teresa Toranska, « Edward Ochab », *in Oni : Stalin's Polish Puppets*, Londres, Collins, 1987, p. 48 (il existe une traduction en français de ce livre sous le titre *Oni : Des Staliniens polonais s'expliquent*, Paris, Flammarion, 1986).

[43] *Id.*, p. 44.

[44] *Id.*, p. 55.

[45] Si les détails sont exacts, le Politburo en aurait approuvé la traduction et une large diffusion au sein des membres du parti ; les imprimeurs auraient tiré un nombre inconnu d'exemplaires supplémentaires ; l'un d'entre eux serait tombé entre les mains d'un journaliste (polonais), qui l'aurait remis à l'ambassade d'Israël à Varsovie ; les Israéliens l'auraient fait passer à Berlin puis l'auraient traduit en hébreu ; enfin, ils l'auraient transmis aux Américains. Entretien avec Leo Gluchowski, septembre 1998.

[46] Jerrold L. Schecter (dir.), *Khrushchev Remembers*, Boston, Little, Brown and Cie, 1990, p. 44.

[47] Teresa Toranska, « Edward Ochab », *in Oni…, op. cit.*, p. 56.

[48] *Id.*, p. 58.

[49] Jan Nowak-Jeziorański, *Wojna w eterze Wspomnienia*, tome I : *1948-1956* (La guerre des ondes, Souvenirs), Londres, Odnowa, 1986, p. 226-227.

[50] Voir son article « Krushchev's Second Speech », art. cité, p. 44-60.

[51] Amalric Rossi, *Autopsie du stalinisme, op. cit.*, p. 7-8.

[52] *Id.*, p. 8.

[53] *Id.*, p. 9.

[54] Denis de Rougemont, « Les joyeux butors du Kremlin », *in id.*, p. 275.

[55] Voir le compte rendu de Gozdzik des « Journées d'Octobre », *in* Jean-Jacques Marie, Balazs Nagy, *Pologne-Hongrie 1956 ou « Le printemps en Octobre »*, Paris, EDI, 1966, p. 24.

[56] K. S. Karol, *Visa pour la Pologne*, Paris, Gallimard, 1958, p. 161.

[57] Voir François Fejtö, *Histoire des démocraties populaires : Après Staline, 1953-1971*, Paris, Seuil, 1972, p. 78.

[58] Voir Pierre Buhler, *Histoire de la Pologne communiste, op. cit.*, p. 311-313. Voir également M. K. Dziewanowski, *The Communist Party of Poland, op. cit.*, p. 264.

[59] *Id.*, p. 265.

[60] Jeanne Hersch dans la revue *Preuves*, décembre 1956, p. 21-34, citée par Amalric Rossi, *Autopsie du stalinisme, op. cit.*, p. 55.

[61] Voir Teresa Toranska, « Edward Ochab », *in Oni…, op. cit.*, p. 77.

[62] *Id.*, p. 78.

[63] Voir M. K. Dziewanowski, *The Communist Party of Poland, op. cit.*, p. 278.

[64] Voir Pierre Kende, « La vie politique depuis 1945 », Paris, *Encyclopedia Universalis*, Vol. 11, 1990, p. 638.

[65] Voir sa biographie par Flora Lewis, *The Man Who Disappeared*, Londres, Arthur Baker, 1965 (existe en français sous le titre *Pion rouge*). L'auteur était l'épouse de Sydney Gruson, le correspondant à Varsovie du *New York Times* dans les années 1950.

[66] Voir Paul Barton, *Prague à l'heure de Moscou*, Paris, Pierre Horay, 1954, p. 255.

[67] Pendant la guerre, Field avait en effet entretenu des contacts avec les représentants clandestins en Suisse des partis communistes polonais, hongrois, yougoslave, bulgare et surtout allemand. Dans le même temps (jusqu'à l'invasion de la zone libre en 1942), il avait dirigé la section marseillaise de l'*Unitarian Service Committee*, une association d'aide humanitaire américaine, un poste qui lui avait permis d'apporter une aide aux réfugiés, dont nombre de communistes, qui s'étaient installés dans le Sud de la France. Voir Flora Lewis, *The Man Who Disappeared*, op. cit., p. 140.

[68] Voir Jacques Rupnik, *L'Autre Europe*, Paris, Odile Jacob, 1990, p. 158.

[69] Voir George H. Hodos, *Show Trials*, New York, Praeger, 1987, p. 66.

[70] Voir la description de Hodos, qui était l'un d'entre eux, à sa sortie de prison *in id.*, p. 156-157.

[71] *Id.*, p. 161.

[72] Voir Flora Lewis, *The Man Who Disappeared*, op. cit., p. 243-245.

[73] Voir Miklós Molnár, *De Béla Kun à János Kádár*, Paris, Presses de la FNSP, 1987, p. 227.

[74] *Ibid.*

[75] Voir Miklós Molnár, *Victoire d'une défaite*, Paris, Fayard, 1968, p. 77.

[76] Voir Robert Conquest, *Power and Policy in the USSR*, op. cit., p. 221.

[77] Cette réconciliation constitua un tremblement de terre pour les communistes, comme l'atteste la réaction de Dominique Desanti (qui avait été la correspondante de *L'Humanité* au procès Rajk) : « *Le 26 mai 1955, Khrouchtchev et Boulganine atterrissaient à Belgrade. Devant l'avion, devant Tito impassible, l'Ukrainien, prodigue en accolades, grands rires et tapes dans le dos, prononça un discours de onze minutes. La rupture de 1948 ? Mais voyons, c'était la faute à Béria ! Le conflit ? "Des accusations fabriquées de toutes pièces par des ennemis qui s'étaient infiltrés dans le Parti". Normaliser les rapports était un devoir envers "tous les travailleurs du monde". Le gel yougoslave fondit à la chaleur russe ; photos, films et discours montrèrent au monde l'entière réussite du rapprochement. [...] Annie Kriegel m'a raconté (dix-neuf ans plus tard) que la nuit du 26 mai 1955 ni elle ni son mari n'ont dormi... pas plus que nous, et se posant la même question : "Si Tito est un vrai socialiste... alors, les condamnés" ? »* Dominique Desanti, *Les Staliniens*, Verviers, Marabout, 1976, p. 410-412.

[78] György Litván (dir.), *The Hungarian Revolution of 1956*, Londres, Longman, 1996, p. 37-38.

[79] Voir *1956 Kézikönyve*, I : *Kronológia* (Ouvrage de référence sur 1956, I : Chronologie), Budapest, 1956-os intézet, 1996, p. 53.

[80] *Id.* p. 54.

[81] Voir Raymond Aron, « Une révolution anti-totalitaire : Hongrie, 1956 », *Commentaire*, 8, (28-29), février 1985, p. 434.

[82] György Litván (dir.), *The Hungarian Revolution of 1956*, op. cit., p. 39-40.

[83] Voir François Fejtő, *Histoire des démocraties populaires. Après Staline 1953-1971*, op. cit., p. 116.

[84] Voir François Fejtö, *Budapest, l'insurrection*, Bruxelles, Complexe, 1990, p. 35.

[85] Voir Miklós Molnár, *De Béla Kun à János Kádár*, op. cit., p. 234.

[86] *Id.*, p. 239.

[87] Voir Paul E. Zinner, « Czechoslovakia », *in* Béla K. Király, Paul Jónás (dir.), *The Hungarian Revolution of 1956 in Retrospect*, New York, Columbia University Press, 1978, p. 116.

[88] Archives du Politburo du CC du KSČ, Fonds 02/2, volume 88, unité d'archives 106, 24 p., point 14 : Zpráva o některých jednáních delegace ÚV KSČ na XX.sjezdu KSSS (Rapport sur quelques activités de la délégation du CC du KSČ au XXᵉ Congrès), cam. Novotný, 2 mars 1956, p. 18.

[89] *Id.*, p. 18-19.

[90] Archives du Politburo du CC du KSČ, Fonds 02/2, vol. 87, u. a. 105, 18 p., point 12 : Stanovisko politického byra ÚV KSČ k některým otázkám, které vyplynuly z jednání XX. sjezdu KSSS (Point de vue du Politburo sur quelques questions issues du XXᵉ Congrès), cam. Široký, 1ᵉʳ mars 1956, p. 6.

[91] Ils sont présentés dans le *Rudé právo* du 7 mars 1956.

[92] Archives du Politburo du CC du KSČ, Fonds 02/2, vol. 90, u. a. 108, 18 p., point 7 : Zpráva o průhěhu kampáñe po XX.sjezdu KSSS (Rapport sur la campagne d'information après le XXᵉ Congrès), cam. Novotný, 17 mars 1956, p. 5.

[93] *Id.*, p. 9.

[94] *Ibid.*

[95] *Id.*, p. 10.

[96] *Ibid.*

[97] *Ibid.*

[98] *Ibid.*

[99] « Poznámka redakce » (Remarque de la rédaction), *Nová mysl*, février 1956, p. 571.

[100] *XX sjezd Kommunističeskoj partiji Sovětskovo sojuza* (XXᵉ Congrès du parti communiste de l'Union soviétique), *op. cit.*

[101] Voir « Zasedanije dvadcatoje » (Vingtième session*), in XX sjezd II* (XXᵉ Congrès, volume II), *op. cit.*, p. 402.

[102] Voir « Postanovlěnije XX sjezda Kommunističeskoj partij Sovětskovo sojuza po dokladu tovarišča N.S. Chruččova "O kultě ličnosti i ěvo poslědstvijach" » (Directive du XXᵉ Congrès du PCUS après le rapport du cam. N. S. Khrouchtchev), *XX sjezd II* (XXᵉ Congrès, volume II), *op. cit.*, p. 498.

[103] Voir « La crise du parti communiste en Tchécoslovaquie », *Hlas exilu*, 5, (8), août 1956, p. 1.

[104] Donc avant sa publication par le Département d'État le 4 juin 1956 et sa reprise immédiate dans les journaux occidentaux. Zdeněk Suda, *Zealots and Rebels A History of the Communist Party of Czechoslovakia*, Stanford, The Hoover Institution Press, 1980, p. 269. Le rapport figure bien dans la collection de tracts du ministère de l'Intérieur tchécoslovaque (recueillis par ballon) mais sans date. Voir Archives du ministère de l'Intérieur, III/24-4 – 323-23-5 – Výskyt zahraničních letáků a propagační materiál Svobodné Evropy – Rok 1954-1956 (Collection de tracts étrangers et de matériel de propagande de *Radio Free Europe*, 1954-1956).

[105] *Radio Free Europe* – Research Institute (Munich) – Information Ressources Department – East European Archives : Records of the Czechoslovak Unit, Subject Files 1951-1961, Film 83, Czechoslovakia – 1209 – Jamming Stations (1951-1961).

[106] Exemple de quelques titres : « Mener le travail dans les districts dans l'esprit de Lénine » (*Rudé právo*, 17 mars) ; « Pourquoi le culte de la personnalité est-il étranger à l'esprit du marxisme-léninisme ? » (*Rudé právo*, 29 mars) ; « Le vent du XXᵉ Congrès souffle dans chaque coin de notre pays » (*Mladá fronta*, 4 avril) ; ou encore « Le contrôle par le peuple : la voie pour dépasser le bureaucratisme » (*Rudé právo*, 18 avril).

[107] Antonín Novotný, « XX. sjezd a závěry vyplívající pro práci naši strany » (Le XXᵉ Congrès et les conséquences qui en découlent pour le travail de notre parti), Archives du CC du KSČ, Fonds 01, vol. 44, u. a. 49, 2. Referát : p. 1-25.

[108] *Id.*, p. 18.

[109] *Ibid.*

[110] *Id.*, p. 19.

[111] *Ibid.*

[112] *Rudé právo* publia une version expurgée de l'intervention de Novotný, qui en reprenait les points essentiels mais d'où avait été gommée toute référence au « rapport secret ». Voir sur ce point précis : « Le XXe Congrès du PCUS et les conséquences qui en découlent pour le travail de notre parti », *Rudé právo*, 10 avril 1956, p. 3.

[113] Antonín Novotný, « XX. sjezd a závěry vyplívající pro práci naši strany » (Le XXe Congrès et les conséquences qui en découlent pour le travail de notre parti), Archives du CC du KSČ, Fonds 01, vol. 44, u. a. 49, 2. Referát : p. 19.

[114] *Id.*, p. 20.

[115] *Id.*, p. 22-23.

[116] *Id.*, p. 23.

[117] *Ibid.*

[118] *Ibid.*

[119] *Ibid.*

[120] Le « camarade » Doležal, par exemple, s'exclama : « ... *Lorsque j'ai entendu ici le rapport du camarade Novotný, qui nous a lu le rapport de Khrouchtchev et qui nous a parlé du culte de la personnalité en relation avec la personne de Staline, eh bien, camarades, je ne me sentais pas à mon aise* ». Voir Archives du CC du KSČ, Fonds 01, vol. 44, u. a. 49, 4. Diskuse, cam. Doležal, p 61-72, p. 61.

[121] *Cf.* entretiens avec Monsieur B., 1996 et Václav Slavík, 1997. Tous deux étaient alors des hauts fonctionnaires du régime assez jeunes (entre trente et quarante ans), qui assistèrent à cette réunion. Toutefois, Monsieur B. ne figure pas sur la liste des présents : ment-il ou se trompe-t-il en affirmant y avoir participé ? Ou bien encore, la liste est-elle incomplète ?

[122] Entretien avec Monsieur B., 1996.

[123] Archives du Politburo du CC du KSČ, Fonds 02/2, vol. 108, u. a. 126, 65 p., point 1 : Hodnocení druhé celostátní konference KSČ (Évaluation de la deuxième Conférence nationale du KSČ), cam. Novotný, 30 juin 1956, p. 15.

[124] Archives du CC du KSČ, Fonds 01, vol. 44, u. a. 49, 5. Závěr (Conclusion), cam. Novotný, 9 p, p. 3.

[125] Voir Heinrich Kuhn, *Biographisches Handbuch der Tschekoslowakei* 1. *Lieferung*, Munich, Robert Lerche, 1969.

[126] Voir Jiří Pelikán, *S'ils me tuent...*, Paris, Grasset, 1975, p. 110-111.

[127] Archives du CC du KSČ, Zasedání ÚV KSČ, Fonds 01, vol. 46, u. a. 50, 38 p., 1. Úvodní slovo (Introduction), cam. Novotný, 19-20 avril 1956, p. 14-17.

[128] *Id.*, Fonds 02/2, vol.100, u. a. 116, 68 p., point 1 : Závěry z projednávání usnesení ÚV KSČ (Conclusions sur la mise en œuvre de la directive du CC), cam. Novotný, 2 mai 1956, p. 57.

[129] *Id.*, Fonds 02/2, vol. 102, u. a. 118, 9 p., point 20 : Zhodnocení průběhu projednávání resoluce březnového ÚV KSČ (Résultats de l'application de la résolution du CC du mois de mars), cam. Novotný, 11 mai 1956, p. 3.

[130] *Id.*, Zasedání ÚV KSČ, Fonds 01, vol. 46, u. a. 50, l.1 004, 19-20 avril 1956, Diskuse (1-607), cam. Josef Korčák, p. 1.

[131] *Id.*, Diskuse (1-607), cam. Zdeněk Fierlinger, p. 95.

[132] *Id.*, cam. Vasil Biľak, p. 336.

[133] Archives du Politburo du CC du KSČ, Fonds 02/2, vol. 100, u. a. 117, 4 p., point 6 : Zrušení vysílání hymny Sovětského svazu po ukončení vysílání programů Čs. rozhlasu (Annulation de la diffusion de l'hymne soviétique à l'issue des programmes de la radio tchécoslovaque), cam. Hendrych, 7 mai 1956.

[134] Jacques Rupnik, « Un rendez-vous manqué : l'année 1956 vue de Prague », art. cité, p. 14.

[135] *Ibid.*

[136] Voir Paul Barton, *Prague à l'heure de Moscou, op. cit.*, p. 222-223.

[137] Archives du Politburo du CC du KSČ, Fonds 02/2, vol. 106, a.j.124, 46 p., point 13 : Další postup proti nelegálnímu vysílání balonů do československého prostoru (Mesure supplémentaire contre l'envoi illégal de ballons sur le territoire tchécoslovaque), cam. David, 14 juin 1956.

[138] Voir par exemple les articles des 22 et 25 janvier 1956 de *Rudé právo* en première page.

[139] Voir Jiří Pernes, « Ohlas maďarské revoluce roku 1956 v československé veřejnosti Z interních hlášení krajských zpráv ministerstva vnitra » (Échos de la révolution hongroise de 1956 au sein du public tchécoslovaque à partir des rapports régionaux internes du ministère de l'Intérieur), *Soudobé dějiny*, 3, (4), 1996, p. 516.

[140] Archives du ministère fédéral tchécoslovaque de l'Intérieur XXXII – 16 II (3), I : p. 64.

[141] *Id.*, p. 19.

[142] *Id.*, p. 133.

[143] *Id.*, p. 269.

[144] *Id.*, p. 287.

[145] Voir ces références non exhaustives à l'audition de ces radios : Archives du ministère fédéral tchécoslovaque de l'Intérieur XXXII – 16 II (3), I. : p. 10, p. 19, p. 47 (deux fois) ; 16 IV (5), I. : p. 2, p. 4, p. 13, p. 43, p. 64, p. 101, p. 105, p. 131, p. 133, p. 182, p. 184, p. 244, p. 251, p. 269, p. 287, p. 287, etc. Les rapports de l'ambassade américaine à Prague font également référence à la possibilité d'écouter les radios occidentales : voir par exemple « Compte rendu de la conversation entre Mme Briggs et Mme Beneš, la veuve de l'ancien président Beneš », National Security Archives : LM85, film 1, Declassified E/O/11652, 25 février 1950 : p. 1 ; Rapport de Francfort n° 336, 14 octobre 1954, « Réception des émissions de radio en Tchécoslovaquie », General Records of the Department of State 1955-59 : 3298, 749.00/1-755 ; Rapport de Francfort n° 390, 8 mars 1955, « La réaction tchécoslovaque aux tracts de l'"opération Véto" », General Records of the Department of State 1955-59 : 3299, 749.00/3-255 ; Rapport de Vienne n° 1080, 18 juin 1956, « Entretien avec un visiteur récent en Slovaquie », General Records of the Department of State 1955-59, 3300, 749.00/4-1056 : p. 4 ; Rapport de Prague, 22 octobre 1956, General Records of the Department of State 1955-59, 3300, 749.00/10-156.

[146] Soit à l'Ouest de la ligne Vimperk-Blatná-Beroun-Kladno-Ústí nad Labem. Archives du Politburo du CC du KSČ, Fonds 02/2, vol. 90, u. a. 108, 6 p., point 12 : Zpráva o obraně proti činnosti nepřátelských vysílacích stanic (Rapport sur la défense contre l'action des émetteurs ennemis), cam. Barák, 2 mars 1956, p. 4-5.

[147] Voir le rapport de Rudolf Barák, ministre de l'Intérieur, présenté le 2 mars 1956 devant le Politburo sur la nécessité absolue de brouiller les radios émettant en tchèque et slovaque, *id.*, p. 4-5. Voir également la longue négociation entre la Pologne et la Tchécoslovaquie au sujet de l'aide mutuelle à s'apporter pour parvenir à brouiller *Radio Free Europe* (les Polonais se retirant peu à peu du traité signé en mars 1955 à Varsovie, et finissant par le dénoncer entièrement le 29 novembre) : voir Archives du Politburo du CC du KSČ, Fonds 02/2, vol. 123, u. a. 156, 4 p., point 18 : Zpráva o spolupráci v obraně proti nepřátelskému vysílání mezi PLR a ČSR (Rapport sur la coopération entre la Pologne et la Tchécoslovaquie dans la défense contre les émissions ennemies), cam. Barák, 26 novembre 1956, p. 2 et Archives du Politburo du CC du KSČ, Fonds 02/2, vol. 124, u. a. 159, 12 p., point 4 : Spolupráce proti

nepřátelskému vysílání s Polskem (Coopération avec la Pologne contre les émissions ennemies), cam. Barák, 7 décembre 1956, p. 5-6.

[148] Viliam Široký, « Leninskou linií za nový rozkvět a za nové vítězství ! » (Avec la ligne léniniste pour un nouvel essor et une nouvelle victoire !), *Rudé právo*, 12 mai 1956.

[149] Archives du Politburo du CC du KSČ, Fonds 02/2, vol. 100, u. a. 116, 68 p., point 1 : Závěry z projednávání usnesení ÚV KSČ (Conclusions sur la mise en œuvre de la directive du CC), cam. Novotný, 2 mai 1956, p. 59.

[150] *Ibid.*

[151] *Id.*, p. 61.

[152] Archives du Politburo du CC du KSČ, Fonds 02/2, vol. 102, u. a. 118, 9 p., point 20 : Zhodnocení průběhu projednávání resoluce březnového ÚV KSČ (Résultats de l'application de la résolution du CC du mois de mars), cam. Novotný, 11 mai 1956, p. 4.

[153] *Ibid.*

[154] Voir Antonín Novotný, « Současná situace a úkoly strany Referát prvního tajemníka ÚV KSČ soudruha Antonína Novotného » (La situation actuelle et les tâches de notre parti. Exposé du Premier secrétaire du CC du KSČ, le camarade Antonín Novotný), *Nová mysl*, Celostátní konference Komunistické strany Československa, juin 1956, p. 25.

[155] *Id.*, p. 4.

[156] *Id.*, p. 6-8.

[157] Jiří Pelikán, *S'ils me tuent...*, *op. cit.*, p. 112.

[158] Voir le chapitre consacré à la tension croissante entre les intellectuels et le régime dans H. Gordon Skilling, *Czechoslovakia's Interrupted Revolution*, *op. cit.*, p. 62-72.

[159] Seifert reçut même le prix Nobel de littérature en 1984.

[160] La contribution de František Hrubín est rapportée dans le numéro de *Literární noviny* du 28 avril 1956, p. 10.

[161] La contribution de Jaroslav Seifert est rapportée dans le numéro de *Literární noviny* du 29 avril 1956, p. 9-10.

[162] L'intervention de Fierlinger est rapportée par le *Literární noviny* du 29 avril 1956, p. 7.

[163] Archives du Politburo du CC du KSČ, Fonds 02/2, vol. 103, u. a. 119, 17 p., point 23 : Zpráva a závěry z II.sjezdu čs. spisovatelů (Rapport et conclusions sur le IIe Congrès des écrivains tchécoslovaques), cam. Hendrych, 18 mai 1956, p. 8.

[164] *Id.*, p. 8.

[165] *Id.*, p. 12.

[166] *Id.*, p. 13.

[167] Tad Szulc, *Czechoslovakia Since World War II*, New York, The Viking Press, 1971, p. 156.

[168] Voir John Matthews, « Majáles : The Abortive Student Revolt in Czechoslovakia in 1956 », *Working Paper* n° 24 of the Woodrow Wilson Center (Cold War International History Project), septembre 1998, p. 10. John Matthews se fonde sur les entretiens qu'il a réalisés aux États-Unis avec Ladislav Němec. Très gentiment, il nous a permis de rencontrer Michal Heyrovský, Jiří Skopec et Jiří Pešek. Son article est certainement, jusqu'à aujourd'hui, la tentative la mieux documentée de rendre compte de l'agitation étudiante en Tchécoslovaquie en 1956.

[169] *Ibid.*

[170] L'ensemble des sept anciens étudiants de 1956 que nous avons interrogés ont témoigné qu'ils écoutaient souvent la radio étrangère, par exemple *Radio-Vienne* qui était très peu brouillée, et qu'ils avaient pris connaissance de l'existence et du contenu

du « rapport secret ». Entretiens avec Michal Heyrovský, Jiří Skopec, Jiří Pešek, Jan Jíra, Radek Smetana, Lubomír Blažek et Ivan Kamenec, 1995 et 1996.

[171] Michal Heyrovský, entretien filmé, 1996. Une version raccourcie en est présentée dans le film documentaire *1956 : Le rendez-vous manqué de l'histoire* (Cefres/ČT 2, 1996). Voir Muriel Blaive, Scénario du film : *1956 : Le rendez-vous manqué de l'histoire ou Le retour du Père Noël en Tchécoslovaquie*, Prague, Cefres, 1997, p. 12.

[172] Ivan Kamenec, entretien, 1995.

[173] Jiří Pešek, entretien, 1995. Voir également son intervention dans le film *1956 : Le rendez-vous manqué de l'histoire*, *op. cit.*, p. 12.

[174] Voir John Matthews, « Majáles : The Abortive Student Revolt in Czechoslovakia in 1956 », art. cité, p. 22. Un compte rendu en est également fait dans le *News from behind the Iron Curtain* de juillet 1956.

[175] Voir le film *1956 : Le rendez-vous manqué de l'histoire*.

[176] Voir par exemple « Youth in Ferment », *News from behind the Iron Curtain*, 5, (4), novembre 1956, p. 20.

[177] Archives du ministère de l'Intérieur, III/24-4, 323-23-5 : Výskyt zahraničních letáků a propagační materiál Svobodné Evropy, Rok 1954-1956. (Collection de tracts étrangers et de matériel de propagande de *Radio Free Europe*, 1954-1956).

[178] Voir John Matthews, « Majáles : The Abortive Student Revolt in Czechoslovakia in 1956 », art. cité, p. 1.

[179] *Ibid.*

[180] *Id.*, p. 18. Il est vrai que John Matthews a aussi interviewé des étudiants slovaques nettement plus enthousiastes et qui auraient même remporté un certain succès en réussissant à faire imprimer la *Résolution* par le quotidien de l'Union slovaque de la Jeunesse, *Smena*, le 17 mai 1956.

[181] *Id.*, p. 20.

[182] Voir son témoignage dans le film *1956 : Le rendez-vous manqué de l'histoire*, *op. cit.*, p. 13.

[183] Jiří Skopec, entretien, 1996.

[184] Jiří Pešek, entretien, 1996.

[185] General Records of the Department of State, 1955-59, Box 3300, 749.00/6-656, Rapport n° 425 de Prague, « Student Unrest », p. 1-2.

[186] Archives du Politburo du CC du KSČ, Fonds 02/2, vol. 102, u. a. 118, 3 p., point 30 : Informace k organisování studentského Majálesu (Informations concernant l'organisation des Majáles étudiantes), cam. Barák, 14 mai 1956. Voir également Archives du ministère de l'Intérieur, TRMV – 45/1956, 987, A 6/3, Tajný rozkaz ministra vnitra č. 45, Praha dne 17. května 1956 : « Studenstské slavnosti Majáles – opatření » (Ordre secret du ministre de l'Intérieur n° 45, Prague, 17 mai 1956 : Fêtes étudiantes des Majáles – mesures).

[187] Archives du ministère de l'Intérieur, RMV – 12/1956, 266, A 6/4, Tajný rozkaz ministra vnitra č. 12, Praha dne 30. května 1956 : « Květnové oslavy v roce 1956 – dík ministra vnitra přislušníkům, kteří se zučastnili na zajištění bezpečnosti » (Ordre secret du ministre de l'Intérieur n° 12, Prague, 30 mai 1956 : Célébrations de mai en 1956 – remerciements du ministre de l'Intérieur aux unités ayant participé au maintien de l'ordre). Il est vrai que la méfiance des organes de Sécurité était palpable. On peut, par exemple, citer un « Ordre secret du ministère de l'Intérieur » daté du 11 juin 1956, qui s'inquiétait de la circulation de la *Résolution*. Voir Archives du ministère de l'Intérieur, TRMV – 51/1956, 993, A 6/3, Tajný rozkaz ministra vnitra, č. 51 (Ordre secret n° 51), 11 mai 1956, p. 1.

[188] Voir John Matthews, « Majáles : The Abortive Student Revolt in Czechoslovakia in 1956 », art. cité, p. 31.

[189] Michal Heyrovský, entretien, 1996.

[190] Voir John Matthews, « Majáles : The Abortive Student Revolt in Czechoslovakia in 1956 », art. cité, p. 32.

[191] Lubomír Blažek, entretien, 1998.

[192] « Češi jsou známí jako knedlíkový národ ». Voir son témoignage dans le film *1956 : Le rendez-vous manqué de l'histoire, op. cit.*, p. 13. Il convient sans doute de préciser que la version tchèque de la quenelle, le « knedlík », constitue le plat national.

[193] Antonín Novotný, « Současná situace a úkoly strany Referát prvního tajemníka ÚV KSČ soudruha Antonína Novotného » (La situation actuelle et les tâches de notre parti. Exposé du Premier secrétaire du CC du KSČ, le camarade Antonín Novotný), *Nová mysl*, Celostátní konference Komunistické strany Československa, juin 1956, p. 18.

[194] *Id.*, p. 25.

[195] *Id.*, p. 20.

[196] Le 28 octobre marquait l'anniversaire de l'indépendance nationale obtenue en 1918 et avait été fête nationale sous la Première République. À leur arrivée au pouvoir en 1948, les communistes en interdirent la célébration et la rebaptisèrent « Jour des nationalisations ».

[197] Archives du Politburo du CC du KSČ, Fonds 02/2, vol. 120, u. a. 149, 4 p., point 12 : Zatčení skupiny osob, které připravovaly protistátní demonstraci na 28.října 1956 (Arrestation d'un groupe de personnes qui préparaient des manifestations anti-État pour le 28 octobre 1956), cam. Barák, 2 octobre 1956, p. 2.

[198] Archives du Politburo du CC du KSČ, Fonds 02/2, vol. 126, u. a. 162, 7 p., point 15/a : Zatčení několika skupin studentů, kteří se dopustili trestné činnosti (Arrestation de quelques groupes d'étudiants ayant commis une activité criminelle), cam. Barák, 28 décembre 1956.

[199] *Id.*, p. 2-3.

[200] *Id.*, p. 3.

[201] *Id.*, p. 4.

[202] *Id.*, p. 4-5.

[203] *Id.*, p. 5.

[204] *Id.*, p. 6.

[205] *Ibid.*

[206] *Id.*, p. 7. Le cas de ce groupe est détaillé dans un autre rapport : Archives du Politburo du CC du KSČ, Fonds 02/2, vol. 122, u. a. 155, 3 p., point 15 : Odhalení nepřátelské skupiny studentů (Mise à jour d'un groupe ennemi d'étudiants), cam. Barák, 15 novembre 1956.

[207] Entretien avec Hermann Field, 1998.

[208] Voir Jiří Pelikán (dir.), *The Czechoslovak Political Trials, 1950-1954, op. cit.*, p. 148.

[209] *Id.*, p. 122.

[210] *Id.*, p. 125-126.

[211] *Id.*, p. 153.

[212] *Id.*, p. 151.

[213] *Id.*, p. 157-167.

[214] Voir Anna Tuckova, « Interview With Investigator XY », *in* Andrew Oxley, Alex Pravda, Andrew Ritchie (dir.), *Czechoslovakia. The Party and the People*, Londres, Penguin Press, 1973, p. 69.

[215] Voir Karel Kaplan, *Mocní a bezmocní* (Les puissants et les sans-pouvoir), *op. cit.*, p. 446.

[216] *Id.*, p. 228.

[217] Voir Archives du Politburo du CC du KSČ, Fonds 02/2, vol. 100, u. a. 117, 19 p., point 36 : Záležitost M. Orena (L'affaire M. Oren), cam. Novotný, 7 mai 1956.

Mordekhai Oren décrit son « expérience tchécoslovaque » dans son livre *Prisonnier politique à Prague (1951-1956)*, Paris, Julliard, 1960.

[218] Voir Jiří Pelikán (dir.), *The Czechoslovak Political Trials, 1950-1954*, op. cit., p. 201.

[219] Cité par Edward Taborsky, *Communism in Czechoslovakia 1948-1960*, op. cit., p. 120.

[220] « Příjezd sovětské vládní delegace do Bělehradu » (« Arrivée de la délégation du gouvernement soviétique à Belgrade »), *Rudé právo*, 27 mai 1956, p. 3.

[221] Voir Antonín Zápotocký, « Novoroční projev » (Discours du Nouvel An), *Rudé právo*, 2 janvier 1956, p. 1.

[222] Voir Jacques Rupnik, *L'Autre Europe*, op. cit., p. 159.

[223] Voir *Rudé právo*, 5 mai 1956.

[224] Archives du Politburo du CC du KSČ, Fonds 02/2, vol. 109, u. a. 127, 25 p., point 21 : Výsledky návštěvy delegace Národního schromáždění ČSR v Jugoslavii ve dnech 5-23. května 1956 (Résultats de la visite de la délégation de l'Assemblée nationale tchécoslovaque en Yougoslavie du 5 au 23 mai 1956), cam. Fierlinger, 12 juillet 1956, p. 4.

[225] Archives du Politburo du CC du KSČ, Fonds 02/2, vol. 122, u. a. 153, 6 p., point 24 : Informační zpráva s.Rohana, zpravodaje ČTK, z Jugoslavie (Rapport de Yougoslavie du cam. Rohan, correspondant de l'agence ČTK), cam. Hendrych, 16 novembre 1956, p. 2.

[226] *Ibid.*

[227] Archives du Politburo du CC du KSČ, Fonds 02/2, vol. 82, u. a. 100, 5 p., point 26 : Rozšíření delegace ÚV KSČ na XX.sjezd KSSS (Élargissement de la délégation du CC du KSČ au XXᵉ Congrès du PCUS), 30 janvier 1956.

[228] Voir Archives du Politburo du CC du KSČ, Fonds 02/2, vol. 102, u. a. 118, 9 p., point 16 : Resoluce ÚV Bulharské komunistické strany o výsledcích XX. sjezdu KSSS (Résolution du CC du parti communiste bulgare sur les résultats du XXᵉ Congrès du PCUS), cam. Novotný, 11 mai 1956.

[229] Pour reprendre les termes des diplomates américains, l'esprit de la Conférence nationale du parti en juin 1956, par exemple, fut symbolisé par ces « *petits hommes de la vieille garde qui manifestent une peur abjecte face aux premiers signes de liberté d'expression et de l'existence continue d'éléments libéraux au sein de la population, et qui ne cherchent qu'à se faire couvrir par la ligne du parti. Leur retraite est symbolisée par le pèlerinage collectif des participants à la fin de la conférence au Mausolée de Gottwald sur la colline de Vitkov, où ils rendirent hommage à sa mémoire.* » Télégramme n° 576 de Prague, 17 juin 1956, General Records of the Department of State, 1955-1959, Box 3300, File 749.00/4-1056.

[230] Voir Jiří Pelikán (dir.), *The Czechoslovak Political Trials, 1950-1954*, op. cit., p. 161 et 164.

[231] Archives du Politburo du CC du KSČ, Fonds 02/2, vol. 82, u. a. 100, 78 p., point 3 : Zpráva o výsledcích přezkoumání některých soudních případů, souvisejících se zločinnou činnosti Slánského a jeho společníků. Referát s. Novotného na zasedání ÚV KSČ (Rapport sur l'évaluation de quelques cas judiciaires en relation avec l'activité criminelle de Slánský et de ses comparses. Exposé du cam. Novotný lors de la réunion du CC du KSČ), cam. Novotný, 28 janvier 1956, p. 33-34.

[232] Voir Karel Kaplan, *Mocní a bezmocní* (Les puissants et les sans-pouvoir), op. cit., p. 34-35. Kaplan se fonde sur des entretiens réalisés avec le médecin personnel et d'autres proches de Gottwald.

[233] Archives du Politburo du CC du KSČ, Fonds 02/2, vol. 82, u. a. 100, 78 p., point 3 : Zpráva o výsledcích přezkoumání některých soudních případů... (Rapport sur l'évaluation de quelques cas judiciaires...), cam. Novotný, 28 janvier 1956, p. 48.

[234] *Id.*, p. 41.

[235] Voir Archives du CC du KSČ, Fonds 01, vol. 44, u. a. 49, 29-30 mars 1956, 4. Diskuse, 511 p., cam. Barák, p. 246.

[236] Archives du Politburo du CC du KSČ, Fonds 02/2, vol. 82, u. a. 100, 78 p., point 3 : Zpráva o výsledcích přezkoumání některých soudních případů... (Rapport sur l'évaluation de quelques cas judiciaires...), cam. Novotný, 28 janvier 1956, p. 75.

[237] Voir Archives du Politburo du CC du KSČ, Fonds 02/2, vol. 92, u. a. 110, 4 p., point 31 : Vytvoření komise pro prověření soudního procesu Slánský a spol. (Création d'une commission pour la vérification du procès Slánský et cie), cam. Novotný, 4 mai 1956.

[238] Voir Jiří Pelikán (dir.), *The Czechoslovak Political Trials, 1950-1954, op. cit.,* p. 172.

[239] Voir Archives du Politburo du CC du KSČ, Fonds 02/2, vol. 105, u. a. 122, 9 p., point 2 : Zpráva komise pověřené prověřením případu Slánský a spol. (Rapport de la commission chargée de réévaluer le procès Slánský), cam. Barák, 6 juin 1956.

[240] *Id.*, p. 7.

[241] Archives du Politburo du CC du KSČ, Fonds 02/2, vol. 105, u. a. 123, 9 p., point 2 : Část referátu s.Novotného, projednavájící o nepřátelské činnosti Slánského (Partie de l'intervention du cam. Novotný exposant l'activité criminelle de Slánský), cam. Novotný, cam. Barák, 8 juin 1956, p. 6.

[242] Voir Ivo Ducháček, « Czechoslovakia », *in* Stephen D. Kertész (dir.), *East-Central Europe and the World : Developments in the Post-Stalin Era*, Notre-Dame, University of Notre-Dame Press, 1962, p. 97.

[243] Jiří Pelikán (dir.), *The Czechoslovak Political Trials, 1950-1954, op. cit.,* p. 107.

[244] Voir Karel Kaplan, *Mocní a bezmocní* (Les puissants et les sans-pouvoir), *op. cit.*, p. 31.

[245] Pierre Daix, *Prague au cœur*, Paris, Julliard, 1968, p. 175-176.

[246] Voir, pour une notice biographique de Ďuriš, Heinrich Kuhn, *Biographisches Handbuch der Tschekoslowakei 2. Lieferung*, Munich, Robert Lerche, 1969.

[247] Archives du CC du KSČ, Zasedání ÚV KSČ, Fonds 01, vol. 44, u. a. 49, 511 p., 4. Diskuse (1-252), cam. Július Ďuriš, p. 187.

[248] *Id.*, p. 190.

[249] Archives du CC du KSČ, Zasedání ÚV KSČ, Fonds 01, vol. 44, u. a. 49, 511 p., 4. Diskuse (1-252), cam. Kopecký, p. 97.

[250] *Id.*, p. 105.

[251] *Id.*, p. 105-106.

[252] *Id.*, p. 109.

[253] Voir Heinrich Kuhn, *Biographisches Handbuch der Tschekoslowakei 2, op. cit.* Voir également l'article « Caution in Prague. Reactions to the Khrushchev Report », *The World Today*, 12, (8), août 1956, p. 342.

[254] Archives du Politburo du CC du KSČ, Fonds 02/2, vol. 108, u. a. 126, 65 p., point 1 : Hodnocení druhé celostátní konference KSČ (Évaluation de la deuxième Conférence nationale du KSČ), cam. Novotný, 30 juin 1956, p. 53.

[255] Archives du Politburo du CC du KSČ, Fonds 02/2, vol. 102, u. a. 118, 7 p., point 23 : Vyjádření s. Čepičky k situaci okolo Slánského (Déclaration du cam. Čepička sur la situation de Slánský), cam. Novotný, 11 mai 1956, p. 2.

[256] *Id.*, p. 3.

[257] *Id.*, p. 4.

[258] *Id.*, p. 5.

[259] *Id.*, p. 5-6.

[260] *Id.*, p. 6.

[261] Voir Archives de l'ambassade de France, Carton 347 (Parti communiste : ligne générale, discours, programme, idéologie 1954-1960), dossier 1 (TS 1-1).

[262] Voir Heinrich Kuhn, *Biographisches Handbuch der Tschekoslowakei* 2, *op. cit.*

[263] Archives du Politburo du CC du KSČ, Fonds 02/2, vol. 108, u. a. 126, 65 p., point 1 : Hodnocení druhé celostátní konference KSČ (Évaluation de la deuxième Conférence nationale du KSČ), cam. Novotný, 30 juin 1956, p. 30.

[264] Malgré la colère de Novotný, il n'est rien arrivé à Ďuriš en 1956. Celui-ci a tout de même fini par être déchargé de ses fonctions pour « critique anti-parti », le 20 septembre 1963.

[265] Archives du Politburo du CC du KSČ, Fonds 02/2, vol. 107, u. a. 125, 42 p., point 22 : Dopis B. Doubka (Lettre de B. Doubek), cam. Novotný, 29 juin 1956, p. 1.

[266] *Id.*, p. 8 -9.

[267] *Id.*, p. 10.

[268] *Id.*, p. 11-12.

[269] *Id.*, p. 16.

[270] *Id.*, p. 18.

[271] Voir Heinrich Kuhn, *Biographisches Handbuch der Tschekoslowakei* 2, *op. cit.*

[272] Archives du CC KSČ, Zasedání ÚV KSČ, Fonds 01, vol. 46, u. a. 50, 1 004 p., 19-20 avril 1956, Diskuse (1-607), cam. Bacílek, l.139-160, p. 141.

[273] *Id.*, p. 143.

[274] *Id.*, p. 139.

[275] *Id.*, p. 143.

[276] Paul Barton, *Prague à l'heure de Moscou, op. cit.*, p. 107.

[277] Hugh Seton-Watson, « Differences in the Communist Parties », *in* Henry L. Roberts (dir.), *The Satellites in Eastern Europe*, Philadelphia, AAPSS, 1958, p. 3.

[278] Karel Kaplan, *Mocní a bezmocní* (Les puissants et les sans-pouvoir), *op. cit.*, p. 41.

[279] Les chiffres avancés par Seton-Watson concernant la Hongrie sont en effet tout aussi inquiétants que ceux de la Tchécoslovaquie (voir Hugh Seton-Watson, « Differences in the Communist Parties », art. cité, p. 3), tandis que la Pologne est un cas à part, dans la mesure où les purges y débutèrent plus tôt, entre septembre et décembre 1948 (voir M. K. Dziewanowski, *The Communist Party of Poland, op. cit.*, p. 209), une circonstance qui n'est pas prise en compte par Seton-Watson.

[280] Raymond Aron, « Une révolution anti-totalitaire : Hongrie, 1956 », *Commentaire*, 8, (28-29), février 1985, p. 432.

[281] Voir le chapitre de Krzysztof Pomian « Le Parti, l'appareil et la base » *in Pologne : défi à l'impossible ?*, Paris, les Éditions ouvrières, 1982, p. 45-60.

[282] L'expression est de Nicolas Werth, « L'historiographie de l'URSS dans la période post-communiste », *Revue d'études comparatives Est-Ouest*, 30, (1), 1999, p. 81.

[283] Voir Krzysztof Pomian, *Sur l'histoire*, Paris, Folio, 1999, p. 376.

[284] Les historiens dits « officiels », qui continuèrent à publier dans la Tchécoslovaquie normalisée, n'entrent pas dans cette étude : la profession historique (comme l'ensemble des sciences sociales) fut à tel point sinistrée par le durcissement du régime post-1968, le contexte politique était tellement morose, que la production académique sur la phase 1948-1956, par ailleurs minimale en volume, ne présente que bien peu d'intérêt. En revanche sont pris en compte tant les travaux des historiens communistes des années 1967-1969 que ceux des dissidents entre 1968 et 1989, des communistes réformateurs exilés dans les années 1960-1970 qui publièrent à partir de l'Occident et des historiens tchèques et slovaques à partir de 1989.

[285] Nicolas Werth, « L'historiographie de l'URSS dans la période post-communiste », art. cité, p. 81.

[286] Cité par Marie-Élizabeth Ducreux, « Entre catholicisme et protestantisme : l'identité tchèque », *Le Débat*, 59, mars-avril 1990, p. 113.

[287] Barbara Wolfe Jancar, *Czechoslovakia and the Absolute Monopoly of Power*, New York, Praeger, 1971, p. 50.

[288] Edward Taborsky, *Communism in Czechoslovakia 1948-1960*, *op. cit.*, p. 7.

[289] *Ibid.*

[290] Ota Hromádko, *Jak se kalila voda* (L'eau est devenue trouble), Cologne, Index, 1982, p. 9-95.

[291] Voir Jacques Rupnik, *Histoire du parti communiste tchécoslovaque*, Paris, Presses de la FNSP, 1981, p. 49.

[292] Voir Victor S. Mamatey, « Le développement de la démocratie tchécoslovaque », *in* Victor Mamatey, Radomír Luža (dir.), *La République tchécoslovaque 1918-1948*, Paris, Librairie du Regard, 1987, p. 96-97.

[293] *Id.*, p. 97.

[294] *Ibid.*

[295] Voir Jacques Rupnik, *Histoire du parti communiste tchécoslovaque*, *op. cit.*, p. 235 (note 22). Notons pourtant que la défaite marxiste de 1920 ne fut qu'apparente car elle permit au dit Šmeral de refaire surface sur le plan politique et elle démontra que la social-démocratie avait perdu le contrôle de la classe ouvrière. La conséquence directe en fut la création du parti communiste tchécoslovaque en mai 1921, un parti qui avait alors le soutien de la majorité des ouvriers.

[296] *Id.*, p. 44-45.

[297] Victor S. Mamatey, « Le développement de la démocratie tchécoslovaque », art. cité, p. 131.

[298] *Id.*, p. 134.

[299] *Id.*, p. 78.

[300] Voir par exemple, pour une version intéressante de cette thèse : Robert K. Evanson, « The Czechoslovak Road to Socialism in 1948 », *East European Quarterly*, 19, (4), 1985, p. 487.

[301] Voir Fred Eidlin, « The Two Faces of Czechoslovak Communism », *East-Central Europe*, 10, (1-2), 1983, p. 188-189.

[302] Voir Jacques Rupnik, *Histoire du parti communiste tchécoslovaque*, *op. cit.*, p. 79.

[303] *Id.*, p. 73.

[304] Voir, pour une description de cette tactique, notamment en Allemagne, Babette L. Gross, « The German Communists' United-Front and Popular-Front Ventures », *in* Milorad M. Drachkovitch, Branko Lazitch (dir.), *The Comintern : Historical Highlights*, New York, Praeger, 1966, p. 111-138.

[305] Voir Jacques Rupnik, *Histoire du parti communiste tchécoslovaque*, *op. cit.*, p. 125-126.

[306] *Id.*, p. 73.

[307] Voir Annie Kriegel et Stéphane Courtois, *Eugen Fried*, Paris, Seuil, 1997, p. 97. Voir aussi, pour une description plus détaillée de ces conflits, le chapitre « Les "thèses de Blum" et le IIᵉ Congrès » *in* Miklós Molnár, *De Béla Kun à János Kádár*, *op. cit.*, p. 67-79.

[308] Voir Annie Kriegel et Stéphane Courtois, *Eugen Fried*, *op. cit.*, p. 119-120.

[309] « Titre » attribué au parti communiste tchécoslovaque pour le début des années 1920. Voir Jacques Rupnik, *Histoire du parti communiste tchécoslovaque*, *op. cit.*, p. 58.

[310] Voir Branko Lazitch, *Les Partis communistes d'Europe 1919-1955*, *op. cit.*, p. 87.

[311] Voir Miklós Molnár, *De Béla Kun à János Kádár*, *op. cit.*, p. 82 et p. 87. L'histoire de la dissolution du parti communiste hongrois est confuse. D'après ce que rapporte Miklós Molnár, il semble certain que le Komintern prononça effectivement la dissolution du Comité central et la formation d'un secrétariat provisoire en exil (à Prague). La réorganisation du parti hongrois aurait notamment eu pour cible Béla Kun, qui était alors en exil à Moscou et qui fut accusé du meurtre de Kirov. Les versions sont ensuite contradictoires sur la dissolution du parti hongrois dans son ensemble. D'après des historiens communistes hongrois cités par Miklós Molnár, la décision de dissoudre le parti aurait été prise par le secrétariat provisoire de Prague, non par le Komintern. Dans ses mémoires (inédits), que Miklós Molnár a pu consulter, Zoltán Szántó, qui était alors à la tête de ce comité de Prague, nie cette version. D'après lui, ce ne serait d'ailleurs pas une résolution officielle du Komintern qui aurait imposé la dissolution mais une décision administrative de Togliatti (Ercoli), qui était alors un dirigeant important du Komintern. Szántó aurait transmis l'ordre de Togliatti à Budapest et reçu confirmation de la dissolution effective du parti à l'automne 1936. Miklós Molnár cite encore deux témoignages contradictoires : celui de János Kádár, alors jeune militant, qui affirma par la suite que huit membres du parti hongrois avaient été secrètement retenus pour le réorganiser (il n'aurait donc pas été complètement dissous), et celui de Károly Kiss, le jeune militant qui reçut l'ordre de dissolution issu par le Komintern et qui décrit le désarroi des militants abandonnés à leur sort (*id.*, p. 83-88). La difficulté à établir précisément ces faits tient à l'extrême faiblesse du parti hongrois à cette époque, qui opérait dans le cadre d'une dictature fascisante et qui vivait dans l'illégalité. En 1936, il ne comptait plus que neuf cents militants, dont cinq cents étaient en prison (voir *id.*, p. 88).

[312] Voir M. K. Dziewanowski, *The Communist Party of Poland*, *op. cit.*, p. 150.

[313] C'est en effet Tito qui se chargea d'« épurer » ses camarades : « *En 1937, Josip Broz-Tito, à l'âge de quarante-cinq ans, prit la place dirigeante du communisme yougoslave. Pour ce faire, il dut littéralement marcher sur les cadavres de bien de ses prédécesseurs, en pleine conscience du fait que l'espérance de vie politique d'un dirigeant du PCY était en règle générale courte et déplaisante.* » Adam B. Ulam, *Titoism and the Cominform*, Cambridge, Harvard University Press, 1952, p. 20. Voir également le compte rendu de Milovan Djilas, *Tito, mon ami, mon ennemi*, Paris, Fayard, 1980, p. 44.

[314] La littérature sur ce sujet est abondante. Voir par exemple Branko Lazitch, « Stalin's Massacre of the Foreign Communist Leaders », *in* Milorad M. Drachkovitch, Branko Lazitch (dir.), *The Comintern : Historical Highlights*, *op. cit.*, p. 139-174 et Boris Souvarine, « Comments on the Massacre », *in id.*, p. 175-183.

[315] Miklós Molnár, *De Béla Kun à János Kádár*, *op. cit.*, p. 9.

[316] Jacques Rupnik, *Histoire du parti communiste tchécoslovaque*, *op. cit.*, p. 218.

[317] Barbara Wolfe Jancar, *Czechoslovakia and the Absolute Monopoly of Power*, *op. cit.*, p. 55.

[318] *Id.*, p. 55.

[319] *Id.*, p. 52.

[320] Jacques Rupnik, *Histoire du parti communiste tchécoslovaque*, *op. cit.*, p. 14.

[321] *Id.*, p. 196.

[322] *Id.*, p. 167.

[323] Vlastislav Chalupa, *Rise and Development of a Totalitarian State*, Leiden, H. E. Steinfert Kneese N. V., 1959, p. 80-81.

[324] *Id.*, p. 81.

[325] Robert K. Evanson, « The Czechoslovak Road to Socialism in 1948 », art. cité, p. 474-475.

[326] Miklós Molnár, *De Béla Kun à János Kádár*, *op. cit.*, p. 195.

[327] Barbara Wolfe Jancar, *Czechoslovakia and the Absolute Monopoly of Power*, *op. cit.*, p. 52.

[328] Edward Taborsky, *Communism in Czechoslovakia 1948-1960*, *op. cit.*, p. 603.

[329] Jiří Pelikán, *S'ils me tuent...*, *op. cit.*, p. 59.

[330] Kryštůfek cite ici Löbl dans le livre : Eugen Löbl et Leopold Grünwald, *Die Intellektuelle Revolution*, Düsseldorf, Econ Verlag, 1969, p. 19-20.

[331] Zdenek Krystufek, *The Soviet Regime in Czechoslovakia*, New York, Columbia University Press, 1981, p. 46.

[332] *Ibid.*

[333] Zdeněk Suda, *Zealots and Rebels*, *op. cit.*, p. 258.

[334] Ivo Duchacek, « A "Loyal Satellite" : The Case of Czechoslovakia », *in* Henry L. Roberts (dir.), *The Satellites in Eastern Europe*, Philadelphia, AAPSS, 1958, p. 115.

[335] *Id.*, p. 119.

[336] *Id.*, p. 120.

[337] *Id.*, p. 122. Cette image du « radis » a d'ailleurs inspiré de nombreuses causes politiques. L'une des plus connues est un poème antifasciste (communiste) allemand de Kurt Tucholsky : la social-démocratie est comme un radis, rouge à l'extérieur, blanche à l'intérieur.

[338] Edward Taborsky, *Communism in Czechoslovakia 1948-1960*, *op. cit.*, p. 77.

[339] *Id.*, p. 606.

[340] *Id.*, p. viii.

[341] Jiří Pelikán, *S'ils me tuent...*, *op. cit.*, p. 112.

[342] *Ibid.*

[343] Voir par exemple son récit de voyage enthousiaste à Prague en 1948 : H. Gordon Skilling, « Journey to Prague 1948 », *Kosmas*, 5, (1), été 1986, p. 146.

[344] H. Gordon Skilling, *Communism National and International*, Toronto, University of Toronto Press, 1964, p. 92.

[345] *Ibid.*

[346] Paul Barton, *Prague à l'heure de Moscou*, *op. cit.*, p. 5.

[347] « West Wind Over Prague », *News from behind the Iron Curtain*, 2, (8), août 1953, p. 22.

[348] *Id.*, 3, (4), avril 1954, p. 10.

[349] Tous les titres d'articles entre 1953 et 1956 sont d'ailleurs fortement péjoratifs, par exemple « Le goulot d'étranglement du charbon » (*News from behind the Iron Curtain*, 3, (3), mars 1954, p. 3-7) ou « Crise dans l'Union de la jeunesse » (*id.*, 4, (6), juin 1955, p. 32-34). « Le bilan tchécoslovaque » de mai 1955 souligna quant à lui la persistance de graves problèmes économiques et politiques, tandis qu'un peuple « *apathique et résistant* » aurait refusé d'apporter tout soutien au régime (*id.*, 4, (5), mai 1955, p. 14).

[350] Jacques Semelin, *La Liberté au bout des ondes*, Paris, Belfond, 1997, p. 43.

[351] *Id.*, p. 43-45.

[352] *Id.*, p. 44. Voir également Sig Mickelson, *America's Other Voices, Radio Free Europe and Radio Liberty*, New York, Praeger, 1983, p. 26.

[353] Robert T. Holt, *Radio Free Europe*, Minneapolis, University of Minnesota Press, 1958, p. 154.

[354] *Id.*, p. 240.

[355] *Id.*, p. 157.

[356] Voir par exemple Miklós Molnár, *De Béla Kun à János Kádár, op. cit.*, p. 234. *Freies Wort*, l'organe du parti libéral (FDP) d'Allemagne de l'Ouest, se livra également à une attaque en règle de *RFE*-Hongrie (voir Robert Holt, *Radio Free Europe, op. cit.*, p. 194-195), première d'une longue série qui conduisit le gouvernement de Konrad Adenauer à ouvrir une enquête sur les diffusions de *RFE* pendant les événements de Hongrie (voir par exemple Sig Mickelson, *America's Other Voices, Radio Free Europe and Radio Liberty, op. cit.*, p. 98-99). Les résultats n'en furent cependant pas concluants.

[357] Rappelons brièvement quelques parcours : Gordon Skilling fut l'un des plus fervents défenseurs de la cause tchécoslovaque à l'étranger depuis les années 1930 ; Barbara Jancar vécut en Tchécoslovaquie, au moment du Printemps de Prague, et en partagea la ferveur ; Fred Eidlin fit même de la prison avec les dissidents ; Eduard Táborský fut un grand représentant de la culture tchécoslovaque en exil et était entièrement dévoué à la mémoire d'Edvard Beneš ; Ivo Ducháček était un éminent représentant de la tradition démocratique tchèque, à un point qui frisa le nationalisme dans les années d'après-guerre ; Jiří Pelikán fut l'un des plus illustres représentants du Printemps de Prague et resta un ardent défenseur de la cause socialiste tchécoslovaque lorsqu'il partit en exil.

[358] National Archives, Declassified E. O. 11652 ou E. O. 12356, LM 85 film 1, Rapport de Prague, 9 février 1950 : « Call of Mrs Briggs on Mrs Beneš, widow of former president Beneš », p. 1.

[359] *Id.*, Rapport de Prague du 2 mai 1950 : « Observations sur la mollesse du peuple tchèque », p. 1-2.

[360] Archives de l'ambassade de France à Prague, Carton 353, 20-21, TS 5.3.1, Rapport n° 1460/EU, 4 novembre 1955 : « Appel de la résistance tchécoslovaque à l'ONU », p. 3.

[361] *Id.*, rapport n° 290/EU, 7 mars 1957 : « Procès en relation avec les événements de Hongrie ».

[362] Jacques Rupnik, « Un rendez-vous manqué : l'année 1956 vue de Prague », art. cité, p. 13.

[363] Cet ouvrage a pour titre *Fools and Heroes…, op. cit.* Il s'agit de sa thèse de doctorat, qui portait le titre significatif « Between East and West », la mention de l'« Ouest » renvoyant évidemment à l'héritage démocratique tchécoslovaque.

[364] Peter Hruby, *Fools and Heroes…, op. cit.*, p. 51-56.

[365] *Id.*, p. 52.

[366] Voir Jiří Pernes, « Dělnické demonstrace v Brně v roce 1951 » (Les manifestations ouvrières à Brno en 1951), *Soudobé dějiny*, 3, (1), 1996, p. 23-41. Voir également Jiří Pernes, *Dělnické demonstrace v Brně v roce 1951 Výběr dokumentů* (Les manifestations ouvrières à Brno en 1951. Recueil de documents), Prague, ÚSD, 1996, 146 p. Le faible nombre de ces manifestants n'enlève rien à leur courage personnel et ils furent parfois condamnés à de lourdes peines : voir *id.*, p. 40.

[367] Václav Brabec, « Vztah KSČ a veřejnosti k politickým procesům na počátku padesátých let » (Le lien entre le KSČ et le public au sujet des procès politiques du début des années 1950), *Revue dějin socialismu*, 9, (3), 1969, p. 363-385.

[368] Peter Hruby, *Fools and Heroes…, op. cit.*, p. 54.

[369] Václav Brabec, « Vztah KSČ a veřejnosti… » (Le lien entre le KSČ et le public…), *op. cit.*, p. 363.

[370] *Ibid.*

[371] *Id.*, p. 366. Voir aussi p. 369.

[372] *Id.*, p. 368.

[373] *Id.*, p. 367. Voir aussi p. 369.

[374] *Id.*, p. 370.

[375] *Id.*, p. 370-371.

[376] Peter Hruby, *Fools and Heroes, op. cit.*, p. 54.

[377] *Id.*, p. 55.

[378] *Ibid.*

[379] *Ibid.*

[380] « The Czechoslovak Currency Reform », *News from behind the Iron Curtain*, 2, (7), juillet 1953, p. 17.

[381] *Id.*, p. 23.

[382] *Id.*, p. 24.

[383] Voir son autobiographie : Otto Ulč, *Malá doznání okresního soudce* (Petite confession d'un juge de district), Toronto, Sixty-Eight Publishers, 1974, 322 p.

[384] Otto Ulč, « Pilsen : The Unknown Revolt », *Problems of Communism*, 14, (3), mai-juin 1965, p. 48.

[385] Otto Ulč, *The Judge in a Communist State*, Columbus, Ohio University Press, 1972, p. 127.

[386] Paul Barton, *Prague à l'heure de Moscou, op. cit.*, p. 339.

[387] *Id.*, p. 340.

[388] *Ibid.*

[389] Voir Ladislav Davidovič dans le film *1956 : Le rendez-vous manqué de l'histoire ou Le retour du Père Noël en Tchécoslovaquie,* 1996.

[390] Voir leur témoignage émouvant dans le film *1956 : Le rendez-vous manqué de l'histoire...*

[391] Archives du CC du KSČ, Ústřední rada odborů : Informační bulletin – interní zpráva (Centrale des syndicats unifiés, bulletin d'information, rapport interne), 2 juin 1953 : Třetí informativní zpráva sekretariátu ÚRO o zajištění usnesení vlády a ÚV KSČ o provedení peněžní reformy a zrušení lístků na potravinářské a průmyslové zboží (Troisième rapport du secrétariat des syndicats unifiés sur la mise en œuvre de la décision du gouvernement et du Comité central au sujet de la réforme monétaire et de la suppression des tickets de rationnement alimentaires et industriels).

[392] Archives du CC du KSČ, fonds 05/1, vol. 378, u. a. 2301, 97 p : Zprávy instruktorů ÚV KSČ a jiné materiály o měnové reformě v kraji Ostrava (Rapports des enquêteurs du Comité central du KSČ et autres documents relatifs à la réforme monétaire dans la région d'Ostrava), p. 8.

[393] Cette hypothèse a par exemple été mentionnée par Ladislav Davidovič et Ilya Názarkevýč eux-mêmes lors de nos entretiens. Un ancien ouvrier de Kladno, l'un des « bastions ouvriers » du pays (qui était resté très calme pendant toute cette période) nous affirma également que ses collègues ouvriers soutenaient réellement la réforme monétaire car ils avaient le sentiment de porter un coup décisif à la « bourgeoisie ». Voir entretien avec Vladimír Kolmistr, 1996.

[394] Voir les entretiens avec Ladislas Davidovič et Ilya Nazárkevýč.

[395] Archives du CC du KSČ, fonds 05/1, vol. 378, u. a. 2292, 45 p., Zprávy instruktorů ÚV KSČ a jiné materiály o měnové reformě a o událostech v Plzni, 1953 (Rapports des enquêteurs du Comité central du KSČ et autres documents relatifs à la réforme monétaire et aux événements de Plzeň, 1953) : Zpráva o průzkumu práce strany v Plzni v souvislosti s událostmi 1. června 1953 (Rapport sur l'évaluation du travail du parti à Plzeň en relation avec les événements du 1er juin 1953), p. 1.

[396] *Ibid.*

[397] Voir nos entretiens avec Ladislas Davidovič et Ilya Nazárkevýč. Voir également, pour plus de précisions sur cette réforme monétaire de 1953, le livre de Zdeněk Jirásek, Jaroslav Šůla, *Velká peněžní loupež v Československu 1953 aneb 50 :1* (Le grand

hold-up monétaire de 1953 en Tchécoslovaquie ou Cinquante contre un), Prague, Svítání, 1992, 164 p, et les documents publiés par l'Institut d'histoire contemporaine de Prague : Dana Musilová, *Měnová reforma 1953 a její sociální důsledky. Studie a dokumenty* (La réforme monétaire de 1953 et ses conséquences sociales, Études et documents), Prague, ÚSD, 1994, 139 p.

[398] Archives du CC du KSČ, Nezpracovány fond, « Měnová reforma, podklady a kopie dokumentů pro A. Novotného » (Fonds non classifié, « La réforme monétaire, assises et copies de documents pour A. Novotný »), Přehled o sroceních v jednotlivých závodech kraje v důsledku vládních opatření (Aperçu des attroupements dans les diverses usines du district en conséquence des mesures gouvernementales).

[399] Par exemple : *« Les documents d'archive témoignent du grand affolement des autorités devant l'ampleur des troubles et devant la tiédeur des milices populaires et des forces de l'ordre chargées de les combattre »*, Karel Kaplan, *Dans les archives du Comité central, op. cit.*, p. 59.

[400] Archives du CC du KSČ, fonds 02/3, vol. 43, u. a. 231, p. 28-54, point 1: Zpráva a návrh komise k šetření události 1. června v Plzni (Rapport et proposition de la commission d'enquête sur les événements du 1er juin à Plzeň), cam. Köhler, 31 juillet 1953, 28 p.

[401] Annie Kriegel, *Les Communistes français*, Paris, Seuil, 1968, p. 83.

[402] Voir Jiří Pelikán (dir.), *The Czechoslovak Political Trials, 1948-1954, op. cit.*, p. 56.

[403] Karel Kaplan, *Zemřelí ve věznicích a tresty smrti 1948-1954 Seznamy* (Liste des personnes décédées en prison et condamnées à mort 1948-1954), Prague, ÚSD, 1992.

[404] Voir František Gebauer, Karel Kaplan, František Koudelka, Rudolf Vynáhlek, *Soudní perzekuce politické povahy v Československu 1948-1989 (Statistický přehled)* (Poursuites judiciaires à caractère politique en Tchécoslovaquie 1948-1989. Aperçu statistique), Prague, ÚSD, 1993, p. 64. Quelques imprécisions ont été relevées, par exemple les personnes condamnées plusieurs fois sont comptabilisées d'autant, alors que certaines personnes réhabilitées en 1968 et en 1992 ne figurent pas au tableau et que certains jugements étaient encore en attente. Voir *id.*, p. 65-66.

[405] *Id.*, p. 54.

[406] Chiffres publiés par Petr Pithart dans le livre samizdat *Osmašdedesát* (Mille neuf cent soixante-huit) (1977) sous le pseudonyme de Jan Sládeček. Cité par Vilém Hejl, *Zpráva o organizovaném násilí* (Rapport sur une violence organisée), Prague, Univerzum, 1990, p. 232. Il s'agit d'une réédition d'un livre publié à Toronto en 1986. L'auteur, dans un ouvrage écrit en collaboration avec Karel Kaplan, a tenté de regrouper tous les chiffres disponibles dans un chapitre spécifique, « Statistiques sur l'archipel du goulag tchécoslovaque » (voir p. 229-235).

[407] Voir Antonín Kratochvil, *Žaluji* III (J'accuse, tome 3), Prague, Dolmen, 1990, p. 248. Il s'agit de la réédition d'un livre imprimé à Munich en 1973.

[408] Voir Robert K. Evanson, « Political Repression in Czechoslovakia, 1948-1984 », *Canadian Slavonic Papers*, 28, (1), mars 1986, p. 4.

[409] George Hodos, *Show Trials, op. cit.*, p. 73.

[410] Voir par exemple Josef Rychetský, « Zákon pro 100 000 občanů » (La loi subie par 100 000 citoyens), *Obrana lidu*, 27, (31), 4 août 1968, p. 12 et Gordon Skilling tel que cité par Vilém Hejl, *Zpráva o organizovaném násilí* (Rapport sur une violence organisée), *op. cit.*, p. 232.

[411] Václav Vrabec, « Mlýn a mlynáři » (Le moulin et les meuniers), *Reportér*, (3), 24-31 juillet 1968, p. II et p. VI. Cet article est par exemple cité (avec diverses erreurs) dans Otto Ulč, « The Vagaries of Law », *Problems of Communism*, 18, (45), juillet-août 1969, p. 19-32 et František August, David Rees, *Red Star over Prague*, Londres, The Sherwood Press, 1984, p. 49.

[412] Cet article est paru en trois parties. Karel Kaplan, « Zamyšlení nad politickými procesy » (Réflexions sur les procès politiques), *Nová mysl*, (6), 1968, p. 765-794, *Nová mysl*, (7), 1968, p. 906-940, et *Nová mysl*, (8), 1968, p. 1054-1078.

[413] Karel Kaplan, « Zamyšlení nad politickými procesy » (Réflexions sur les procès politiques), *Nová mysl*, (7), 1968, p. 915.

[414] Jacques Rupnik, *Histoire du parti communiste tchécoslovaque, op. cit.*, p. 15.

[415] *Id.*, p. 229.

[416] Antonín Kratochvil, *Žaluji* (J'accuse) I, Prague, Dolmen, 1990, p. 5.

[417] Otto Ulč, *Politics in Czechoslovakia, op. cit.*, p. 85.

[418] George Feiwel, *New Economic Patterns in Czechoslovakia*, New York, Praeger, 1968, p. 139.

[419] Jirí Pelikán, *S'ils me tuent...*, *op. cit.*, p. 82.

[420] Barbara Wolfe Jancar, *Czechoslovakia and the Absolute Monopoly of Power*, *op. cit.*, p. 100. Les données qui lui permettent d'affirmer que les purges tchécoslovaques ont dépassé l'ampleur des pires excès de Staline dans les années 1930 restent inconnues.

[421] George Hodos, *Show Trials, op. cit.*, p. 74.

[422] Zdeněk Hejzlar, *Praha ve stínu Stalina a Brežněva* (Prague à l'ombre de Staline et Brejnev), Prague, Práce, 1991, p. 34.

[423] Karel Kaplan, « Zamyšlení nad politickými procesy » (Réflexions sur les procès politiques), *Nová mysl*, (7), 1968, p. 914-915. Il ne parlerait donc que des victimes de grands procès politiques. Reste que cela n'est pas totalement clair chez lui, et demeure tout à fait obscur chez les autres auteurs.

[424] Voir Pierre Kende, article dans l'*Encyclopedia Universalis*, Paris, 1990, p. 638.

[425] Miklós Molnár, *De Béla Kun à János Kádár, op. cit.*, p. 203.

[426] Jacques Rupnik, *L'Autre Europe, op. cit.*, p. 148.

[427] « Transcript of the Conversation between the Soviet Leadership and the Hungarian Party Delegation in Moscow on June 13, 14 and 16, 1953 », *in* Christian F. Ostermann (dir.), *The Post-Stalin Succession Struggle and the 17 June 1953 Uprising in East Germany : The Hidden History*, Washington, D.C., The National Security Archives, 1996, June 13 Meeting, p. 2 et p. 4. Cette « leçon d'humanité » ne manque pas de cynisme lorsque l'on prend en compte la personnalité de leurs auteurs.

[428] Voir « Piros László belügyminiszter-helyettes feljegyzése a közkegyelmi rendelkezések végrehajtásának adatairól » (Rapport du vice-ministre de l'Intérieur László Piros sur les mesures d'amnistie), *in* Pál Sólt (dir.), *Iratok az igazságszolgáltatás történetéhez* (Rapports sur l'histoire de la justice) 1, Budapest, Közgazdasági és jogi könyvkiadó, 1992, p. 431-432.

[429] Nous les remercions tous deux vivement pour leur aide ; ils ont longuement cherché à produire un chiffre sur les victimes hongroises formulé de telle façon à ce que l'on puisse le comparer à celui avancé par les historiens tchèques.

[430] *Cf.* entretien avec János Rainer.

[431] Selon les sources officielles hongroises, il y eut au minimum 2 700 morts entre le 23 octobre et le 11 novembre 1956. Ce chiffre n'inclut cependant pas tous ceux qui furent abattus dans les rues pendant les combats, nombre d'entre eux ayant été enterrés dans des parcs et jardins publics. De même, il ne donne qu'une approximation du nombre de morts dans les campagnes, surtout au cours de la seconde intervention soviétique, ainsi que du nombre de morts chez ceux qui tentaient de fuir le pays. Voir György Litván (dir.), *Az 1956-os magyar forrodalom* (La révolution hongroise de 1956), Budapest, Tankönyvkiadó, 1991, p. 103. Un chiffre communément repris est plus proche de 30 000 morts (voir par exemple Amalric Rossi, *Autopsie du stalinisme*, *op. cit.*, p. 55).

[432] Ce rapport nous a été obligeamment fourni par Attila Szakolcsai (Institut pour l'histoire de la révolution de 1956) : « Jelentés az MZKP Politikai Bizottsága részére, a jogerős börtönbüntetések végrehajtásának állásáról és az ezzel kapcsolatban teendő intézkedésekről » (Rapport à l'intention du bureau politique du parti communiste hongrois sur les condamnations à des peines de prison et sur les mesures qui leur sont liées), 288 fond, 30/1958/116l, A/746/3/58.

[433] Andrzej Paczkowski, « Pologne, la "nation-ennemie" », art. cité, p. 400-404.

[434] *Id.*, p. 408-409. Notons que les Hongrois connurent eux aussi des déportations en URSS par centaines de milliers entre 1945 et 1947.

[435] Voir M. K. Dziewanowski, *The Communist Party of Poland*, op. cit., p. 388-389 (note 13).

[436] Voir Maria Turlejska (Łukasz Socha), *Te pokolenia żałobami czarne... Skazani na śmierć i ich sęziowie 1944-1954* (Les générations noircies par le deuil... Les condamnés à mort et leurs juges 1944-1954), Londres, Aneks, 1989, p. 362-368 et p. 372-382.

[437] Voir Andrzej Paczkowski, « Pologne, la "nation-ennemie" », art. cité, p. 418.

[438] *Ibid.*

[439] *Id.*, p. 420.

[440] *Id.*, p. 421.

[441] Voir « Feljegyzés a büntetésvégrehajtás helyzetéről. Budapest, 1955. szeptember 13. » (Rapport sur la mise en application des condamnations), *in* Pál Sólt (dir.), *Iratok az igazságszolgáltatás történetéhez* (Rapports sur l'histoire de la justice 1), *op. cit.*, p. 557.

[442] George Hodos, *Show Trials*, op. cit., p. 74.

[443] *Ibid.*

[444] *Ibid.*

[445] Gordon Skilling, *Czechoslovakia's Interrupted Revolution*, op. cit., 1976, p. 824.

[446] *Id.*, p. 825.

[447] Fred Eidlin, « The Two Faces of Czechoslovak Communism », *East-Central Europe*, 10, (1-2), 1983, p. 189.

[448] Voir Frantisek August, David Rees, *Red Star over Prague*, op. cit., p. 3-4.

[449] *Id.*, p. xvii.

[450] Zdeněk Hejzlar, *Praha ve stínu Stalina a Brežněva* (Prague à l'ombre de Staline et de Brejnev), *op. cit.*, p. 34.

[451] Voir Jiří Pelikán, *S'ils me tuent...*, op. cit., p. 82-83.

[452] Voir Jacques Rupnik, *L'Autre Europe*, op. cit., p. 157.

[453] Antonín Novotný, « XX. sjezd a závěry vyplívající pro práci naši strany » (Le XXe Congrès et les conséquences qui en découlent sur le travail de notre parti), Archives du CC KSČ, Fonds 01, vol. 44, u. a. 49, 2. Referát : p. 19.

[454] Gordon Skilling, *Czechoslovakia's Interrupted Revolution*, op. cit., p. 409.

[455] Voir Jiří Pelikán (dir.), *The Czechoslovak Political Trials*, op. cit., p. 12.

[456] Karel Bartošek, *Les Aveux des archives*, Paris, Seuil, 1996.

[457] Voir sa contribution : « La terreur et l'établissement du système stalinien à l'Est de l'Europe centrale », *Communisme*, (26-27), 1990, p. 94-102.

[458] Voir Artur London, *L'Aveu. Dans l'engrenage du procès de Prague*, Paris, Gallimard, 1968, 631 p.

[459] Nous ne nous intéresserons pas ici aux autres parties de l'ouvrage de Karel Bartošek (par exemple celle qui concerne les rapports financiers entre le KSČ et le PCF), qui sont peut-être plus novatrices sur le plan historique mais qui sont moins révélatrices sur le plan psychologique.

[460] Karel Bartošek laisse entendre qu'Artur London était en liberté puisqu'il n'était d'après lui « plus détenu », alors qu'il était toujours retenu au sanatorium de Ples. Voir Karel Bartošek, *Les Aveux des archives*, op. cit., p. 275.

[461] Karel Bartošek accuse nommément Artur London de mentir (*id.*, p. 318) mais réserve une formulation plus diplomatique, quoique parfaitement explicite, au cas de Ladislav Holdoš : « *L'ouvrier-historien ne doutait pas une seconde, en 1975, de la sincérité de Laco Holdoš. Et pourtant, un jour de 1990, aux archives, l'historien a eu la révélation d'une activité que l'extraordinaire narrateur, si sincère, n'avait jamais évoquée au cours des entretiens enregistrés, pas plus que dans de nombreuses discussions : prisonnier, Holdoš mouchardait. [...] Pourquoi donc ce grave "oubli" de son activité d'indic ... ?* » (*id.*, p. 42).

[462] Voir par exemple, pour une utilisation très fine d'entretiens avec des communistes ou anciens communistes et pour une définition de la « mémoire communiste », Marie-Claire Lavabre, *Le Fil rouge. Sociologie de la mémoire communiste*, Paris, Presses de la FNSP, 1994, 319 p.

[463] Karel Bartošek, *Les Aveux des archives*, *op. cit.*, p. 42-43.

[464] *Id.*, p. 43.

[465] *Id.*, p. 313.

[466] *Id.*, p. 278.

[467] *Id.*, p. 318.

[468] Voir George Hodos, *Show Trials*, *op. cit.*

[469] Voir Karel Kaplan, *Dans les archives du Comité central*, *op. cit.*

[470] Karel Bartošek, *Les Aveux des archives*, *op. cit.*, p. 275.

[471] Peter Hruby, *Fools and Heroes...*, *op. cit.*, p. 155.

[472] Karel Bartošek, *Les Aveux des archives*, *op. cit.*, p. 159-160.

[473] Karel Pichlík est un autre historien tchèque, aujourd'hui décédé, qui entama sa carrière dans les années 1950 et la poursuivit sans interruption, devenant finalement directeur du Mémorial de la résistance de l'Institut d'histoire de l'armée tchèque après 1989.

[474] Karel Bartošek, Karel Pichlík, *Hanebná role amerických okupantů v západních Čechách v roce 1945*, Prague, Svoboda, 1951, 38 p.

[475] Voir l'article « L'histoire – la mémoire du peuple », *Babylon*, 4, (6), 5 mai 1995, p. 6.

[476] Voir Karel Bartošek, *Les Aveux des archives*, *op. cit.*, p. 279.

[477] Paul Barton, *Prague à l'heure de Moscou*, *op. cit.*, p. 237. Katia Landau eut tout loisir de méditer sur ces dits « agents du GPU », car son mari, Kurt Landau, militant communiste qui s'était engagé dans le POUM en Espagne, fut poursuivi par les services du NKVD qui ne toléraient pas de dissensions au sein du mouvement communiste. Arrêté, il fut « liquidé ». Elle fut elle-même arrêtée mais réussit à s'enfuir. Voir Katia Landau, *Le Stalinisme en Espagne*, Paris, Spartacus, 1938, 48 p.

[478] Paul Barton, *op. cit.*, p. 242. Barton avait déjà fait la même remarque dans un article plus ancien, « Prague, capitale des "appareils" soviétiques », *Preuves*, (38), avril 1954, p. 51.

[479] Voir, pour une histoire de cette revue militant contre le stalinisme et le totalitarisme, Pierre Grémion, Preuves, *une revue européenne à Paris*, Paris, Julliard, 1989, 590 p.

[480] Karel Bartošek, *Les Aveux des archives*, *op. cit.*, p. 446.

[481] Voir, pour une description de la vie de London en URSS, le chapitre « Moscou et les petites prolétaires du Komintern » dans les mémoires de sa femme : Lise London, *L'Écheveau du temps. Le printemps des camarades*, Paris, Seuil, 1996, p. 125-231.

[482] Pour se faire une idée des sombres agissements de ces agents, voir par exemple Stéphane Courtois et Jean-Louis Panné, « L'ombre portée du NKVD en Espagne », *in* Stéphane Courtois (dir.), *Le Livre noir du communisme*, *op. cit.*, p. 365-386.

[483] Voir Karel Bartošek, *Les Aveux des archives*, *op. cit.*, p. 280.

[484] *Ibid.*

485 *Id.*, p. 281-282.

486 Par exemple, p. 273 et p. 317.

487 « *Une fois à Paris, l'historien a fait la connaissance d'Ota Hromádko, émigré en Suisse depuis 1969. Ils ont convenu qu'il viendrait l'interviewer, dans le cadre de ses enquêtes, sur son expérience carcérale des années 1950. [...] Ce témoin de la souffrance est mort avant la rencontre prévue ; l'historien a toutefois été en Suisse pour recueillir ses archives, avec l'aimable consentement de la femme et de la fille de Hromádko* », *id.*, p. 272.

488 *Id.*, p. 273.

489 *Id.*, p. 317.

490 Ota Hromádko, *Jak se kalila voda* (L'eau est devenue trouble), *op. cit.*

491 *Id.*, p. 215.

492 Karel Bartošek, *Les Aveux des archives*, *op. cit.*, p. 273.

493 Ota Hromádko, *Jak se kalila voda* (L'eau est devenue trouble), *op. cit.*, p. 154-155.

494 Artur London, *Aux sources de l'Aveu*, Paris, Gallimard, 1997, p. 53. Notons au passage que ce livre fut publié par sa veuve, Lise London, qui entendait répondre à ce qu'elle estimait être des accusations indignes de Karel Bartošek contre la mémoire de son mari. Elle affirme que c'est sur la base de ce manuscrit, écrit clandestinement en prison en 1954, qu'Artur London fonda sa déposition de 1955.

495 Karel Kaplan, *Dans les archives du Comité central*, *op. cit.*, p. 94-95.

496 *Id.*, p. 42.

497 *Id.*, p. 95-96.

498 *Id.*, p. 98.

499 On peut toutefois regretter que ses références aux sources d'archives soient souvent vagues ou inexistantes, ce qui peut partiellement s'expliquer pour la période où il a vécu en exil (entre 1971 et 1990) mais qui est inexcusable pour ses derniers ouvrages, par exemple *Nebezpečná bezpečnost* (Dangereuse Sécurité), Brno, Doplněk, 1999, qui ne comporte pas une seule référence bibliographique.

500 Voir par exemple ce qui est peut-être son meilleur livre : *Mocní a bezmocní* (Les puissants et les sans-pouvoir), Toronto, Sixty-Eight Publishers, 1989, 469 p.

501 Karel Kaplan, *Dans les archives du Comité central*, *op. cit.*, p. 22.

502 Karel Kaplan, *Procès politiques à Prague,* Bruxelles, Complexe, 1980, 188 p.

503 *Id.*, p. 182.

504 Josef Smrkovský, « Experiences of the Past and of the Present », *Rudé právo*, 9 octobre 1964. Cité par *Czechoslovak Press Survey*, n° 1554 (237, 238), 20 octobre 1964, p. 5.

505 *Id.*, p. 7.

506 Jiří Pelikán (dir.), *The Czechoslovak Political Trials*, *op. cit.*, p. 16.

507 *Id.*, p. 23.

508 Voir par exemple l'article où il s'employa à nier l'existence des camps de concentration soviétiques : « Pourquoi M. David Rousset a-t-il inventé les camps soviétiques ? Une campagne de préparation à la guerre », *Les Lettres françaises*, novembre 1949. Cité par Amalric Rossi, *Autopsie du stalinisme*, *op. cit.*, p. 22.

509 Voir ses deux ouvrages plus tardifs, *La Crise du PCF*, Paris, Seuil, 1978, 252 p., et *Les Hérétiques du PCF*, Paris, Robert Laffont, 1980, 350 p.

510 Voir Pierre Daix, *Prague au cœur*, Paris, Julliard, 1968, p. 86-87.

511 Karel Kaplan, *Dans les archives du Comité central*, *op. cit.*, p. 57.

512 Klement Gottwald, « O naši československé cestě k socialismu » (Sur notre voie tchécoslovaque vers le socialisme), *Spisy XIII...*, *op. cit.*, Prague, SNPL, 1957, p. 230-231.

[513] Voir Władysław Gomułka, « Przemówienie sekretarza generalnego KC PPR Tow. Wł. Gomułki » (Adresse du Secrétaire général du Comité central du parti communiste polonais, le camarade Gomułka), *in* Władysław Gomułka, Józef Cyrankiewicz, *Jednością silni – zwyciężymy* « Przemówienia wygłosone na zebraniu aktywu warszawskiego PPR I PPS w dniu 30 listopadu 1946 » *(L'unité des forces – la victoire,* « Discours au cours d'une réunion à Varsovie du Parti communiste et du Parti social-démocrate le 30 novembre 1946 »*),* p. 25. Au chapitre « Nous suivons une voie polonaise, la voie de la démocratie populaire », Gomułka explique : « *Nous avons choisi notre propre voie, une voie polonaise de développement, que nous avons appelée la voie de la Démocratie populaire. Sur cette voie et dans nos conditions, la dictature de la classe ouvrière, et encore moins la dictature d'un parti, n'est ni une fin en soi, ni un moyen.* »

[514] Voir Mátyás Rákosi, *A magyar demokráciáért* (Pour la démocratie hongroise), Budapest, Szinka, 1948, p. 376. Au chapitre « En avant pour une démocratie populaire ! », Rákosi explique : « *Les partis communistes ont appris au cours du dernier quart de siècle qu'il n'y a pas une voie unique qui mène au socialisme, mais qu'il y a autant de voies que de pays qui les construisent à travers leurs expériences propres.* »

[515] Maurice Thorez, « Déclaration au journal anglais *The Times* », *in Œuvres de Maurice Thorez,* livre V, tome XXIII (novembre 1946-juin 1947), Paris, Éditions sociales, 1965, p. 4-15. Thorez déclare, au chapitre « On peut envisager pour la marche au socialisme d'autres chemins que celui suivi par les communistes russes » : « *Les progrès de la démocratie à travers le monde, en dépit de rares exceptions qui confirment la règle, permettent d'envisager pour la marche au socialisme d'autres chemins que celui suivi par les communistes russes. De toute façon le chemin est nécessairement différent pour chaque pays. Nous avons toujours pensé et déclaré que le peuple de France, riche d'une glorieuse tradition, trouverait lui-même sa voie vers plus de démocratie, de progrès et de justice sociale.* »

[516] Il fallut par exemple attendre bien après la Révolution de velours pour que Karel Kaplan se consacre pleinement à l'étude de son cas ; voir son ouvrage *Největší politický proces Milada Horáková a spol.* (Le plus grand procès politique Milada Horáková et cie), Prague, ÚSD, 1995, 350 p.

[517] En fait de « ferme » et de brave paysan menant une vie saine à la campagne, Josefa Slánská ne peut faire référence qu'à une datcha, c'est-à-dire à une résidence (quelquefois luxueuse) attribuée par le régime soviétique à ses apparatchiks ou à ses hôtes de marque. L'image flatteuse et sympathique de Gottwald créée ici est donc fondée sur une manipulation de mots.

[518] Josefa Slanska, *Report on my Husband*, Londres, Hutchinson, 1969, 208 p. Ces photographies ne sont pas incluses dans la réédition en tchèque du livre après la chute du communisme (*Zpráva o mém muži*, Prague, Svoboda, 1990, 216 p., la première édition datant de 1968), ni dans l'édition française (*Rapport sur mon mari*, Paris, Mercure de France, 1969, 222 p.).

[519] Josefa Slanska, *Report on my Husband, op. cit.*, p. 130.

[520] *Id.*, p. 151. Remarquons que János Kádár envoya également à la potence le père de son filleul, László Rajk, mais aucun témoin ou historien hongrois ne semble y avoir vu de « drame personnel ».

[521] Il est vrai qu'il avait participé aux travaux de la commission Piller de 1968, ce qui lui donna l'occasion de s'entretenir avec la secrétaire et le médecin personnel de Gottwald. Voir le chapitre « Le président de la peur », dans son livre *Mocní a bezmocní* (Les puissants et les sans-pouvoir), *op. cit.*, p. 9-43.

[522] Paul Barton, *Prague à l'heure de Moscou, op. cit.*, p. 110-127.

[523] Voir « Rudolf Slánský sur la pente savonnée », art. cité, p. 155-157.

[524] Karel Kaplan, *Dans les archives du Comité central, op. cit.*, p. 57.

[525] Jirí Pelikán, *S'ils me tuent..., op. cit.*, p. 86.

[526] Les réévaluations du rôle historique du président Beneš, en particulier, se sont multipliées ces dernières années. Elles visent à la fois son action pendant la crise de Munich, la guerre, l'expulsion des Allemands des Sudètes et la crise de février 1948. Voir par exemple Jan Němeček, « Cesta prezidenta Beneše do USA v roce 1943 » (Le voyage du président Beneš aux États-Unis en 1943), *Dějiny a současnost*, 16, (5), 1994, p. 40-43 ; Bohumil Doležal, « Proces nebo dohoda ? » (Un procès ou un compromis ?), *Střední Evropa*, 11, (47), 1995, p. 68-74 ; František Hanzlík, « K historickým souvislostem přijetí Benešových dekretů a řešení otázky sudetských Němců » (Sur le contexte historique entourant les décrets Beneš et la résolution de la question sudéto-allemande), *Politologický časopis*, 2, (2), 1995, p. 90-103 ; František Hanzlík, « K možnosti použití armády prezidentem Benešem při řešení únorové krize v roce 1948 » (Sur la possiblité du président Beneš de recourir à l'armée pour résoudre la crise de 1948), *Vojenské rozhledy*, 4, (5), 1995, p. 88-97 ; Eduard Táborský, « Benešosy moskevské cesty » (Les voyages de Beneš à Moscou), *Svědectví*, 23, (89-90), 1990, p. 61-84 ; Eduard Táborský, « Beneš a náš osud » (Beneš et notre destin), *Svědectví, id.*, p. 85-118 ; Alexandr Ort, « Kdo byl Edvard Beneš ? » (Qui était Edvard Beneš ?), *Listy*, 24, (3), 1994, p. 56-59 ; Antonín J. Liehm, « O Benešovi » (Sur Beneš), *Listy, id.*, p. 64-65 ; Jaromír Hořec, « Malost a velikost české politiky » (La grandeur et la petitesse de la politique tchèque), *Tvar*, 5, (10), 1994, p. 10 ; Otto Kimminich, « Benešovy dekrety : Posouzení z mezinárodněprávního hlediska » (Les décrets Beneš et le droit international), *Střední Evropa*, 10, (44/45), 1994, p. 47-58 ; Lubomír Brokl, Eva Broklová, « E. Beneš : Poměr Čechů a Slováků » (E. Beneš et les relations entre les Tchèques et les Slovaques), *Sociologický časopis*, 28, (2), 1992, p. 284-286 ; ou encore Eduard Táborský, « Beneš : člověk a státník » (Beneš : l'homme et l'homme d'État), *Listy*, 21, (5), 1991, p. 58-66. La critique la plus virulente est peut-être dans : Vojtěch Mastný, *Russia's Road to the Cold War*, New York, Columbia University Press, 1979, p. 133-144, qui se livre sur ces quelques pages à une sévère évaluation de l'attitude de Beneš face aux Soviétiques pendant la guerre.

[527] Jacques Rupnik, « Un rendez-vous manqué : l'année 1956 vue de Prague », art. cité, p. 13.

[528] Le ministre du Commerce entre 1945 et 1948, Hubert Ripka, expliqua en effet : « *Nous voulons* [...] *créer un nouvel ordre social, ce qui se traduira par des changements radicaux de la structure économique selon des principes socialistes. Nous entretenons l'énergie constructive et l'esprit créatif de notre peuple car nous lui offrons ainsi l'espoir réel que notre démocratie politique, qui a prouvé, au total, sa valeur au cours de la première République, sera soutenue et renforcée par la démocratie économique et sociale.* [...] *Je suis convaincu que nous réussirons en quelques années à construire une démocratie socialiste efficace en Europe centrale.* » Voir Gustav Beuer, *New Czechoslovakia and her Historical Background*, Londres, Lawrence & Wishart, 1947, p. 41. L'auteur réalisa cette interview de Ripka en 1945 ou en 1946.

[529] Voir Anne Bazin, « La question des Sudètes : un poids dans les relations germano-tchèques aujourd'hui », *L'Autre Europe*, (34-35), 1997, p. 118-139 et « Tchèques et Allemands sur la voie d'une difficile réconciliation », *Relations internationales et stratégiques*, (26), été 1997, p. 154-163.

[530] Le terme de « Sudètes » est en réalité, *stricto sensu*, plus restrictif et ne désigne qu'une partie du territoire habité par les Allemands. De plus, à l'origine, une forte connotation nationaliste lui était liée. Cependant, à partir des années 1930, l'usage l'a

peu à peu imposé pour désigner l'ensemble des Allemands vivant en Tchécoslovaquie, même lorsque ceux-ci ne vivaient pas dans les territoires frontaliers.

[531] Cité par J. W. Bruegel, *Czechoslovakia before Munich*, Cambridge, Cambridge University Press, 1973, p. 289 et par Edouard Benes, *Munich*, Paris, Stock, 1969, p. 237.

[532] Voir Igor Lukes, *Czechoslovakia between Stalin and Hitler*, Oxford, Oxford University Press, 1996, p. 252.

[533] *Id.*, p. 252-253.

[534] *Id.*, p. 252.

[535] *Id.*, p. 253.

[536] George F. Kennan, *From Prague after Munich*, Princeton, Princeton University Press, 1968, p. 7. La lettre est datée du 8 décembre 1938.

[537] Radomír Luža, *The Transfer of the Sudeten Germans*, New York, New York University Press, 1964, p. 152.

[538] Edvard Beneš, *Paměti* (Mémoires), Prague, Orbis, 1947, p. 70.

[539] Voir Muriel Blaive, scénario du film : *1956 : Le rendez-vous manqué de l'histoire ou Le retour du Père Noël en Tchécoslovaquie*, *op. cit.*, p. 1.

[540] Voir B. Bílek, *Fifth Column at Work*, Londres, Trinity Press, 1945, p. 21 (ce célèbre discours du 4 mars 1941 a été retranscrit, par exemple, dans la *Mährische-Schlesische Landeszeitung* du 5 mars 1941).

[541] *Ibid.* Voir également Gotthold Rhode, « Le protectorat de Bohême et de Moravie », *in* Victor S. Mamatey, Radomír Luža (dir.), *La République tchécoslovaque 1918-1948*, *op. cit.*, p. 296. Les Tchèques montrèrent par leur degré d'animosité envers les Allemands des Sudètes à la Libération qu'ils n'avaient rien oublié de cette rodomontade. L'occupation allemande n'avait évidemment rien fait pour apaiser leur ressentiment ; le Protectorat de Bohême-Moravie représenta pour eux une expérience traumatisante et humiliante, même s'ils furent placés à meilleure enseigne que d'autres peuples occupés en Europe centrale – étant avant tout réquisitionnés pour faire fonctionner leur puissant appareil industriel. Les Allemands commirent néanmoins des exactions retentissantes, tel le massacre des habitants des villages de Lidice et de Ležáky après l'assassinat du *Reichsprotektor* Heydrich par un commando envoyé de Londres.

[542] Voir J. W. Bruegel, *Czechoslovakia before Munich*, *op. cit.*, p. 110-146.

[543] *Id.*, p. 112.

[544] Voir Keith Eubank, « Munich », *in* Victor S. Mamatey, Radomír Luža (dir.), *La République tchécoslovaque 1918-1948*, *op. cit.*, p. 229.

[545] Voir Konrad Henlein, « Wir wollen nur als Freie unter Freien leben », *in Der Lebenswille des Sudetendeutschtums*, Karlsbad, Verlag Karl H. Frank, 1938, p. 63-64.

[546] Voir Radomír Luža, *The Transfer of the Sudeten Germans*, *op. cit.*, p. 114.

[547] *Id.*, p. 115.

[548] *Id.*, p. 110.

[549] Edvard Beneš, *The Opening of the Prague Parliament*, Prague, Orbis, 1946, p. 30.

[550] Voir Ronald M. Smelser, *The Sudeten Problem 1933-1938*, Middletown, Wesleyan University Press, 1975, p. 243.

[551] Voir Radomír Luža, *The Transfer of the Sudeten Germans*, *op. cit.*, p. 76.

[552] Voir Igor Lukes, *Czechoslovakia between Stalin and Hitler*, *op. cit.*, p. 56.

[553] Voir Radomír Luža, *The Transfer of the Sudeten Germans*, *op. cit.*, p. 86-87.

[554] Voir J. W. Bruegel, « Les Allemands dans la Tchécoslovaquie d'avant-guerre », *in* Victor S. Mamatey, Radomír Luža (dir.), *La République tchécoslovaque 1918-1948*, *op. cit.*, p. 167.

[555] Voir Radomír Luža, *The Transfer of the Sudeten Germans, op. cit.*, p. 87.

[556] *Lidové noviny*, 26 avril 1936. Rapporté par Radomír Luža, *The Transfer of the Sudeten Germans, op. cit.*, p. 87.

[557] R. W. Seton-Watson, *La Position de la Tchécoslovaquie en Europe*, Prague, Orbis (Sources et documents tchécoslovaques, n° 31), 1936, p. 30-34.

[558] Voir Radomír Luža, *The Transfer of the Sudeten Germans, op. cit.*, p. 87.

[559] Voir Igor Lukes, *Czechoslovakia between Stalin and Hitler, op. cit.*, p. 79.

[560] *Ibid.*

[561] *Id.*, p. 82-83.

[562] J. W. Bruegel, *Czechoslovakia before Munich, op. cit.*, p. 164.

[563] Konrad Henlein, « Hitler's Better Half », *Foreign Affairs*, 20, (1), octobre 1941, p. 73-86.

[564] R. W. Seton-Watson, *A History of the Czechs and Slovaks,* Hamden, Archon Books, 1965 (1ʳᵉ éd., 1943), p. 350.

[565] Cette étude fut vivement critiquée en Grande-Bretagne à sa sortie – ce qui constitue sans doute un signe supplémentaire de sa grande qualité. Voir l'intervention de J. Mark Cornwall, « The Significance of *Czechs and Germans* », dans le panel : « Elizabeth Wiskemann's *Czechs and Germans* : Sixty Years After », Congrès annuel de l'American Association for the Advancement of Slavic Studies, Boca Raton (Floride), 24 septembre 1998.

[566] Voir Elizabeth Wiskemann, *Czechs and Germans*, Londres, Oxford University Press, 1938, p. 190.

[567] *Id.*, p. 189.

[568] *Id.*, p. 191-194.

[569] Voir J. W. Bruegel, « Les Allemands dans la Tchécoslovaquie d'avant-guerre », *in* Victor S. Mamatey, Radomír Luža (dir.), *La République tchécoslovaque 1918-1948, op. cit.*, p. 171.

[570] Voir Elizabeth Wiskemann, *Czechs and Germans, op. cit.*, p. 282.

[571] *Id.*, p. 193-194.

[572] *Id.*, p. 283.

[573] Edouard Beneš, *Problèmes de la Tchécoslovaquie.* Déclarations faites par le Président de la République tchécoslovaque Dr. Edouard Beneš dans le Nord de la Bohême, Prague, Orbis (Sources et documents tchécoslovaques, n° 32), 1936, p. 13-15.

[574] *Id.*, p. 17.

[575] *Id.*, p. 27.

[576] Dr. Edvard Beneš, *Šest let exilu a druhé světové války* (Six ans d'exil et de Seconde Guerre mondiale), Prague, Orbis, 1946, p. 38.

[577] Dr. Edvard Beneš, *Nazi Barbarism in Czechoslovakia*, Londres, George Allen & Unwin, 1940, 32 p. Il s'agit du texte d'un discours prononcé devant le Club de la Presse à Londres le 29 mars 1940.

[578] *Id.*, p. 11.

[579] *Id.*, p. 16.

[580] Edvard Beneš, *Paměti* (Mémoires), *op. cit.*, p. 323.

[581] « Dopis W. Jaksche prezidentu republiky dr. Edvardu Benešovi z 22. června 1942 » (Lettre du 22 juin 1942 de W. Jaksch au président de la République Dr. Edvard Beneš), *in* Edvard Beneš, *Odsun Němců* (L'expulsion des Allemands), Prague, Společnost Edvarda Beneše, 1995, p. 27.

[582] « Dopis prezidenta republiky dr. Edvarda Beneše W. Jakschovi z 10. ledna 1943 » (Lettre du 10 janvier 1943 du président de la République Dr. Edvard Beneš à W. Jaksch), *in id.*, p. 43.

[583] « Zásadní stanovisko prezidenta republiky dr. Edvarda Beneše k usnesení představenstva sudetoněmecké sociálně demokratické strany ze 7. června 1942, odevzdané W. Jakschovi prezidentem republiky 1. prosince 1942 » (Position de principe du président de la République Dr. Edvard Beneš en réponse à la résolution du parti social-démocrate sudéto-allemand prise le 7 juin 1942 adressée le 1er décembre 1942 à Wenzel Jaksch), *in id.*, p. 31.

[584] Edvard Beneš, « The Organization of Post-War Europe », *Foreign Affairs*, 20, (2), janvier 1942, p. 236.

[585] Rappelons par exemple sa formule selon laquelle les Allemands des Sudètes s'étaient « *eux-mêmes mis à une majorité de 80 % à 90 % au service du nazisme barbare pour l'annihilation de l'État* ». Voir Edvard Beneš, *The Opening of the Prague Parliament, op. cit.*, p. 30.

[586] Voir Edvard Beneš, « The Organization of Post-War Europe », art. cité, p. 237.

[587] Edvard Beneš, *Paměti* (Mémoires), *op. cit.*, p. 312-313.

[588] *Id.*, p. 315.

[589] *Ibid.*

[590] Voir Friedrich Prinz (dir.), *Wenzel Jaksch-Edvard Beneš Briefe und Dokumente aus dem Londoner Exil 1939-1943*, Cologne, Verlag Wissenschaft und Politik, 1973, p. 127. Notons qu'aucun des trois recueils ici cités ne précise la langue dans laquelle s'est effectué l'échange de correspondance. Cependant, dans un autre ouvrage de Wenzel Jaksch, on trouve le fac-similé d'une lettre de Beneš écrite en tchèque. Voir Wenzel Jaksch, *Europas Weg nach Potsdam*, Munich, Langen Müller, 1990 (1re éd. 1958), pages d'illustration centrales. Le plus probable est que le président Beneš écrivait ses lettres en tchèque et que Wenzel Jaksch lui répondait en allemand, chacun comprenant l'autre langue.

[591] Cette lettre est également absente d'une autre collection tchèque de documents relatifs à l'expulsion : Jitka Vondrová (dir.), *Češi a sudetoněmecká otázka 1939-1945* (Les Tchèques et la question sudéto-allemande), Prague, Ústav mezinárodních vztahů, 1994, 351 p.

[592] Voir Friedrich Prinz (dir.), *Wenzel Jaksch-Edvard Beneš. Briefe und Dokumente aus dem Londoner Exil 1939-1943, op. cit.*, p. 128.

[593] Voir Wenzel Jaksch, *Europas Weg nach Potsdam, op. cit.*, pages d'illustration centrales.

[594] Voir Jan Kren, Vaclav Kural, Detlef Brandes, *Integration oder Abgrenzung*, Brême, Donat et Temmen, 1986, p. 82.

[595] Voir Hubert Ripka, *The Future of the Czechoslovak Germans*, Londres, Chiswick Press, 1944, p. 22.

[596] Voir Edvard Beneš, *Paměti* (Mémoires), *op. cit.*, p. 330.

[597] Hubert Ripka, *The Future of the Czechoslovak Germans, op. cit.*, p. 13-16. Il est vrai que les démocrates tchèques avaient quelque raison de se méfier de Jaksch. Le président Beneš explique ainsi que ce dernier lui aurait fait part de ses doutes sur les intentions des Allemands de son propre camp et aurait admis, en sa présence, s'être trompé deux fois : en croyant que la guerre serait de courte durée et en croyant que les ouvriers allemands déclencheraient une révolution socialiste contre Hitler. Il ne se serait jamais distancé clairement des partisans de la « Grande Allemagne » et aurait fomenté un projet de fédéralisation de l'Europe centrale. Enfin, il aurait tenté de gagner les Anglais à sa cause sans en informer Beneš. Voir Edvard Beneš, *Paměti* (Mémoires), *op. cit.*, p. 317-331.

[598] « Dopis prezidenta republiky dr. Edvarda Beneše W. Jakschovi z 10. ledna 1943 » (Lettre du 10 janvier 1943 du président de la République Dr. Edvard Beneš à W. Jaksch), *in* Edvard Beneš, *Odsun Němců* (L'expulsion des Allemands), *op. cit.*, p. 42.

[599] *Ibid.*

[600] Voir Radomír Luža, *The Transfer of the Sudeten Germans*, *op. cit.*, p. 278-279.

[601] Un pamphlet polonais de 1966 met l'accent sur le nombre de Polonais expulsés ou déportés par les Allemands dans leur zone d'occupation pendant la guerre : de quatre à cinq millions. Voir *Transfer of the German Population from Poland. Legend and Reality*, Varsovie, Western Press Agency, 1966, p. 24.

[602] Voir Alfred de Zayas, *Nemesis at Potsdam*, Londres, Routledge & Kegan Paul, 1977, p. 118.

[603] Voir *Transfer of the German Population from Poland*, *op. cit.*, p. 34-39.

[604] *Id.*, p. 35. Voir également Stanisław Schmitzek, *Truth of Conjecture ? German Civilian War Losses in the East*, Varsovie, ZAP, 1966, p. 261-274.

[605] Hubert Ripka affirma ainsi au nom des premiers (1944) que la politique tchécoslovaque de « *recherche d'une solution entièrement nouvelle au problème allemand* » avait été rendue « *inévitable* » non pas à cause du « *chauvinisme tchèque* » ou d'une « *volonté haineuse de vengeance* » mais en conséquence de la « *barbarie révoltante des Allemands nazifiés* ». Voir Hubert Ripka, *The Future of the Czechoslovak Germans*, *op. cit.*, p. 12. Du côté communiste, on peut citer Zdeněk Fierlinger en septembre 1945 (bien qu'il ait encore été, officiellement, social-démocrate) : « *Nous ne voulons pas nous venger des crimes commis par les nazis mais seulement garantir la paix intérieure et l'union de nos citoyens et par là-même garantir notre sécurité.* » Cité par Gustav Beuer, *New Czechoslovakia and her Historical Background*, *op. cit.*, p. xiv. Gustav Beuer, lui-même Allemand des Sudètes et ancien député communiste, était complètement convaincu de la nécessité de l'expulsion.

[606] Voir Radomír Luža, *The Transfer of the Sudeten Germans*, *op. cit.*, p. 269-271.

[607] *Id.*, p. 285.

[608] *Id.*, p. 274 et p. 291.

[609] Voir Stephen Borsody (dir.), *The Hungarians : A Divided Nation*, New Haven, Yale Center for International and Area Studies, 1988, p. 370-371.

[610] Voir Tomáš Staněk, *Perzekuce 1945* (Persécutions 1945), Prague, ISE, 1996, p. 11. Voir également Anne Bazin, *Le Retour de la question allemande dans la vie politique tchèque*, Paris, IEP (mémoire de DEA), 1994, p. 19.

[611] L'un des ouvrages les plus récents contribuant à la discussion sur les relations germano-tchèques, sur commande du ministère de la Culture, se garde lui aussi de répondre à cette critique. Au contraire, il affecte de se demander si ce n'est pas une date encore postérieure au 28 octobre 1945 qui aurait dû être retenue. Voir *Rozumět dějinám* (Comprendre l'histoire), Prague, Gallery, 2002, p. 243.

[612] Cité par Radomír Luža, *The Transfer of the Sudeten Germans*, *op. cit.*, p. 275.

[613] *Ibid.*

[614] Voir à cet égard le remarquable recueil de textes édité par un jeune historien tchèque : Milan Drápala, *Na ztracené vartě Západu* (Aux confins perdus de l'Occident), Prague, Prostor, 2000, 684 p.

[615] Eva Hahnová, *Sudetoněmecký problem : obtížné loučení s minulostí* (Le problème sudéto-allemand : une difficile rupture avec le passé), Prague, Prago Media, 1996, p. 125-126.

[616] J. W. Bruegel, « Allemands et Tchèques : la solution du problème (1945-1946) », *L'Autre Europe*, (10), août 1986, p. 18.

[617] *Ibid.*

[618] Voir *Radio Free Europe* – Research Institute (Munich) – Information Ressources Department – East European Archives : Records of the Czechoslovak Unit, Subject Files 1951-1961, Film 83 : Czechoslovakia – 1209 – Jamming Stations (1951-1961) et 1210 – Broadcasts Audibility (1951-1961).

[619] Voir Archives du Politburo du CC du KSČ, Fonds 02/2, vol. 102, u. a. 118, 9 p., point 20 : Zhodnocení průběhu projednávání resoluce březnového ÚV KSČ (Résultats de l'application de la résolution du CC du mois de mars), cam. Novotný, 11 mai 1956, p. 6-8.

[620] Voir *Lidová demokracie*, 26 mars 1946, p. 1.

[621] *Ibid.*

[622] Voir Milan Drápala, *Na ztracené vartě Západu* (Aux confins perdus de l'Occident), *op. cit.*, p. 18.

[623] *Lidová demokracie*, 9 mars 1946, p. 2.

[624] Voir par exemple Ygael Gluckstein, *Les Satellites européens de Staline*, Paris, Les Îles d'or, 1953, 333 p., p. 184.

[625] John Foster Dulles, *War or Peace*, New York, Macmillan, 1957 (1re éd., 1950), p. 142-143.

[626] Edvard Beneš, *Paměti* (Mémoires), *op. cit.*, p. 69. Cette appréciation est d'ailleurs par trop obligeante car l'URSS s'était bien plutôt habilement dérobée : Staline aurait fait passer un message au président Beneš au moment où se tenait la conférence de Munich, l'assurant de son soutien total s'il trouvait un partenaire occidental à la SDN prêt à tenir tête à Hitler. Beneš ne trouva évidemment pas de « partenaire ». Voir Igor Lukes, *Czechoslovakia between Stalin and Hitler*, *op. cit.*, p. 251.

[627] Voir Jacques Rupnik, *Histoire du parti communiste tchécoslovaque*, *op. cit.*, p. 148.

[628] Vojtěch Mastný, *Russia's Road to the Cold War*, *op. cit.*, p. 133-144.

[629] *Id.*, p. 136.

[630] *Id.*, p. 137-138.

[631] Il faut noter que le président Beneš fut influencé par la question slovaque dans sa gestion du problème sudéto-allemand. Son radicalisme dans les cas allemand et hongrois s'explique en partie par la nécessité de réintégrer les Slovaques dans le giron démocratique *tchécoslovaque*. Légitimer l'expulsion par la nécessité de préserver les valeurs démocratiques peut être interprété en partie comme une façon de tendre la main aux Slovaques et d'effacer le passé.

[632] John Foster Dulles, *War or Peace*, *op. cit.*, p. 143.

[633] *Ibid.*

[634] Hubert Ripka, *Le Coup de Prague. Une révolution préfabriquée*, Paris, Plon, 1949, p. 64.

[635] Jan Masaryk, *Statement on the Foreign Policy of Czechoslovakia*, Prague, Orbis, 1947, p. 51-52.

[636] C'est du moins ce qu'affirme Vojtěch Mastný sur la base d'un rapport de l'ambassadeur britannique à Moscou, à qui Beneš se serait confié. Voir Vojtěch Mastný, *Russia's Road to the Cold War*, *op. cit.*, p. 139.

[637] Voir Jacques Rupnik, *Histoire du parti communiste tchécoslovaque*, *op. cit.*, p. 174. L'auteur reprenait ainsi une vision critique qui avait émergé au sein de la dissidence dans les années 1960-1970, en particulier sous la plume de Petr Pithart. D'après celui-ci, c'est sur la période 1945-1948 que porterait jusqu'à aujourd'hui l'un des derniers tabous historiques tchèques. Il écrivit dès 1977 : « *Tous* [les courants politiques] *avaient façonné en commun le désastre qui culmina en février 1948* ». Voir Petr Pithart, *Osmašedesátý* (Mille neuf cent soixante-huit), *op. cit.*, p. 153.

[638] Voir Jacques Rupnik, *Histoire du parti communiste tchécoslovaque*, *op. cit.*, p. 207-224.

[639] *International Press Correspondence*, 1er juin 1935. Cité par Ygael Gluckstein, *Les Satellites européens de Staline*, *op. cit.*, p. 189.

[640] Gustav Bareš (dir.), *1938 Chtěli jsme bojovat. Dokumenty o boji KSČ a lidu na obranu Československa 1.* (1938 Nous voulions combattre. Documents sur la lutte du KSČ et du peuple pour la défense de la Tchécoslovaquie, tome 1), Prague, NPL, 1963, 428 p. Cet ouvrage recense des articles de presse, des tracts, des mots d'ordre de manifestation, des textes de pétitions et autres manifestations de la société civile (de gauche) en ces temps troublés. Gottwald tint même à l'occasion des discours en allemand (voir *id.*, p. 42-44).

[641] Voir par exemple Zdeněk Fierlinger, *Demokracie a otázka národnostní* (La démocratie et la question nationale), Prague, Svaz národního osvobození, 1931, 339 p. Bien qu'il se soit présenté comme un social-démocrate, il défendit les thèses communistes dès les années 1930 et devint vite – ou l'était-il déjà ? – une « taupe » du KSČ au sein du parti social-démocrate.

[642] Zdeněk Fierlinger, *Dnešní válka jako sociální krise* (La guerre actuelle en tant que crise sociale), Londres, Nová Svoboda, 1940, p. 87.

[643] *Id.*, p. 88.

[644] Voir Ygael Gluckstein, *Les Satellites européens de Staline, op. cit.*, p. 191. Il tire cette citation de *Der Sozialdemokrat,* Halbmonatschrift der Sudetendeutschen Sozialdemokratie, janvier 1944.

[645] *Id.*, p. 194.

[646] « Statement of Policy of the Democratic Sudeten Committee », *Der Sozialdemokrat,* 5, (58), 31 juillet 1944, p. 938.

[647] Cité par Ygael Gluckstein, *Les Satellites européens de Staline, op. cit.*, p. 194. (Lui-même cite à partir de *Der Sozialdemokrat*).

[648] Klement Gottwald, *Spisy XIII..., op. cit.*, p. 184 (« Réponses aux questions de l'agence de presse anglaise *Democratic and General News* »).

[649] Voir Klement Gottwald, *Se Sovětským svazem na věčné časy* (Avec l'Union soviétique pour toujours), Prague, Svět sovětů, 1948, p. 141 (« URSS : le pilier de la défense contre l'expansionnisme allemand »).

[650] *Id.*, p. 112 (« La ligne fondamentale de notre politique étrangère – Quatrième chapitre du programme de gouvernement de Košice, 5 avril 1945 »).

[651] *Id.*, p. 135-136 (« Discours à l'occasion du troisième anniversaire du pacte soviéto-tchécoslovaque, 12 décembre 1946 »).

[652] *Id.*, p. 126 (7 novembre 1945).

[653] Rudolf Slánský, *Současné problémy a úkoly Komunistické strany Československa* (Les problèmes et tâches d'actualité du parti communiste tchécoslovaque), Prague, ÚV KSČ, 1945, p. 4.

[654] Voir Rudolf Slánský, *Co je komunistická strana ?* (Qu'est-ce que le parti communiste ?), Prague, ÚV KSČ, 1945, p. 8.

[655] Klement Gottwald, *O politice komunistické strany Československa v dnešní situaci* (Sur la politique du parti communiste tchécoslovaque dans les circonstances actuelles), Prague, ÚV KSČ, 1945, p. 12-13.

[656] *Id.*, p. 13.

[657] Voir Radomír Luža, *The Transfer of the Sudeten Germans, op. cit.*, p. 272.

[658] *Id.*, p. 271.

[659] Cité par Ygael Gluckstein, *Les Satellites européens de Staline, op. cit.*, p. 192.

[660] Voir Rudolf Slánský, *Současné problémy a úkoly Komunistické strany Československa* (Les problèmes et tâches d'actualité du parti communiste tchécoslovaque), *op. cit.*, p. 5.

[661] Klement Gottwald, *Se Sovětským svazem na věčné časy* (Avec l'Union soviétique pour toujours), *op. cit.*, p. 159 (« L'alliance soviéto-tchécoslovaque – une garantie pour que Munich ne se répète pas »).

[662] *Id.*, p. 127.

[663] Voir Klement Gottwald, *Spisy XIII...*, *op. cit.*, p. 64 (« Discours radiodiffusé en vue des élections à l'Assemblée nationale constituante, 22 mai 1946 »).

[664] *Id.*, p. 31-32 (« Pour le premier mai 1946 »).

[665] Voir Jiří Sláma et Karel Kaplan, *Parlamentní volby v Československu v letech 1935, 1946 a 1948* (Les élections parlementaires de 1935, 1946 et 1948 en Tchécoslovaquie), Prague, FSÚ, 1991, p. 36.

[666] Voir Radomír Luža, *The Transfer of the Sudeten Germans*, *op. cit.*, p. 302-303, pour le cas allemand et Stephen Borsody (dir.), *The Hungarians : A Divided Nation*, *op. cit.*, p. 371-372, pour le cas hongrois.

[667] Voir par exemple Archives du ministère fédéral tchécoslovaque de l'Intérieur XXXII – 16 IV (5), I. : p. 9, p. 43, p. 147 et p. 149.

[668] *Id.*, 16 II (3), I. : p. 10, p. 16, p. 17, p. 19, p. 53, p. 128 et p. 130.

[669] Cité par Josef Belda, Miroslav Bouček, Zdeněk Deyl, Miloslav Klimeš, *Na rozhraní dvou epoch* (Au croisement de deux époques), Prague, Svoboda, 1968, p. 21.

[670] Voir Klement Gottwald, *O politice komunistické strany Československa v dnešní situaci* (Sur la politique du parti communiste tchécoslovaque dans les circonstances actuelles), *op. cit.*, p. 13.

[671] *Id.*, p. 14.

[672] *Id.*, p. 16.

[673] Klement Gottwald, *Spisy XIII...*, *op. cit.*, p. 37 (Discours à une réunion publique du KSČ pour les employés dans le secteur privé le 3 mai 1946).

[674] *Id.*, p. 18.

[675] Július Ďuriš, « Hradeckokrálový program (4.4.1947) » (Le programme de Hradec Králové, 4.4.1947), *in Studijní materiály k dějinám KSČ a ČSR v letech 1945-1948 II. díl.* (Documents sur l'histoire du KSČ et de la Tchécoslovaquie entre 1945 et 1948, tome II), Prague, Vysoká stranická škola, 1963, p. 143.

[676] Klement Gottwald, *O politice komunistické strany Československa v dnešní situaci* (Sur la politique du parti communiste tchécoslovaque dans les circonstances actuelles), *op. cit.*, p. 16.

[677] Klement Gottwald, *Spisy XIII...*, *op. cit.*, p. 230-231 (« Sur notre voie tchécoslovaque vers le socialisme »).

[678] Rudolf Slánský, *Co je komunistická strana ?* (Qu'est-ce que le parti communiste ?), *op. cit.*, p. 12-13.

[679] *Id.*, p. 13.

[680] Voir Jaroslav Kladiva, *Kultura a politika 1945-1948* (Culture et politique 1945-1948), Prague, Svoboda, 1968, p. 225.

[681] *Id.*, p. 224.

[682] *Id.*, p. 227.

[683] *Id.*, p. 225-226.

[684] Rudolf Slánský, *Současné problémy a úkoly Komunistické strany Československenska* (Les problèmes et tâches d'actualité du parti communiste tchécoslovaque), *op. cit.*, p. 23. Voir également Rudolf Slánský, *Co je komunistická strana ?* (Qu'est-ce que le parti communiste ?), *op. cit.*, p. 2-3, où il s'exprime en des termes similaires : « *Si notre parti a pour nom parti communiste, alors il est lié par ce nom et ce programme à la période la plus glorieuse de l'histoire de la nation tchèque, à la période hussite. Notre objectif est que notre pays, un pays jadis hussite et taborite, qui fut au Moyen-Âge à l'avant-garde du progrès en Europe, prenne la succession de nos pères, qu'il reste toujours dans les rangs de ceux qui se battent pour le progrès, pour une plus grande et meilleure démocratie, et pour une vie radieuse de l'humanité.* »

[685] *Id.*, p. 10.

[686] Voir Jaroslav Kladiva, *Kultura a politika 1945-1948* (Culture et politique 1945-1948), *op. cit.*, p. 228.

[687] *Ibid.*

[688] Klement Gottwald, *O politice komunistické strany Československa v dnešní situaci* (Sur la politique du parti communiste tchécoslovaque dans les circonstances actuelles), *op. cit.*, p. 16.

[689] Klement Gottwald, *Spisy XIII...*, *op. cit.*, p. 217 (Réunion du Comité central du KSČ, 25-26 septembre 1946).

[690] C'est ce qu'affirme Karel Kaplan sur la base d'un manuscrit de Július Ďuriš conservé dans ses archives personnelles (et donc inaccessible). Voir Jiří Sláma et Karel Kaplan, *Parlamentní volby v Československu v letech 1935, 1946 a 1948* (Les élections parlementaires de 1935, 1946 et 1948 en Tchécoslovaquie), *op. cit.*, p. 65.

[691] Voir Klement Gottwald, *Spisy XIII ...*, *op. cit.*, p. 77 (rapport de Gottwald à la réunion du Comité central du KSČ le 30 mai 1946).

[692] Environ 20 % de l'électorat tchèque étaient membres du KSČ juste avant les élections (1 124 902 membres pour 5 622 079 électeurs) et le parti avait reçu 40 % des voix. Voir Archives du CC du KSČ, Fonds 100/4, vol. 5, u. a. 26, 106 p. : p. 40.

[693] Voir Jiří Maňák, *Komunisté na pochodu k moci 1945-1948* (Les communistes en route vers le pouvoir), Prague, Studie ÚSD, 1995, p. 18.

[694] *Id.*, p. 19.

[695] *Id.*, p. 31.

[696] *Id.*, p. 23.

[697] Voir Archives du CC du KSČ, Fonds 100/4, vol. 5, u. a. 26, 299 p. (quatre parties).

[698] Voir Jiří Maňák, *Komunisté na pochodu k moci 1945-1948* (Les communistes en route vers le pouvoir), *op. cit.*, p. 24.

[699] *Id.*, p. 47.

[700] *Id.*, p. 67.

[701] Cité par Jiří Sláma et Karel Kaplan, *Parlamentní volby v Československu v letech 1935, 1946 a 1948* (Les élections parlementaires de 1935, 1946 et 1948 en Tchécoslovaquie), *op. cit.*, p. 67-68.

[702] Archives du CC du KSČ, Fonds 100/4, vol. 6, u. a. 29, p. 93.

[703] Voir Jiří Maňák, *Komunisté na pochodu k moci 1945-1948* (Les communistes en route vers le pouvoir), *op. cit.*, p. 49.

[704] *Ibid.*

[705] Voir Archives du CC du KSČ, Fonds 100/4, vol. 5, u. a. 26, 1-106, p. 87 (au 13 septembre 1947) et Archives du CC du KSČ, Fonds 100/4, vol. 6, u. a. 31, II. část, 158-317, p. 307 (au 28 février 1949).

[706] Voir Jiří Maňák, *Komunisté na pochodu k moci 1945-1948* (Les communistes en route vers le pouvoir), *op. cit.*, p. 47.

[707] *Id.*, p. 50.

[708] *Id.*, p. 51.

[709] *Id.*, p. 71.

[710] *Id.*, p. 57.

[711] Il y avait 1 200 000 membres du parti en Hongrie en 1948 pour neuf millions d'habitants (voir Branko Lazitch, *Les Partis communistes d'Europe 1919-1955*, *op. cit.*, p. 88), soit une proportion de 13,33 % de la population.

[712] Il y avait 1 420 000 membres du parti en Pologne à la fin de l'année 1948 pour environ vingt-cinq millions d'habitants (*id.*, p. 95), soit 5,68 % de la population.

[713] Voir Jiří Sláma et Karel Kaplan, *Parlamentní volby v Československu v letech 1935, 1946 a 1948* (Les élections parlementaires de 1935, 1946 et 1948 en Tchécoslovaquie), *op. cit.*, p. 67.

[714] Voir Hubert Ripka, *Le Coup de Prague, op. cit.*, p. 182-183 : « *J'interrompis Gottwald : "Vous savez mieux que moi quels sont les pronostics pour les élections. Je me demande pourquoi Kopecký (qui était encore ministre de l'Information) n'a pas permis de publier le résultat de votre sondage de l'opinion. Ne serait-ce pas parce qu'il prédisait pour les communistes une perte de 8 à 10 % des voix qu'ils avaient obtenues la dernière fois ? Et en votre qualité de président du parti communiste, vous devriez savoir que tous vos hommes de confiance constatent que les socialistes-nationaux gagnent partout du terrain." Gottwald ne put contenir un mouvement de surprise en constatant que j'étais si bien informé. Et il n'était certainement pas ravi de me voir au courant d'informations qui eussent dû être confidentielles.* » Voir également Morton A. Kaplan, *The Communist Coup in Czechoslovakia*, Princeton, Center of International Studies, 1958, p. 22.

[715] Tiré de deux tableaux compilés par Jiří Maňák, *Komunisté na pochodu k moci 1945-1948* (Les communistes en route vers le pouvoir), *op. cit.*, p. 52-53.

[716] Voir Jiří Maňák, *Komunisté na pochodu k moci 1945-1948* (Les communistes en route vers le pouvoir), *op. cit.*, p. 26.

[717] *Id.*, p. 30.

[718] *Id.*, p. 29.

[719] *Id.*, p. 32.

[720] *Id.*, p. 54.

[721] *Ibid.*

[722] Voir Archives du CC du KSČ, Fonds 100/4, vol. 5, u. a. 26, 107-228, p. 199.

[723] Seuls neuf démocrates renoncèrent à leur mandat parlementaire entre le 25 février et le 10 mars, date de la première réunion parlementaire post-coup d'État. Voir *Těsnopisecké zprávy o schůzích Národního shromáždění republiky Československé Schůze 80-96 od 29.října 1947 do 11.března 1948* (Compte rendu sténographique des réunions de l'Assemblée nationale tchécoslovaque du 29 octobre 1947 au 11 mars 1948), Prague, 1948, p. 2 (réunion n° 94). Lors de cette même réunion, Gottwald fut accueilli par des « *applaudissements bruyants et par une ovation debout* » (*id.*, p. 3). Sa déclaration de politique générale fut approuvée par 230 voix pour et 0 contre (voir réunion n° 95, p. 3).

[724] Notons que les cas de coercition pour entrer au parti semblent avoir été très limités. Voir Jiří Maňák, *Komunisté na pochodu k moci 1945-1948* (Les communistes en route vers le pouvoir), *op. cit.*, p. 54.

[725] Voir Jiří Sláma et Karel Kaplan, *Parlamentní volby v Československu v letech 1935, 1946 a 1948* (Les élections parlementaires de 1935, 1946 et 1948 en Tchécoslovaquie), *op. cit.*, p. 71.

[726] *Id.*, p. 72.

[727] *Id.*, p. 73.

[728] Rosemary Kavan, *Freedom at a Price. An Englishwoman's Life in Czechoslovakia*, Londres, Verso, 1985, p. 68.

[729] Voir Branko Lazitch, *Les Partis communistes d'Europe 1919-1955, op. cit.*, p. 96.

[730] *Id.*, p. 110.

[731] Voir Jan F. Tříska, « Czechoslovakia and the World Communist System », *in* Miloslav Jr. Rechcígl, *Czechoslovakia Past and Present I*, La Haye, Mouton, 1968, p. 376.

[732] La seule exception concerna la minorité hongroise de Slovaquie. Voir Edwin Bakker, *Minority Conflicts in Slovakia and Hungary ?*, Cappelle sur Ijssel, Labyrint Publication, 1997, p. 41.

[733] Voir Andrzej Paczkowski, « Pologne, la "nation-ennemie" », art. cité, p. 408.

[734] Voir M. K. Dziewanowski, *The Communist Party of Poland, op. cit.*, p. 185-186.

[735] Voir Jacques Rupnik, *L'Autre Europe, op. cit.*, p. 42.

[736] Voir Jörg K. Hoensch, *A History of Modern Hungary 1867-1994*, Londres, Longman, 1996, p. 163.

[737] Voir Stephen D. Kertész, *Diplomacy in a Whirlpool*, Notre-Dame, University of Notre-Dame Press, 1953, p. 119.

[738] Voir Jörg K. Hoensch, *A History of Modern Hungary 1867-1994*, *op. cit.*, p. 163.

[739] Voir Stephen D. Kertész, *Diplomacy in a Whirlpool*, *op. cit.*, p. 370.

[740] Voir Charles Gati, « From Liberation to Revolution », *in* Peter F. Sugar (dir.), *A History of Hungary*, Bloomington, Indiana University Press, 1990, p. 370.

[741] Voir le chapitre « Images de la Russie » *in* Jacques Rupnik, *L'Autre Europe*, *op. cit.*, p. 49-54.

[742] Records of the Department of State 1945-1949, Box 4011 (From 760f.00/1-145 to 760f.6522/12-3149), Rapport de Prague, 6 octobre 1947 : « Points of Soviet weakness in Czechoslovakia », p. 1-2.

[743] *Id.*, p. 2.

[744] Voir M. K. Dziewanowski, *Poland in the Twentieth Century*, New York, Columbia University Press, 1977, p. 26-29.

[745] *Id.*, p. 31-37.

[746] Voir Andrzej Paczkowski, « Pologne, la "nation-ennemie" », art. cité, p. 400.

[747] 14 587 personnes furent exécutées, pour la plupart des officiers de l'armée polonaise faits prisonniers après le pacte germano-soviétique du 23 août 1939. Voir *id.*, p. 402-404.

[748] Voir M. K. Dziewanowski, *The Communist Party of Poland*, *op. cit.*, p. 157-182.

[749] *Id.*, p. 279-280.

[750] Voir Ferenc A. Váli, *Rift and Revolt in Hungary*, Cambridge, Harvard University Press, 1961, p. 18. Voir également Stephen Borsody, « State- and Nation-building in Central Europe : The Origins of the Hungarian Problem », *in* Stephen Borsody (dir.), *The Hungarians : A Divided Nation*, *op. cit.*, p. 17 et François Fejtö, « The Soviet Union and the Hungarian Question », *in id.*, p. 93.

[751] Voir Miklós Molnár, *De Béla Kun à János Kádár*, *op. cit.*, p. 186-187.

[752] Voir Mihály Fülöp, *A befejezetlen béke* (La paix inachevée), Budapest, Héttorony Könyvkiadó, 1994, p. 70. Cet ouvrage est fondé sur des documents d'archives, en grande partie français. Il a également été publié en français (à Budapest) sous le titre *La Paix inachevée*.

[753] Voir le sous-chapitre « La Hongrie et le troisième Reich », *in* Jörg K. Hoensch, *A History of Modern Hungary 1867-1994*, *op. cit.*, p. 133-150.

[754] *Id.*, p. 151.

[755] Voir D. Perman, *The Shaping of the Czechoslovak State*, Leiden, Brill, 1962, p. 220.

[756] Sur l'amertume du président Beneš, voir Edward Taborsky, « La politique en exil », *in* Victor S. Mamatey, Radomír Luža (dir.), *La République tchécoslovaque 1918-1948*, *op. cit.*, p. 323. Voir également Radomír Luža, « Entre démocratie et communisme, 1945-1948 », *in id.*, p. 369-370.

[757] Voir M. K. Dziewanowski, *Poland in the Twentieth Century*, *op. cit.*, p. 119.

[758] *Ibid.*

[759] *Id.*, p. 120.

[760] Voir R. W. Seton-Watson, *Eastern Europe between the Wars 1918-1941*, Cambridge, Cambridge University Press, 1946, p. 343.

[761] Voir Stephen D. Kertész, *Diplomacy in a Whirlpool*, *op. cit.*, p. 101.

[762] *Id.*, p. 104-111.

[763] Voir Mihály Fülöp, *A befejezetlen béke* (La paix inachevée), *op. cit.*, p. 51-53.

[764] *Id.*, p. 106.

[765] Péter Gosztonyi, *Magyarország a második világháborúban III* (La Hongrie dans la Seconde Guerre mondiale, tome III), Munich, Herp, 1986, p. 228.

[766] Voir les chapitres « Le Comecon et le rideau de fer » et « Œuvre du Comecon : la dépression économique » *in* Paul Barton, *Prague à l'heure de Moscou, op. cit.*, p. 170-355.

[767] Voir M. K. Dziewanowski, *Poland in the Twentieth Century, op. cit.*, p. 171.

[768] *Ibid.*

[769] Voir M. K. Dziewanowski, *The Communist Party of Poland, op. cit.*, p. 283.

[770] Voir Stephen D. Kertész, *Diplomacy in a Whirlpool, op. cit.*, p. 153.

[771] *Ibid.*

[772] Voir Miklós Molnár, *De Béla Kun à János Kádár, op. cit.*, p. 150.

[773] *Id.*, p. 150.

[774] Voir Jörg K. Hoensch, *A History of Modern Hungary 1867-1994, op. cit.*, p. 177.

[775] Voir Stephen D. Kertész, *Diplomacy in a Whirlpool, op. cit.*, p. 155.

[776] *Ibid.*

[777] Hans Roos, *A History of Modern Poland*, Londres, Eyre & Spottiswoode, 1966, p. 249.

[778] Voir R. W. Seton-Watson, *A History of the Czechs and Slovaks, op. cit.*, p. 209-210, ainsi que Stephen Borsody, « State- and Nation-building in Central Europe : The Origins of the Hungarian Problem », art. cité, p. 19.

[779] Voir R. W. Seton-Watson, *A History of the Czechs and Slovaks, op. cit.*, p. 273.

[780] *Id.*, p. 322.

[781] *Id.*, p. 374.

[782] Voir John Parker, « Power and Politics », *in Czechoslovakia Six Studies in Reconstruction*, Londres, George Allen & Unwin, 1946, p. 14.

[783] Voir Stephen Borsody, « State- and Nation-building in Central Europe : The Origins of the Hungarian Problem », art. cité, p. 371.

[784] *Id.*, p. 93.

[785] Voir Stephen D. Kertész, *Diplomacy in a Whirlpool, op. cit.*, p. 124-125.

[786] Voir Stephen Borsody, « State- and Nation-building in Central Europe : The Origins of the Hungarian Problem », art. cité, p. 371.

[787] Voir *Hungary at the Conference of Paris*, vol. II : « Papers and documents relating to the preparation of the peace and to the exchange of population between Hungary and Czechoslovakia, Budapest, Hungarian Ministry of Foreign Affairs, 1947 », 172 p. et *Hungary and the Conference of Paris*, vol. IV : « Papers and documents relating to the Czechoslovak draft amendment concerning the transfer of 200 000 Hungarians from Czechoslovakia to Hungary », Budapest, Hungarian Ministry of Foreign Affairs, 1947, 202 p.

[788] « Rapport de Révai », *in* Giulano Procacci (dir.), *The Cominform Minutes of the Three Conferences 1947/1948/1949*, Milan, Fondazione Giangiacomo Feltrinelli, 1994, p. 213.

[789] « Rapport de Slánský », *in id.*, p. 288.

[790] *Ibid.*

[791] « Rapport de Révai », *in id.*, p. 343.

[792] *Id.*, p. 343-345.

[793] *Id.*, p. 345.

[794] *Ibid.* Il est à noter que l'existence de ces droits et la « bonne volonté » du gouvernement hongrois sont largement contestés. La magyarisation de la minorité slovaque n'aurait guère été remise en cause après la Seconde Guerre mondiale. Les Hongrois invoquèrent le fait que la minorité slovaque n'avait jamais fait preuve d'une grande combativité pour la défense de ses droits nationaux. Mais d'après P. de Ascá-

rate, cette passivité aurait surtout découlé du fait que la minorité slovaque n'avait pas bénéficié, après 1919, du « stimulus » du passage sans transition entre la position de « majorité » et de classe dirigeante à celle de « minorité », au contraire des Allemands des Sudètes et des Hongrois de Slovaquie et de Roumanie. Voir P. de Ascárate, *League of Nations and National Minorities : An Experiment*, Washington DC, Carnegie Endowment for International Peace, 1945, p. 43. L'auteur avait dirigé la section « Question des minorités » à la SDN pendant les années 1930.

[795] « Rapport de Révai », *in* Giulano Procacci (dir.), *The Cominform Minutes of the Three Conferences 1947/1948/1949, op. cit.*, p. 345.

[796] « Rapport de Bašťovanský », *in id.*, p. 347.

[797] *Id.*, p. 349.

[798] Voir R. W. Seton-Watson, *A History of the Czechs and Slovaks, op. cit.*, p. 328.

[799] *Id.*, p. 369.

[800] Voir François Fejtö, *Histoire des démocraties populaires. L'ère de Staline*, Paris, Seuil, 1979 (1re éd., 1952), p. 14.

[801] Nicolas Werth, « Une source inédite : les *svodki* de la Tchéka-GPU », *Revue des études slaves*, 66, n° 1, 1994, p. 26.

[802] Voir František Koudelka, *Státní bezpečnost 1954-1968 (Základní údaje)* (Sécurité d'État 1954-1968 [Données fondamentales]), Prague, Sešity ÚSD, volume 13, 1993, p. 138.

[803] Voir *Radio Free Europe* – Research Institute (Munich) – Information Ressources Department – East European Archives : Records of the Czechoslovak Unit, Subject Files 1951-1961, Film 83 : Czechoslovakia – 1209 – Jamming Stations (1951-1961) et 1210 – Broadcasts Audibility (1951-1961).

[804] Archives du ministère fédéral tchécoslovaque de l'Intérieur XXXII – 16 II (3), I. : p. 58 (Liberec, 2.11.56).

[805] *Id.*, p. 79 (České Budějovice, 4.11.56).

[806] *Id.*, p. 102 (Olomouc, 4.11.56).

[807] *Id.*, p. 105 (Olomouc, 4.11.56).

[808] Archives du ministère fédéral tchécoslovaque de l'Intérieur XXXII – 16 IV (5), I. : p. 41 (Jihlava, 5.11.56).

[809] *Id.*, p. 66 (Ústí-nad-Labem, 6.11.56).

[810] *Id.*, p. 101 (Ústí-nad-Labem, 7.11.56).

[811] *Id.*, p. 150 (Ústí-nad-Labem, 9.11.56).

[812] *Ibid.*

[813] *Id.*, p. 203 (Ústí-nad-Labem, 12.11.56).

[814] *Id.*, p. 240 (Ústí-nad-Labem, 16.11.56).

[815] Archives du ministère fédéral tchécoslovaque de l'Intérieur XXXII – 16 II (3), I. : p. 58 (Liberec, 2.11.56).

[816] *Id.*, 16 IV (5), I. : p. 9 (Ústí-nad-Labem, 5.11.56).

[817] *Id.*, 16 II (3), I. : p. 97 (Liberec, 4.11.56).

[818] *Id.*, 16 IV (5), I. : p. 125 (Ústí-nad-Labem, 8.11.56).

[819] *Id.*, 16 I (2), I. : p. 59 (Bratislava, 31.10.56).

[820] *Id.*, p. 60

[821] *Id.*, 16 II (3), II. : p. 58 (Nitra).

[822] *Id.*, p. 59.

[823] *Ibid.*

[824] *Ibid.*

[825] *Ibid.*

[826] *Id.*, p. 60.

[827] *Ibid.*

828 *Id.*, p. 61.

829 *Ibid.*

830 *Id.*, p. 62.

831 *Ibid.*

832 *Id.*, p. 63.

833 *Ibid.*

834 *Id.*, p. 64.

835 *Id.*, p. 65.

836 Voir par exemple p. 106, p. 115, p. 120.

837 *Id.*, 16 II (3), I. : p. 103 (Olomouc, 4.11.56).

838 *Id.*, p. 48.

839 *Id.*, 16 IV (5), I. : p. 131 (Jihlava, 8.11.56).

840 *Id.*, p. 104 (Ústí-nad-Labem, 7.11.56).

841 *Id.*, p. 102 (Ústí-nad-Labem, 7.11.56).

842 *Id.*, p. 37 (Liberec, 5.11.56).

843 *Id.*, p. 130 (Jihlava, 8.11.56).

844 *Id.*, p. 282 (Ústí-nad-Labem, 20.11.56).

845 Voir George R. Feiwel, *Poland's Industrialization Policy : A Current Analysis Sources of Economic Growth and Retrogression*, New York, Praeger, 1971, p. 230-231 et p. 261.

846 Voir Paul Barton, *Misère et révolte de l'ouvrier polonais, op. cit.*, p. 24-25.

847 *Ibid.*

848 Voir Thad P. Alton (dir.), *Personal Consumption in Hungary, 1938 and 1947-1965*, New York, Research Project on National Income in East Central Europe, 1968, p. 22-23.

849 Voir Joseph Schultz, *Économie de la Hongrie contemporaine*, Paris, Bordas, 1973, p. 9.

850 *Id.*, p. 9-10.

851 Voir John N. Stevens, *Czechoslovakia at the Crossroads*, New York, Columbia University Press, 1985, p. 7.

852 Voir George R. Feiwel, *New Economic Patterns in Czechoslovakia Impact of Growth, Planning and the Market*, New York, Praeger, 1968, p. 85.

853 Archives de l'ambassade de France à Prague, Carton 357, 29b, 30 : « Évolution de l'économie tchécoslovaque au cours de l'année 1955 », p. 27.

854 *Id.*, « Évolution de l'économie tchécoslovaque au cours de l'année 1956 », p. 1.

855 *Id.*, p. 33-34.

856 Toutes ces mesures sont détaillées dans le même document, p. 28-34.

857 Voir Jan M. Michal, *Central Planning in Czechoslovakia*, Stanford, Stanford University Press, 1960, p. 201-202.

858 Voir l'article de Ivo Duchacek, « A "Loyal" Satellite : The Case of Czechoslovakia », *op. cit.*, p. 116.

859 George R. Feiwel, *New Economic Patterns in Czechoslovakia Impact of Growth, Planning and the Market, op. cit.*, p. 60.

860 Voir François Fejtö, *Histoire des démocraties populaires. Après Staline 1953-1971, op. cit.*, p. 194.

861 *Id.*, p. 194-195.

862 *Id.*, p. 195.

863 Cité par George R. Feiwel, *New Economic Patterns in Czechoslovakia, op. cit.*, p. 132.

864 *Ibid.*

[865] Voir Antonín J. Liehm, *The Politics of Culture,* New York, Grove Press, 1970, p. 44.

[866] Edouard Goldstücker, « The Lessons of Prague », *Encounter*, 37, (2), août 1971, p. 78.

[867] Eduard Goldstücker, « Mettons-nous d'accord, mes amis », *Literární Listy*, 16 mai 1968, p. 10.

[868] Annie Kriegel, *Les Communistes français, op. cit.*, p. 95.

[869] Voir le chapitre « Bureaucratie, culte de la personnalité et charisme : le cas français, Maurice Thorez », *in* Annie Kriegel, *Communismes au miroir français*, Paris, Gallimard, 1974, p. 129-160.

[870] Annie Kriegel, « Les communistes français et le pouvoir », *in* Michelle Perrot, Annie Kriegel, *Le Socialisme français et le pouvoir*, Paris, EDI, 1966, p. 147-150.

[871] Jacques Rupnik, « Kořeni českého stalinismu » (Les racines du stalinisme tchèque), *Acta contemporanea*, Prague, ÚSD, 1998, p. 323.

[872] Krzysztof Pomian, « Totalitarisme », *XXᵉ siècle*, (47), juillet-septembre 1995, p. 4-23.

CHRONOLOGIE GÉNÉRALE

1946-1956

	BLOC SOVIÉTIQUE ET RESTE DU MONDE	POLOGNE	HONGRIE	TCHÉCOSLOVAQUIE
1946	10 janvier : première session de l'Assemblée générale de l'ONU	1944-1946 : déportations de plusieurs dizaines de milliers de civils vers l'URSS par le NKVD – guerre civile entre communistes et anticommunistes	4 novembre 1945 : aux élections libres, le parti communiste emporte 17 % des voix, contre 57 % au parti des petits propriétaires	1945-1946 : mise en place de l'expulsion organisée des Allemands des Sudètes – plus de deux millions d'entre eux seront ainsi contraints de partir
	27 février : signature du traité sur l'échange de population entre la Hongrie et la Tchécoslovaquie	3 janvier : loi sur les nationalisations des entreprises de plus de cinquante employés (légalisation de la dictature économique)	1945-1946 : déportation par le NKVD de 250 000 civils vers l'URSS	16 janvier : les partis de la coalition au gouvernement (les seuls autorisés) s'engagent à poursuivre leur collaboration après les élections
	5 mars : discours de Winston Churchill sur le « rideau de fer » : premier signe de la guerre froide	Avril : le parti communiste polonais reporte les élections et propose un référendum : il n'y aura pas d'élections libres	1er février : proclamation de la république hongroise avec Zoltán Tildy (parti des petits propriétaires) comme président – Ferenc Nagy devient Premier ministre	Avril : Congrès des syndicats tchécoslovaques qui parachève leur prise de contrôle par le parti communiste
	6 avril : accord sur les réparations entre la Hongrie et l'URSS, ainsi qu'entre la Hongrie et la Tchécoslovaquie	Printemps : campagne de terreur contre les partisans de Mikołajczyk (leader du parti paysan et ministre de l'Agriculture) – plusieurs centaines de membres du parti paysan sont arrêtés et parfois torturés	5 mars : formation du « Bloc des gauches »	26 mai : aux élections libres, le parti communiste emporte 38 % des voix – il est le premier parti du pays – Klement Gottwald est nommé Premier ministre et le président Beneš est réélu
	Mai : la guerre civile éclate en Grèce entre royalistes et communistes soutenus par la Yougoslavie	20 juin : référendum organisé dans un climat de pressions morales et de terreur – résultats ambigus	1er août : mise en place de la réforme monétaire	
	Été : Staline proclame la doctrine des « voies spécifiques vers le socialisme »			
	1er octobre : jugements prononcés à l'issue du procès de Nuremberg			

	BLOC SOVIÉTIQUE ET RESTE DU MONDE	POLOGNE	HONGRIE	TCHÉCOSLOVAQUE
1947	10 février : signature du traité de paix à Paris entre la Hongrie et ses anciens ennemis	1947 : poursuite de la guerre civile entre communistes et anticommunistes (milliers de morts)	5 janvier : le ministère de l'Intérieur (communiste) annonce la découverte d'un « complot contre-révolutionnaire » – il vise en fait le parti des petits propriétaires – arrestations et début de l'implosion de ce parti – Béla Kovács, son secrétaire général, est arrêté par les Soviétiques et déporté en URSS	18 avril : exécution de Monseigneur Tiso, président de l'État fasciste slovaque pendant la guerre
	12 mars : doctrine Truman sur l'aide des USA à tout combat contre le communisme	Lancement du plan triennal	16 avril : condamnation à mort des 3 auteurs du « complot »	4 juillet : le gouvernement vote à l'unanimité l'acceptation du plan Marshall
	5 juin : annonce du plan Marshall	17 janvier : élections truquées précédées d'arrestations de masse, de censure et de procédés illégaux : 80,1 % de voix pour le Bloc national procommuniste	29 mai : coup de force des communistes dans le cadre de la découverte de ce « complot » : ils profitent de l'absence du Premier ministre Ferenc Nagy pour installer à son poste Lajos Dinnyés (du même parti) – Nagy est accusé de trahison	10 juillet : sous la pression des Soviétiques, le gouvernement refuse le plan Marshall
	Juillet : l'URSS s'oppose à l'acceptation du plan Marshall par les pays de la zone soviétique	19 février : Cyrankiewicz (socialiste de gauche) est nommé Premier ministre, Bierut (communiste) président de la République, Mikołajczyk quitte le gouvernement		Été : l'URSS apporte 400 000 tonnes de blé d'« aide » à la Tchécoslovaquie qui est victime d'une sécheresse
	23 septembre : exécution de Petkov en Bulgarie (ancien leader de l'opposition aux communistes)	26 juillet : accord entre les partis socialiste et communiste pour s'aider mutuellement à « démasquer les éléments réactionnaires et hostiles » en leur sein		Été : le ministre de l'Agriculture communiste propose de lever un impôt sur les « millionnaires » – la proposition est rejetée par les autres partis comme
	22-29 septembre : naissance du Kominform			29 novembre : signature d'une plate-forme commune entre communistes et sociaux-démocrates

BLOC SOVIÉTIQUE ET RESTE DU MONDE	POLOGNE	HONGRIE	TCHÉCOSLOVAQUE
	– résistance des dirigeants locaux du parti socialiste	31 août : aux élections législatives entachées de pressions et de fraudes, le parti communiste obtient 21,8 % des voix (premier parti du pays grâce à sa politique de fragmentation de l'opposition) – Lajos Dinnyés est reconduit comme Premier ministre	démagogique – le PC est isolé au sein du gouvernement
	Été : poursuite des arrestations massives des membres du parti paysan de Mikołajczyk et fermeture de ses antennes locales		12 septembre : le PC et les leaders de gauche du parti social-démocrate s'engagent à adopter une politique communne sur les points importants
	Été : série de procès contre les socialistes de « droite » pour « espionnage » et « activités subversives », destinés à affaiblir le parti socialiste et à le contraindre à fusionner avec le PC	4 novembre : découverte du « complot » des « réactionnaires et sociaux-démocrates de droite » Pfeiffer, Sulyok et Peyer » le parti de l'indépendance, un des grands partis d'opposition, est dissous	6 octobre : le commissaire à l'Intérieur de Slovaquie (Gustáv Husák) annonce la découverte d'un « complot » du parti populaire interdit pour ses liens avec les Américains et le Vatican
	14 septembre : la Pologne dénonce le Concordat de 1925 avec l'Église catholique	6-8 décembre : accueil triomphal réservé par le parti communiste à Tito lors d'une visite à Budapest	31 octobre : Husák dissout arbitrairement le conseil national slovaque et renvoie l'affaire à Prague
	Novembre : fuite à l'étranger de Mikołajczyk		19 novembre : échec du coup de force communiste en Slovaquie et rétablissement du conseil national
			Novembre : congrès du parti social-démocrate et éviction des dirigeants de la gauche du parti (procommunistes) – le PC est isolé

	BLOC SOVIÉTIQUE ET RESTE DU MONDE	POLOGNE	HONGRIE	TCHÉCOSLOVAQUE
1948	28 juin : rupture entre Tito et Staline 24 juillet : début du blocus de Berlin – pont aérien américain Août : début de l'affaire Lyssenko en URSS Août : tenue du Iᵉʳ Congrès mondial des partisans de la paix (composé de sympathisants du monde communiste) à Wrocław (Pologne) 13-28 septembre : visite de Gottwald en URSS 18 décembre : le Bulgare Dimitrov (ancien secrétaire général du Komintern et Premier ministre de son pays) affirme la nécessité de la dictature du prolétariat	1948 : fin de la guerre civile, qui se serait soldée par plus de vingt mille morts 31 août-3 septembre : réunion du Comité central et éviction de Gomułka pour « déviationnisme nationaliste » 18-23 septembre : mesures disciplinaires et purges au sommet du parti socialiste en conséquence de l'affaire Gomułka, suivies de purges de masse Septembre-décembre : première vague de purges au sommet du parti communiste contre les partisans de Gomułka 15 décembre : Bierut proclame la nécessité de la dictature du prolétariat 20-22 décembre : congrès de fusion entre le parti socialiste et le parti communiste – Cyrankiewicz prend la tête du parti ouvrier unifié polonais (communiste)	10 février : traité d'assistance mutuelle avec l'URSS 18 février : les chefs historiques de la « droite » du parti social-démocrate sont contraints à la démission 14 juin : fusion forcée du parti communiste et du parti social-démocrate 30 juillet : le président Zoltán Tildy démissionne après l'arrestation de son beau-fils – remplacé par Árpád Szakasits (de l'ex-parti social-démocrate devenu communiste) 23 décembre : arrestation du cardinal Mindszenty (archevêque d'Esztergom) et de treize autres religieux 26 décembre : Ernő Gerő affirme la nécessité de la dictature du prolétariat	25 février : coup de Prague – les communistes prennent le pouvoir – manifestation de soutien de 200 000 ouvriers à Prague – Gottwald annonce la nécessité de la dictature du prolétariat 10 mars : mystérieux décès de Jan Masaryk 1ᵉʳ mai : adoption d'une « constitution socialiste » – Beneš refuse de la signer 30 mai : élections truquées 7 juin : démission du président Beneš – Gottwald le remplace et Zápotocký devient Premier ministre Juin : fusion entre le parti social-démocrate et le parti communiste Juillet : fête annuelle des Sokols – les participants tournent la tête devant Gottwald 3 septembre : funérailles nationales pour Edvard Beneš et protestations anticommunistes

	BLOC SOVIÉTIQUE ET RESTE DU MONDE	POLOGNE	HONGRIE	TCHÉCOSLOVAQUE
1949	18 janvier : naissance du Comecon 4 avril : naissance de l'OTAN 12 mai : fin du blocus de Berlin 23 mai : naissance de la RFA 10 juin : procès Dodze en Albanie Juin-juillet : le Vatican excommunie tous les communistes 23 septembre : annonce de la première explosion atomique soviétique 1er octobre : victoire des communistes dans la guerre civile et proclamation de la République populaire de Chine 7 octobre : naissance de la RDA	Janvier-mars : deuxième vague de purges contre les partisans de Gomułka 5 août : loi autorisant l'emprisonnement de quiconque se refuse à donner les saints sacrements pour motif politique 22 août : arrestation de Hermann Field (citoyen américain, frère de Noel Field) 11-13 novembre : purges « anti-titistes » au sein du parti communiste Novembre : deuxième attaque contre Gomułka par le Comité central – exclusion du parti communiste prononcée à son encontre	1949 : attaques de l'idéologue József Révai contre l'intellectuel marxiste György Lukács pour ses prises de position en faveur de la démocratie populaire et contre la « dictature du prolétariat » 3-8 février 1949 : procès du cardinal Mindszenty et condamnation à perpétuité – il est suivi en prison par des dizaines de prêtres 4 février : dissolution du parti démocrate populaire (parti d'opposition) 16 juin : arrestation du communiste László Rajk (vice-ministre de l'Intérieur)	9 septembre : la direction du parti communiste approuve une « ligne dure contre la réaction » 6 octobre : vote de la loi 231 qui pose les bases juridiques de la répression communiste 28 janvier : procès politique et condamnation à mort du général Pika (commandant de la mission militaire tchécoslovaque en URSS pendant la guerre) (exécuté en juin) 23 février : début de la collectivisation de l'agriculture 11 mai : arrestation de Noel Field (citoyen américain dont la présence à l'Est est censé prouver l'activité d'espionnage de son gouvernement dans toute la région) Lancement du premier plan quinquennal

Bloc soviétique et reste du monde	Pologne	Hongrie	Tchécoslovaque
16 octobre : défaite des rebelles communistes et fin de la guerre civile en Grèce	Novembre-décembre : troisième vague de purges contre les partisans de Gomułka – éviction et arrestation du général Spychalski, le vice-ministre de la Défense (remplacé par Edward Ochab)	7 août : proclamation de la République populaire de Hongrie	14 octobre : le gouvernement prend le contrôle des affaires religieuses et exige un serment de loyauté des prêtres
16-19 novembre : résolution du Kominform qui ordonne l'intensification de la lutte contre l'ennemi dans les pays et dans les partis communistes	7 novembre : Rokossowski (maréchal soviétique d'origine polonaise) devient ministre de la Défense	16-24 septembre : procès de Rajk (trois condamnés à mort) – pressions sur le KSČ pour un grand procès à Prague	28 novembre : adoption par le parti communiste de la directive du Kominform qui ordonne d'« intensifier la lutte contre les ennemis »
14 décembre : procès Kostov en Bulgarie		Octobre : le tribunal militaire envoie quatre personnes de plus au peloton d'exécution dans le cadre du procès Rajk	
1950			
18 mars : appel de Stockholm du Congrès mondial des partisans de la paix contre la bombe atomique	23 janvier 1950 : *Caritas*, la plus grande organisation de secours populaire de l'Église, passe sous le contrôle de l'État – grande campagne contre l'Église – plus de cinq cents arrestations d'officiels de l'Église	1950 : série de procès à huis clos du chef d'état-major de l'armée, de l'ex-vice ministre de la Culture, de son beau-père (intellectuel), d'autres intellectuels et de centaines de « cadres » du parti comme János Kádár	1950 : poursuite de la collectivisation dans une atmosphère de terreur
25 juin : début de la guerre de Corée	14 avril : compromis entre l'État et l'Église catholique – l'Église s'engage à faire pression sur le Vatican pour reconnaître la frontière Oder-Neisse et s'engage à ne pas utiliser la liberté de culte à des fins « anti-État »	24 avril : arrestation du président de la République Árpád Szakasits	13 mars : révocation de Vladimír Clementis, le ministre des Affaires étrangères – d'autres communistes slovaques, comme Husák et Novomeský, sont sanctionnés pour « nationalisme bourgeois »
Automne : la RDA reconnaît officiellement la frontière Oder-Neisse avec la Pologne			23 mai : création du ministère de la Sécurité nationale, dont le premier dirigeant est Ladislav Kopřiva
Novembre : IIe Congrès mondial de la paix à Varsovie			

	BLOC SOVIÉTIQUE ET RESTE DU MONDE	POLOGNE	HONGRIE	TCHÉCOSLOVAQUIE
		– l'État s'engage à respecter la liberté de culte et l'enseignement religieux, et à rétablir *Caritas* – le pape est reconnu comme l'autorité de l'Église		31 mai-8 juin : grand procès de Milada Horáková et d'autres anciens dirigeants des partis démocratiques – quatre exécutions
		Juillet : adoption d'un plan sextennal pharaonique et abandon des « méthodes prudentes de planification » au profit d'une approche « bolchevique »		6 octobre : arrestation d'Otto Šling, Premier secrétaire du parti communiste pour la région de Brno – début de la répression contre les communistes
		Octobre : réforme monétaire qui réduit de deux tiers le pouvoir d'achat réel de la population		2 décembre : accord commercial avec l'URSS
		28 novembre : la Pologne et la RDA reconnaissent la ligne Oder-Neisse comme frontière		2 décembre : procès à Prague contre la hiérarchie catholique tchèque
1951	5 août : ouverture du Festival mondial de la jeunesse à Berlin-Est	Fin 1950-printemps 1951 : lancement vigoureux de la collectivisation – résistance paysanne et pénuries importantes de nourriture	1951 : procès de l'archevêque József Grósz et de centaines de leaders des communautés religieuses	Janvier : procès contre la hiérarchie catholique slovaque à Bratislava
		26 janvier : décret du gouvernement ordonnant l'installation	1951-1953 : 1,5 million de personnes subissent une persécution de l'État	20 janvier-20 février : vague d'arrestations des cadres supérieurs du parti, de l'armée, de la police et de l'État

	BLOC SOVIÉTIQUE ET RESTE DU MONDE	POLOGNE	HONGRIE	TCHÉCOSLOVAQUE
		d'une administration définitive de l'Église dans les territoires de l'Ouest	15 avril : début du rationnement du pain	21-24 février : le Comité central approuve le rapport sur la découverte d'un « centre de conspiration ennemi Šling-Clementis »
		18 février : l'Église s'incline, ce qui revient à reconnaître la frontière Oder-Neisse		Juillet : procès d'un journaliste américain, William Oatis, pour « espionnage »
		Mai : visite du cardinal Wyszyński à Rome		23 juillet : le cas de Slánský commence à être débattu à Moscou
		Juillet : procès du général Tatar et d'autres officiers de l'AK : nombreuses condamnations à mort		6 septembre : Slánský est destitué de la fonction de secrétaire général du parti
		Juillet : internement de Gomułka		24 novembre : arrestation de Slánský
		12 décembre : l'Église, dans un geste de bonne volonté, condamne le « révisionnisme anti-polonais » de la RFA		28 novembre : manifestation à Brno pour le rétablissement des primes de Noël
1952	5 octobre : ouverture du XIXᵉ Congrès du PCUS qui met l'accent sur la lutte pour la paix	Début 1952 : deuxième grande vague de collectivisation avec les mêmes résultats : résistance, pénuries et grave crise agricole – réintroduction du rationnement pour les denrées alimentaires	1952 : poursuite de la collectivisation dans une atmosphère de terreur : 540 000 « transgressions » des paysans (dans le cadre de la collectivisation) qui sont condamnées, 460 officiers	29 janvier : Bacílek remplace Kopřiva comme ministre de la Sécurité
	1er novembre : première bombe H américaine			20-27 novembre : grand procès à forte connotation antisémite

	Bloc soviétique et reste du monde	Pologne	Hongrie	Tchécoslovaquie
		14-15 juin : Bierut reconnaît la gravité de la crise agricole – ralentissement du rythme des collectivisations	et généraux de l'armée sont démis pour motifs politiques – 177 000 mesures disciplinaires sont prises dans l'armée	de Slánský, le « Rajk tchécoslovaque », en compagnie de 13 hauts fonctionnaires communistes – onze exécutions
		22 juillet : adoption d'une nouvelle constitution socialiste sur le modèle de la constitution soviétique de 1936 et proclamation de la République populaire	Juin-décembre : 250 000 procédures judiciaires entamées contre les paysans	
		Novembre : nouvelle campagne contre l'Église catholique – nombreuses arrestations de prêtres et d'évêques pour « espionnage »	1952 : attaque de József Révai (idéologue en chef) contre l'écrivain communiste Tibor Déry dans le cadre de la lutte contre le « cosmopolitisme » et la « décadence bourgeoise »	
1953	13 janvier : le complot des « blouses blanches » est dénoncé en URSS dans une grande campagne antisémite	3 janvier : augmentation du prix des biens de consommation industriels de 28,5 % – seconde réforme monétaire	1er janvier : arrestation de Gábor Péter, chef des services de Sécurité, « main droite » de Rákosi dans tous les procès politiques depuis 1945	14 mars : mort de Gottwald
	5 mars : mort de Staline – Malenkov est nommé président du Conseil	9 février : le gouvernement prend le contrôle de toutes les nominations au sein de l'Église – obligation de serment d'allégeance envers l'État	1953 : environ 20 % des paysans sont « collectivisés »	25-26 mai : procès de Goldstücker, Richard Slánský, Kavan et Dubek, suivi d'autres procès pendant le reste de l'année en relation avec le procès Slánský
	27 mars : amnistie en URSS		13-16 juin : convocation d'une délégation hongroise à Moscou – vives attaques contre Rákosi –	30 mai : proclamation de la réforme monétaire
	17 juin : émeutes à Berlin-Est			1er juin : incidents de Plzeň

BLOC SOVIÉTIQUE ET RESTE DU MONDE	POLOGNE	HONGRIE	TCHÉCOSLOVAQUIE
26 juin : arrestation de Béria (ancien maître du système policier stalinien)	*Tygodnik powszechny* est interdit jusqu'en 1956 pour avoir refusé de publier une nécrologie de Staline	les Soviétiques imposent son remplacement par Imre Nagy au poste de Premier ministre – Rákosi reste Premier secrétaire du parti communiste	1ᵉʳ septembre : adoption du « nouveau cours » soviétique
27 juillet : fin de la guerre de Corée	8 mai : mémorandum de l'Épiscopat au gouvernement dénonçant les persécutions et la violation de l'accord du 14 avril 1950	5 juillet : discours d'investiture très réformiste d'Imre Nagy	21 décembre : procès à huis clos de Osvald Závodský, ancien chef des services de sécurité
12 août : première bombe H soviétique	8 mai : procession religieuse de masse dans les rues de Cracovie – les forces de sécurité doivent reculer	25 juillet : 21 968 personnes sont libérées de prison – 22 145 personnes sont libérées des camps de travaux forcés	23 décembre : kidnapping en Autriche par les services tchécoslovaques de l'ancien président du parti social-démocrate, Bohumil Lausmann (il mourra en détention dans des circonstances mal élucidées)
7 septembre : Khrouchtchev devient Premier secrétaire du PCUS	8 mai : le cardinal Wyszyński dénonce devant les fidèles de Varsovie la « tentative intolérable » de l'État de supprimer la religion – une fois encore, les forces de sécurité doivent reculer devant la foule	Des poursuites judiciaires sont abandonnées contre 758 611 personnes	
23 décembre : exécution de Béria	1953 : arrestation pour « haute trahison » du général Komar, le chef des services d'espionnage militaires	30 août : reprise des relations diplomatiques avec la Yougoslavie	
	Septembre : procès de l'évêque de Kielce pour « espionnage » (douze ans de réclusion)	14 septembre : révision du plan quinquennal	

	BLOC SOVIÉTIQUE ET RESTE DU MONDE	POLOGNE	HONGRIE	TCHÉCOSLOVAQUIE
1954	Printemps : publication en URSS du roman *Le Dégel* d'Ilya Ehrenburg	25 septembre : internement du cardinal Wyszyński Octobre : arrestation de deux collaborateurs du cardinal Wyszyński 29 octobre : adoption partielle du « nouveau cours » – concessions moins larges aux agriculteurs que dans les autres pays Décembre : fuite en Occident de Józef Światło, colonel des services de sécurité Janvier : neuf évêques et plusieurs centaines de prêtres sont emprisonnés 10-17 mars : IIe Congrès du parti communiste polonais – vives critiques dues aux pénuries – adoption nominale de la « direction collégiale » Printemps 1954-été 1955 : vigoureuses controverses dans *Przegląd kulturalny* sur le « réalisme socialiste »	22 janvier : épreuve de force entre Nagy et Rákosi arbitrée par les Soviétiques au profit de Nagy – Nagy préconise le relèvement du niveau de vie 13 mars : condamnation à perpétuité de Gábor Péter 24 mai 1954 : IIIe Congrès du parti ouvrier unifié (communiste) dans le cadre d'une lutte sourde entre Rákosi et Nagy	28 janvier : procès de Marie Švermová, « complice » de Slánský Mi-mars : exécution de Závodský 21-24 avril : procès contre les « nationalistes bourgeois » slovaques, dont Husák et Novomeský Abandon du plan quinquennal 1954 : libération de l'ex-Protecteur du Reich, Konstantin von Neurath ainsi que de 1 500 Allemands

BLOC SOVIÉTIQUE ET RESTE DU MONDE	POLOGNE	HONGRIE	TCHÉCOSLOVAQUE
	28 septembre : début des émissions de Świato à *Radio Free Europe* dans lesquelles il décrit la corruption de la « nouvelle classe » et les bestialités des services de Sécurité – indignation du public et remous à la direction	1ᵉʳ septembre : libération des protagonistes du procès Rajk	
	25 octobre : libération et dédommagement financier de Hermann Field	9 octobre : réhabilitation de János Kádár	
	25 octobre : annonce à la radio polonaise que H. Field a été libéré et que « l'agent américain Świato » avait été le responsable de son arrestation	20 octobre : article d'Imre Nagy dans *Szabad nép* (organe du Comité central du PC) dans lequel il accuse les anciens dirigeants de dogmatisme et d'avoir négligé le niveau de vie du peuple ; il réclame la libération de « ceux qui ne sont pas coupables » et leur réhabilitation	
	Novembre : divergences au sein du Politburo sur l'ampleur à donner à la libéralisation	17 novembre : libération de Noel Field	
	7 décembre : en conséquence de l'affaire Świato, dissolution du ministère de la Sécurité nationale et éviction du ministre Radkiewicz	Décembre : épuration de la presse par le clan Rákosi – Miklós Gimes, journaliste aux positions antistaliniennes, est écarté de *Szabad nép*	
	24 décembre : libération de Gomułka et de plusieurs centaines de prisonniers politiques		

	BLOC SOVIÉTIQUE ET RESTE DU MONDE	POLOGNE	HONGRIE	TCHÉCOSLOVAQUIE
1955	8 février : éviction de Malenkov et nomination de Boulganine au poste de Premier ministre 18-24 avril : conférence de Bandoeng – naissance des « non-alignés » 5 mai : la RFA devient souveraine 9 mai : la RFA est acceptée dans l'OTAN 14 mai : signature du Pacte de Varsovie 15 mai : conclusion du traité entre l'Autriche et l'URSS pour le retrait des troupes soviétiques et le rétablissement de l'Autriche comme État indépendant 26 mai-2 juin : voyage de Khrouchtchev à Belgrade 18-24 juillet : Réunion à Genève des quatre Grands : pas de résultat concret mais modère la guerre froide (« esprit de Genève »)	21-24 janvier : le IIIe Plénum du parti approuve la démocratisation et dénonce les méthodes de la Sécurité 27 janvier : arrestation de hauts fonctionnaires de la Sécurité – Nowe drogi condamne le rôle de la police secrète Mars : début du dégel dans le monde littéraire – attaques par Józef Chałasiński du monopole marxiste de l'éducation dans Nauka polska 8-11 juin : congrès des écrivains critiquant la censure 1er août : Ve festival international de la Jeunesse à Varsovie dans une atmosphère très libre Août : un million de fidèles promènent le fauteuil du cardinal Wyszyński à Częstochowa 21 août : « Poème pour adultes » de Adam Ważyk dans Nowa kultura, une critique amère du communisme	2-4 mars : Nagy est condamné pour « déviationnisme de droite », à la suite de la chute de Malenkov 9 mars : le Comité central décide de réaccorder la priorité à l'industrie lourde 18 avril : éviction de Nagy du gouvernement et exclusion du parti – Hegedüs prend la tête du gouvernement et Rákosi reste à celle du parti 16 mai : le cardinal Mindszenty passe de la prison à la résidence surveillée 28 mai : attaques de Miklós Gimes contre Rákosi – Exclusion de Gimes du parti 7-8 juin : le Comité central décide de revenir à l'objectif de la collectivisation de toutes les terres 18 octobre : mémorandum de cinquante-huit grands écrivains au Comité central protestant contre les mesures arbitraires	10 janvier : naissance de la 1re commission Barák Tout au long de l'année : les rapports d'activité de la commission Barák confirment la culpabilité de Slánský – en revanche, la responsabilité de London, Goldstücker, Švermová et Smrkovský est remise en question – arrestation des deux enquêteurs de la Sécurité les plus impliqués dans le procès Slánský – mise à pied de trois hauts fonctionnaires du ministère de l'Intérieur, mais sans sanction disciplinaire 21 mars : le Politburo édicte la ligne principale de la commission Barák : le verdict concernant le procès Slánský doit rester valide 1er avril : inauguration à Prague de la plus grande statue de Staline au monde

BLOC SOVIÉTIQUE ET RESTE DU MONDE	POLOGNE	HONGRIE	TCHÉCOSLOVAQUIE
13 septembre : établissement de relations diplomatiques entre l'URSS et la RFA	– dizaines d'articles consécutifs – les ouvriers de Nowa-Huta refusent de le condamner – premiers remous parmi les ouvriers de l'usine de Zerań – éviction du comité rédacteur de *Nowa kultura* Septembre : remous au sein du périodique de l'Union de la jeunesse, *Po prostu* 21 septembre : *Trybuna ludu* (organe du Comité central du parti communiste) reconnaît que certains points de la critique de Ważyk sont justifiés	qui ont frappé la vie littéraire et artistique Décembre : effervescence d'opposition dans les milieux intellectuels – démission de la présidence de l'Union des écrivains – création du Cercle Petőfi par les Jeunesses communistes	2 décembre : première dénonciation de Slánský comme « Béria tchécoslovaque » dans les rapports de la commission Barák 24 décembre : libération de Goldstücker
1956 14-25 février : XXe Congrès et « rapport secret » 17 avril : dissolution du Kominform 18-27 avril : voyage de Khrouchtchev à Londres 1er juin : disgrâce de Molotov 2 juin : visite de Tito à Moscou	18 février : le XXe Congrès reconnaît que la dissolution du parti communiste polonais en 1938 était injustifiée – le parti est réhabilité 19 février : *Trybuna ludu* annonce cette mesure 12 mars : mort de Bierut	17 mars : premier débat du Cercle Petőfi 27 mars : réhabilitation de Rajk Avril-mai : libération des principaux détenus politiques 27 mai : Rákosi reconnaît sa responsabilité dans le procès Rajk	Printemps : libération de London et Hajdů (survivants du procès Slánský) 24 avril : rédaction des résolutions étudiantes demandant la libéralisation de la vie publique 29 avril : ouverture du IIe Congrès des écrivains, qui critique le régime stalinien

237

Bloc soviétique et reste du monde	Pologne	Hongrie	Tchécoslovaquie
26 juillet : nationalisation du canal de Suez	21 mars : Ochab remplace Bierut	Juin : débats du Cercle Petőfi marqués par un très grand succès populaire	20 mai : défilé étudiant des Majáles
20 septembre : entretien à Yalta entre Khrouchtchev, Tito et Gerő	6 avril : Ochab reconnaît certaines « erreurs » du passé et annonce la réhabilitation de Gomułka	18 juillet : Rákosi est remplacé par Gerő à la tête du parti communiste	Printemps : présentation officielle de la thèse de Slánský comme étant le « Béria tchécoslovaque »
15 octobre : départ pour Belgrade d'une délégation hongroise menée par Gerő	Avril : réhabilitation du général Tatar et d'autres officiers	6 octobre : funérailles nationales de Rajk devant 200 000 personnes	
24 octobre : première intervention soviétique en Hongrie	27 avril : amnistie et libération de trente mille prisonniers, dont le général Komar	14 octobre : réintégration de Nagy dans le parti	
29 octobre-6 novembre : campagne de Suez (29 octobre : attaque des Israéliens, 31 octobre : attaque des Français et des Anglais)	28 juin : émeutes à Poznań (plus de soixante-dix morts)	22 octobre : résolution du Cercle Petőfi – meetings étudiants	
1-2 novembre : session d'urgence de l'ONU qui ordonne à la France et à la Grande-Bretagne de cesser les combats	27 juillet : réintégration de Gomułka et de ses alliés dans le parti communiste	23 octobre : la révolution éclate	
2 novembre : voyage de Khrouchtchev et Malenkov en Yougoslavie – Tito donne son feu vert à l'intervention soviétique en Hongrie	19-29 octobre : intense mobilisation populaire	24 octobre : Nagy est rappelé au gouvernement et appelle les troupes soviétiques – poursuite des combats	
	21 octobre : Gomułka redevient Premier secrétaire du parti	25 octobre : Gerő est remplacé par Kádár	
	28 octobre : révocation de Rokossowski, le symbole de la domination russe sur la Pologne	30 octobre : libération du cardinal Mindszenty	

BLOC SOVIÉTIQUE ET RESTE DU MONDE	POLOGNE	HONGRIE	TCHÉCOSLOVAQUIE
4 novembre : seconde intervention soviétique en Hongrie		1er novembre : Nagy déclare la neutralité hongroise à l'ONU 4 novembre : seconde intervention soviétique et écrasement de la révolution – création du gouvernement « ouvrier-paysan » de János Kádár	

CHRONOLOGIE DÉTAILLÉE DE LA POLOGNE EN 1956

SOCIÉTÉ

15 janvier : publication dans la presse de « La Force morale de la vérité » de J. Hochfeld

22 janvier : publication dans la presse de « Réflexions d'un cynique converti » de Jerzy Urban

24-25 mars : 19ᵉ session du Conseil de l'Art et de la Culture – violentes critiques contre l'embrigadement de la littérature

Po prostu publie des lettres vindicatives de membres de l'Union de la jeunesse déçus par le communisme

Avril : discussion des « résultats » du XXᵉ Congrès à FSO (Zerań)

8 avril : publication dans *Nowa kultura* de « Message à un ami » d'Adam Ważyk

8 avril : article dans *Po prostu* exigeant la dissolution de l'Union de la jeunesse et la création d'une nouvelle « organisation révolutionnaire »

1ᵉʳ mai : publication des « Questions d'un homme de parti » de Woroszylski

24 juin : article dans *Po prostu* « Est-ce le crépuscule du marxisme ? »

POUVOIR

1ᵉʳ janvier : début d'un nouveau plan quinquennal

9 février : abandon officiel à Moscou des charges contre le PC polonais

19 février : *Trybuna ludu* « réhabilite » les dirigeants polonais exécutés avant-guerre par Staline

10 mars : *Trybuna ludu* critique Staline

12 mars : mort de Bierut

21 mars : Ochab est élu Premier secrétaire

Mars : diffusion du « rapport secret » de Khrouchtchev à 20 000 exemplaires

6 avril : réhabilitation de Gomułka et de 26 de ses alliés – Ochab admet les erreurs commises dans le passé mais dénonce l'hystérie des critiques

21 avril : éviction du ministre très contesté de la Culture, Włodzimierz Sokorski

23 avril : arrestation de hauts fonctionnaires de la Sécurité, d'un ancien ministre de la Justice et d'un ancien ministre de la Sécurité

25 avril : amnistie et libération de 30 000 prisonniers

26 avril : *Trybuna ludu* tente de calmer la jeunesse en rébellion

Retour d'URSS des déportés polonais

3 mai : nouvelle tentative de *Trybuna ludu* pour calmer la jeunesse

5 mai : *Życie Warszawy* tente à son tour de calmer la jeunesse

6 mai : éviction du Politburo de Jakub Berman, le responsable de la Sécurité

SOCIÉTÉ

28 juin : émeute de Poznań (cinquante-trois morts selon les chiffres officiels, au moins soixante-dix en réalité)

29 juin : Cyrankiewicz est pris à partie par les journalistes de *Po prostu* à Poznań

Juillet : les ouvriers de Zerań chahutent le chef des syndicats

15 août : *Trybuna ludu* commence à publier une série de résolutions demandant la « démocratisation interne » du parti communiste

20-22 août : réunion du Comité central des syndicats, qui reconnaît qu'il ne représente pas les intérêts des travailleurs – résolution demandant l'indépendance complète des syndicats

22 août : l'Union de la jeunesse publie une résolution qui souligne son « rôle révolutionnaire et indépendant pour guider la jeunesse dans la lutte pour la démocratisation et l'amélioration du niveau de vie »

25 août : un million de fidèles prient pour la libération du cardinal Wyszyński à l'occasion du tricentenaire du couronnement de la vierge de Częstochowa

2 septembre : *Życie gospodarcze* révèle que le rendement par hectare de six cultures de base a été moins bon en 1954 qu'en 1934-1938 et que l'agriculture utilise moins d'engrais qu'avant la guerre

9 septembre : un important professeur d'économie dément dans *Nowa kultura* le bienfondé économique de la collectivisation des terres

Septembre : Manifestations et meetings de plus en plus fréquents – élections spontanées de conseils ouvriers dans les usines, hors de tout contrôle officiel

POUVOIR

18-28 juillet : VIIe Plénum du parti (qui reste secret) : défaite partielle des staliniens – adoption de mesures économiques favorables au relèvement du niveau de vie – Ochab reconnaît que les revendications ouvrières sont fondées – reconnaissance de la nécessité de « démocratiser » le parti communiste – appel à la « légalité socialiste » dans le domaine de la Sécurité

27 juillet : pleine réhabilitation et réintégration de Gomułka, Spychalski et Kliszko dans le parti communiste

4 août : Ochab se sépare des staliniens – début d'un conflit aigu à la direction autour de Gomułka et Rokossowski – ouverture des négociations pour le retour au pouvoir de Gomułka

24 août : le général Wacław Komar, allié de Gomułka, est nommé à la tête des forces de sécurité

5 septembre : ouverture de la session parlementaire dans une atmosphère de rébellion – discours conciliant de Cyrankiewicz

11 septembre : le gouvernement annonce la dissolution des stations de machines agricoles et leur vente aux paysans

27 septembre : début du procès de Poznań, où les accusés se défendent librement – ils sont condamnés à des peines modérées

30 septembre : *Po prostu* annonce pour le gouvernement que certaines coopératives sont dissoutes et que le déclin de

SOCIÉTÉ

21 septembre : *Trybuna ludu* commence à publier une longue suite de revendications pour une démocratisation de la structure du parti communiste

18 octobre : les ouvriers pro-Gomułka sont informés d'un projet de coup d'État de la faction des staliniens du Comité central

19 octobre : mobilisation des ouvriers par Staszewski et Gozdzik

19 octobre : meeting de masse à l'Université polytechnique

20 octobre : manifestations et meetings dans tout le pays pour soutenir Gomułka

21 octobre : meetings dans tout le pays – les ouvriers de Zerań montent la garde dans leur usine

22 octobre : intense agitation populaire – incidents – diffusion à la radio des résolutions de meetings et d'assemblées ouvrières – démission forcée de nombreux responsables du parti

23 octobre : meetings houleux en province, notamment à Gdańsk – réclamations du départ des troupes soviétiques

24 octobre : épurations des conservateurs, manifestations, meetings

27 octobre : les ouvriers de Zerań demandent une prise de position officielle sur l'intervention soviétique en Hongrie

29 octobre : manifestation saluant le remplacement de Rokossowski

31 octobre : la rédaction de *Poznańska gazeta* refuse de travailler sous les ordres de son directeur, stalinien

Octobre : désintégration de l'Union de la jeunesse communiste

Octobre-décembre : révolution agricole et démantèlement de 80 % des fermes collectives, accompagné de nombreux pillages

POUVOIR

l'agriculture date de la collectivisation, caractérisée par un important économiste comme un « pillage organisé »

9 octobre : démission du stalinien Hilary Minc, chef de la Commission de planification économique de l'État, de la Commission et du Politburo

16 octobre : annonce de l'invitation de Gomułka au prochain plénum

18 octobre : rumeurs de putsch de Rokossowksi

19 octobre : ouverture du VIIIe Plénum – réintégration de Gomułka et Spychalski au Comité central – démission collective du Politburo

19 octobre : visite de Khrouchtchev, Molotov, Mikoyan et Kaganovitch à Varsovie – menaces d'intervention soviétique – discours très fermes de Gomułka et Ochab

19-20 octobre : mouvements de troupes soviétiques en Pologne – les forces armées n'obéissent plus à Rokossowski et sont elles aussi prêtes à combattre

20 octobre : recul soviétique et départ de la délégation

20 octobre : discours de Gomułka de rupture avec le stalinisme devant le Comité central – débats ardents

21 octobre : le Comité central approuve la « voie polonaise vers le socialisme » – élection au scrutin secret d'un nouveau Politburo – élection de Gomułka au poste de Premier secrétaire du parti – éviction de Rokossowski, le symbole de la domination russe sur la Pologne

23 octobre : Spychalski devient vice-ministre de la Défense – révision des actes d'accusation du procès de Poznań – révision de la loi électorale

24 octobre : premier discours de Gomułka devant 350 000 personnes à Varsovie

26 octobre : réhabilitations supplémentaires

27 octobre : suppression des magasins spéciaux pour fonctionnaires

28 octobre : libération du cardinal Wyszyński – Spychalski prend la place de Rokossowski

Société

2 novembre : la presse publie des lettres demandant la dissolution des forces de sécurité

11 novembre : *Trybuna ludu* polémique contre *L'Humanité*

16-18 novembre : tumultueuse session du Conseil central des syndicats où les dirigeants sont submergés par les délégués élus

25 novembre : poème d'Adam Ważyk dans *Nowa kultura* en solidarité avec les insurgés hongrois

Décembre : publication réautorisée de *Tygodnik powszechny*

5-6 décembre : congrès de fondation d'une nouvelle Union de la jeunesse, antistalinienne, à l'initiative de *Po prostu*

11 décembre : incidents et bagarres à Szczecin – le consulat soviétique est attaqué

12 décembre : marche silencieuse de mineurs en solidarité avec les Hongrois

13 décembre : manifestation ouvrière à Gliwice

Pouvoir

29 octobre : départ de Rokossowski

30 octobre : les fonctionnaires soviétiques dans l'armée polonaise sont « libérés de leurs fonctions » et renvoyés en URSS

4 novembre : premier coup de frein de Gomułka à l'épuration des staliniens

15-18 novembre : une délégation polonaise à Moscou emporte d'importantes concessions économiques – affirmation de l'égalité des droits entre les deux pays

16 novembre : la Pologne demande à la Tchécoslovaquie d'interrompre son aide au brouillage des émissions de radio de *Voice of America, BBC*, Paris, Rome et le Vatican

22 novembre : la Pologne demande la fin du brouillage tchécoslovaque des émissions en polonais de *Radio Free Europe*

23 novembre : promulgation d'une nouvelle loi électorale qui « autorise les gens à élire et pas seulement à voter » (Gomułka)

24 novembre : Gomułka légalise les conseils ouvriers

24 novembre : fin du brouillage des émissions de *Radio Free Europe* en Pologne

29 novembre : la Pologne rompt son contrat avec la Tchécoslovaquie et refuse dorénavant de brouiller pour son compte les émissions des radios occidentales en tchèque

10 décembre : nouveau *modus vivendi* négocié entre l'État et l'Église – abolition du décret du 9 février 1953

12 décembre : présentation d'une nouvelle politique agricole, favorable aux paysans – Ochab est nommé ministre de l'Agriculture

14 décembre : publication du programme du Front d'unité de la nation : démocratisation, alliance avec l'URSS sur un pied d'égalité, planification conforme aux besoins et possibilités

Chronologie détaillée de la Hongrie en 1956

Société

17 mars : premier débat public du Cercle Petőfi

30 mars : la conférence des écrivains accuse Rákosi des maux du pays

Mai : débats du Cercle Petőfi pour l'application des résultats du XXe Congrès

19 juin : la veuve de Rajk est invitée au Cercle Petőfi

27 juin : débat au Cercle Petőfi sur la liberté de la presse – Discours de Tibor Déry, écrivain communiste réformateur (attaqué en 1952)

Août : Incidents dans les usines de Csepel Émiettement de l'opposition

22 septembre : article de Gyula Háy dans *Irodalmi újság* critiquant la bureaucratie communiste : « Pourquoi je n'aime pas le camarade Kucsera »

6 octobre : funérailles nationales de Rajk devant 200 000 personnes – Imre Nagy donne l'accolade à la veuve de Rajk

17 octobre : programme de revendications de l'Union de la jeunesse

18 octobre : meetings et manifestations étudiantes à Szeged

19 octobre : la cellule communiste de l'Union des écrivains demande la convocation du Comité central de l'Union pour une élection démocratique de ses dirigeants

20 octobre : les écrivains demandent la convocation d'un congrès extraordinaire du parti

Pouvoir

21 février : *Szabad nép* réhabilite Béla Kun, exécuté par Staline

27 mars : réhabilitation de Rajk

Avril-mai : libération des principaux détenus politiques non communistes

28 mai : Rákosi reconnaît sa responsabilité dans le procès Rajk

30 juin : Tibor Déry est exclu du parti – la résolution du Comité central dénonce le Cercle Petőfi et le mouvement d'opposition

18 juillet : Rákosi est remplacé par Gerő – ce dernier dit que le dernier débat du Cercle Petőfi est un « mini-Poznań »

22 juillet : Mihály Farkas (ex-général de la Sécurité) est exclu du parti et rétrogradé

20 septembre : entretien à Yalta entre Khrouchtchev, Tito et Gerő

4 octobre : lettre d'Imre Nagy au Comité central analysant la crise du communisme hongrois

13 octobre : arrestation de Mihály Farkas

14 octobre : réintégration d'Imre Nagy dans le parti

15 octobre : départ pour Belgrade d'une délégation menée par Gerő

21 octobre : la radio dénonce les responsabilités de Rákosi

23 octobre : la radio refuse de diffuser le programme des étudiants – la manifestation est interdite puis autorisée –

SOCIÉTÉ

22 octobre : résolution du Cercle Petőfi

22 octobre : meetings dans les universités – décision d'une manifestation de soutien en faveur de la Pologne – envois de délégations dans les usines

23 octobre : éclatement de la révolution hongroise – fusillade – destruction de la statue de Staline

24 octobre : batailles de rues à Budapest et en province

25 octobre : poursuite des combats – fusillade place du Parlement

26 octobre : les comités révolutionnaires prennent le pouvoir – une unité de l'armée passe de leurs côtés – la radio passe entre les mains des insurgés

27 octobre : formation de « conseils ouvriers » dans toutes les usines de Budapest

28 octobre : les émetteurs aux mains des insurgés réclament l'élimination des rákosistes

29 octobre : *Szabad nép* prend la défense des insurgés contre les attaques de la *Pravda*

30 octobre : reconstitution des anciens partis – constitution du Conseil national de Transdanubie à Győr

31 octobre : épuration des syndicats et annonce de la création de syndicats libres

2 novembre : le conseil ouvrier de Miskolc réclame la constitution d'un conseil révolutionnaire national – appels réitérés à la « pureté » de la révolution – disputes

3 novembre : le comité révolutionnaire des forces armées se déclare prêt à lutter contre toute intervention étrangère – discours du cardinal Mindszenty

4 novembre : reprise des combats dans tout le pays – grève générale

5-12 novembre : poursuite des combats – des dizaines de milliers de personnes partent en exil – poursuite de la grève générale

13 novembre : délégations ouvrières reçues par Kádár

14 novembre : fin des combats et de la grève générale

POUVOIR

discours menaçant de Gerő à 20 heures qui relance la manifestation

24 octobre : Imre Nagy est rappelé au gouvernement – loi martiale – Nagy appelle les troupes soviétiques

25 octobre : premier voyage de Mikoyan et Souslov à Budapest – Gerő est remplacé par Kádár à la tête du parti – Kádár et Nagy promettent des réformes mais demandent aux insurgés de déposer les armes

26 octobre : Nagy reçoit les mineurs de Miskolc et fait de nouvelles promesses pour que les insurgés déposent les armes

27 octobre : formation d'un « gouvernement national » par Nagy

28 octobre : début des négociations entre Nagy et les insurgés – à la radio, Nagy reconnaît que ce n'est pas une « contre-révolution » et renouvelle ses promesses

29 octobre : annonce officielle du prochain retrait des troupes soviétiques

30 octobre : Nagy dément avoir proclamé la loi martiale et avoir appelé les Russes – le cardinal Mindszenty est libéré

30-31 octobre : deuxième voyage à Budapest de Mikoyan et Souslov

31 octobre : Radio-Moscou annonce que le gouvernement est prêt à négocier le retrait des troupes – arrivée en Hongrie de nouvelles unités soviétiques

1er novembre : démission du présidium des syndicats – afflux de troupes soviétiques – déclaration de neutralité de Nagy à l'ONU – Nagy et Kádár annoncent la formation d'un nouveau parti communiste

1er novembre dans la nuit : mystérieuse disparition de János Kádár

2 novembre : les nouvelles troupes soviétiques continuent d'avancer

3 novembre : remaniement ministériel excluant tous les rákosistes – début des négociations entre militaires – arrestation en pleines négociations du dirigeant de l'unité hongroise passé du côté des insurgés

4 novembre : deuxième intervention soviétique en Hongrie – appel d'Imre Nagy – constitution du gouvernement « ouvrier-paysan » par Kádár, qui réapparaît –

SOCIÉTÉ

POUVOIR

19 novembre : convocation d'un conseil ouvrier national

soutien de Kádár aux troupes soviétiques – Nagy se réfugie à l'ambassade de Yougoslavie

15 novembre : arrestations et déportations – les camions militaires embarquent les passants en pleine rue

20 novembre : Kádár dénonce les « contre-révolutionnaires » qui font grève

22 novembre : arrestation de Nagy par les Soviétiques

25 novembre : Kádár affirme qu'il n'y aura pas de poursuites contre Nagy

6 décembre : protestation du conseil central contre les arrestations des ouvriers

9 décembre : convocation d'une grève générale de quarante-huit heures par le conseil central

11 décembre : grève générale

12-13 décembre : grèves

5 décembre : arrestation de Miklós Gimes

9 décembre : dissolution du conseil central

11 décembre : arrestations d'ouvriers – dissolution du Comité révolutionnaire des intellectuels

17 décembre : premières condamnations à mort

16 juin 1958 : condamnation à mort et exécution de 4 personnes, dont Imre Nagy, le journaliste Miklós Gimes et le commandant de l'unité hongroise passée du côté des insurgés (Pál Maléter) – cinq autres personnes, dont l'ancien président Zoltán Tildy, sont condamnées à de lourdes peines de prison

CHRONOLOGIE DÉTAILLÉE DE LA TCHÉCOSLOVAQUIE EN 1956

ÉLÉMENTS NOVATEURS DU POUVOIR

1er janvier : 1re mention officielle, dans un discours du président Zápotocký, du « rôle de diversion » de l'ennemi qui a propagé des « informations erronées » sur l'activité « titiste » de Slánský

30 janvier : révision de la composition de la délégation tchécoslovaque au XXe Congrès – rajout du ministre de l'Intérieur Barák pour expliquer les résultats de son enquête sur le procès Slánský aux Soviétiques curieux

Mars-avril-mai : critiques dans la presse de la « thèse erronée » de Staline sur l'aggravation de la lutte des classes au cours de la construction du socialisme – critiques du « culte de la personnalité » de Staline (mais pas de Gottwald) – critiques des insuffisances « bureaucratiques » –

POUVOIR
STATU QUO STALINIEN

22-25 janvier : articles au vitriol dans *Rudé právo* contre les « instruments criminels » que sont les ballons chargés de tracts de *Radio Free Europe*. Cette vaste campagne de protestations dans la presse se poursuit toute l'année avec des articles presque quotidiens sur ce thème

28 janvier : présentation officielle au Politburo par Novotný de la thèse de Slánský comme « Béria tchécoslovaque » mais les accusations de « titisme » sont désormais « injustifiées » – affirmation que Slánský a « amené beaucoup de Juifs étrangers à la nation » dans le KSČ

12 février : départ de la délégation tchécoslovaque au XXe Congrès

1-2 mars : réunion du Politburo consacrée aux « résultats du XXe Congrès » et préparation des « Orientations du Politburo » pour la campagne d'explications, qui ne laissent aucune place au « rapport secret »

2 mars : rapport de Barák au Politburo qui désigne les radios occidentales qui doivent être

SOCIÉTÉ ET EXTÉRIEUR	ÉLÉMENTS NOVATEURS DU POUVOIR	POUVOIR STATU QUO STALINIEN
Printemps : envoi présumé par ballons de *Radio Free Europe* d'un résumé du « rapport secret » 24 avril : rédaction des Résolutions étudiantes exigeant une libéralisation de la vie publique 22-29 avril : IIᵉ Congrès des écrivains – critique par Hrubín et Seifert du rôle des intellectuels sous le régime	– appels à un retour aux « normes léninistes » de la vie du parti – quelques critiques de l'URSS 17 mars : bilan provisoire de Novotný devant le Politburo sur la campagne d'explications – constatation de l'insatisfaction des cadres régionaux 29 mars : rapport de Novotný devant le Comité central – lecture du « rapport secret » – timide critique du « culte de la personnalité » de Gottwald (reprise dans la presse) 29 ou 30 mars : discours de Ďuriš critique de Gottwald et de Čepička 30 mars : entrefilet en page 3 de *Rudé právo* qui annonce discrètement la réhabilitation de Rajk	brouillées : *Radio Free Europe, Voice of America, BBC*, Vatican, Rome, Paris et Madrid 6 mars : publication censurée des débats du XXᵉ Congrès par *Nová mysl* 7 mars : le Comité central expédie ses membres informer les cellules régionales des « résultats du XXᵉ Congrès », tous des staliniens 29 mars : rapport de Novotný devant le Comité central – première mention au Comité central de la thèse de « Slánský le Béria tchécoslovaque » 29 ou 30 mars : hommage triomphal à Gottwald du ministre de l'Information Václav Kopecký 29 ou 30 mars : discours de Barák lors de la réunion, avec une nouvelle thèse : c'est Slánský qui a creusé sa propre tombe
Mars-avril : grande campagne de presse sur les « résultats du XXᵉ Congrès » Avril : lecture présumée du rapport de Novotný du 29 mars – donc des accusations contre Staline – dans les cellules de base du parti 4 avril : création de la seconde commission Barák 5 avril : le Politburo somme Čepička de s'expliquer sur son action de ministre de la Défense 19 ou 20 avril : autocritique de Bacílek qui se décharge de la responsabilité des grands procès sur Prchal, Doubek et Gottwald		**4-20 avril** : affirmations officielles renouvelées dans la presse de la « culpabilité » de Slánský 19-20 avril : seconde réunion du Comité central pour débattre des « résultats du XXᵉ Congrès » – refus de Novotný de placer la responsabilité du « culte de la personnalité » sur Gottwald lui-même

SOCIÉTÉ ET EXTÉRIEUR	ÉLÉMENTS NOVATEURS DU POUVOIR	POUVOIR STATU QUO STALINIEN
	20 avril : résultats de la seconde commission Barák – le procès Slánský doit être révisé dans les détails portant sur le rôle de la Yougoslavie Libération de London et Hajdů (survivants du procès Slánský)	11 mai : présentation au Politburo du programme de combat de Novotný contre les « tendances à la partialité » et les demandes de convocation d'un congrès du parti communiste
	26 avril : Rudé právo annonce sans commentaire que Čepička a été démis de ses fonctions	12 mai : premier coup d'arrêt du Premier ministre Široký dans l'atmosphère de légère détente – il dénonce les « révisionnistes » – début d'une campagne de presse « antirévisionniste » qui va durer toute l'année
Avril-juin : 0,5 % des cellules de base du parti, représentant 1 % des membres, demande la convocation d'un congrès extraordinaire	5 mai : départ d'une délégation tchécoslovaque en Yougoslavie pour une visite tendue	Mai-juin : purges présumées limitées à quelques exclusions contre les membres du parti qui réclament un congrès
20 mai : défilé étudiant des Majáles – critique de la censure	7 mai : décision du Politburo de ne plus diffuser l'hymne soviétique à l'issue des programmes de la radio nationale	
	9 mai : relaxe et expulsion de Mordekhai Oren, « témoin » israélien au procès Slánský	
	11 mai : lettre de Čepička au Politburo dans laquelle il place la responsabilité de l'arrestation de Slánský sur les épaules de Staline et de Gottwald – il implique également Zápotocký	
	11 mai : le Politburo prend connaissance de la réhabilitation de Kostov en Bulgarie	
4 juin : diffusion du « rapport secret » par le Département d'État américain, repris par la presse et les radios occidentales	8 juin : le brouillon de Novotný pour la conférence nationale réhabilite devant le Politburo la Yougoslavie, les frères Field et Koni Zilliacus – brouillon adopté	8 juin : le brouillon de Novotný pour la conférence nationale indique que Slánský reste coupable et qu'il n'y aura pas de réhabilitations – brouillon adopté
Pour toute l'année 1956 : 288 plaintes et demandes de réhabilitation envoyées au Comité central	Juin : discours critique de Ďuriš sur Gottwald et Čepička (partiellement censuré par la suite)	14 juin : le Politburo décide de relancer l'offensive diplomatique contre les États-Unis au sujet des ballons de Radio Free Europe

SOCIÉTÉ ET EXTÉRIEUR	ÉLÉMENTS NOVATEURS DU POUVOIR	POUVOIR STATU QUO STALINIEN
	29 juin : lettre de Doubek au Politburo dans laquelle il replace toute la responsabilité du procès Slánský sur les « référents » soviétiques, sur Kopřiva et sur Gottwald	11-15 juin : conférence nationale du KSČ – discours archi-conservateur de Novotný – dénonciation du révisionnisme, de l'ennemi de classe 16 juin : conclusion de Novotný dans laquelle il critique Ďuriš 16 juin : pèlerinage collectif sur la tombe de Gottwald en clôture de la conférence 29 juin : Jan Fojtík dénonce dans *Rudé právo* « l'illusion que l'influence de l'ennemi de classe est dépassée » **18 juillet** : réapparition publique d'un Čepička en « pleine forme » **26 août-4 septembre** : Congrès international de la jeunesse étudiante à Prague – aucun incident **À partir du 23 octobre** : dénonciations omniprésentes dans la presse du « putsch contre-révolutionnaire » hongrois 31 octobre : entrevue Novotný–Zilliacus ; Novotný affirme que la situation reste calme en Tchécoslovaquie parce que Slánský a été écarté à temps

SOCIÉTÉ ET EXTÉRIEUR	ÉLÉMENTS NOVATEURS DU POUVOIR	POUVOIR STATU QUO STALINIEN
	26 novembre : rapport de Barák au Politburo dans lequel il reconnaît que la Bohême occidentale n'est plus « protégée » contre les émissions de radio occidentales	**Novembre** : dénonciations abondantes dans la presse du « révisionnisme » yougoslave **17 novembre** : Journée internationale de la jeunesse – aucun incident
	29 novembre : la Pologne rompt son contrat et refuse désormais de brouiller pour le compte de la Tchécoslovaquie les émissions de radios occidentales	
	7 décembre : rapport de Barák devant le Politburo où il dit que l'utilité du brouillage est questionnée dans les ministères – bilan de l'activité de brouillage : environ un tiers des émissions occidentales ne sont pas « couvertes »	**2 octobre 1957** : fin de l'activité de la première commission Barák – 6 715 cas réexaminés, 213 peines jugées trop sévères, 52 condamnations jugées entièrement injustifiées et 97,4 % des jugements estimés corrects

BIBLIOGRAPHIE

I. DOCUMENTS D'ARCHIVES[*]

1. Archives du bureau politique du parti communiste tchécoslovaque

2. Réunions plénières du Comité central du parti communiste tchécoslovaque

3. Autres archives du parti communiste tchécoslovaque

4. Archives du ministère fédéral tchécoslovaque des Affaires étrangères XXXII – 16 (1)

5. Archives du ministère fédéral tchécoslovaque de l'Intérieur XXXII – 16 I (2), 16 II (3), 16 III (4), 16 IV (5)

6. Archives centrales d'État, Bratislava XXXII – 16 I (6), 16 II (7)

7. Archives de l'ambassade de France à Prague

8. Archives de l'ambassade des États-Unis à Prague

9. Archives de *Radio Free Europe* (Budapest)

10. Archives audiovisuelles
(télévision tchèque, archives cinématographiques tchécoslovaques, archives de l'armée tchécoslovaque et archives cinématographiques hongroises et polonaises, 1938-1956).

II. ENTRETIENS
1994-1998

Monsieur B., haut fonctionnaire du KSČ en 1956

Lubomír Blažek, étudiant en 1956

Pavel Campeanu, haut fonctionnaire du Kominform entre 1947 et 1956

Ladislav Davidovič, apprenti chez Škoda-Plzeň en 1953

Hermann Field, frère de Noel Field, emprisonné en Pologne entre 1949 et 1954

Eduard Goldstücker, haut fonctionnaire communiste et victime d'un grand procès en 1953

Leo Gluchowski, historien

Michal Heyrovský, étudiant en 1956

---

[*] Voir la liste complète des archives consultées dans ma thèse de doctorat, *L'Année 1956 en Tchécoslovaquie*, déposée à l'École des hautes études en sciences sociales (Paris).

Pavla Horská, historienne débutante en 1956

Jan Jíra, étudiant en 1956

Ivan Kamenec, étudiant en 1956

František Kopecký, opposant politique en prison en 1956

Bohuslav Kounovský, habitant de Plzeň en 1953

Josef Lesák, prisonnier politique puis ouvrier à Kladno en 1953

Ilya Nazarkevyč, ouvrier chez Škoda-Plzeň en 1953

Karel Pecka, écrivain, envoyé en camp de travail dans les années 1950

Jiří Pelikán, intellectuel, secrétaire de l'Union internationale des étudiants de 1953
    à 1963

Jiří Pernes, historien

Jiří Pešek, étudiant en 1956

Petr Pithart, intellectuel

Blanka Pitronová, historienne

František Přeučil, opposant politique condamné lors du procès Horáková

Péter Rákos, Hongrois de Slovaquie, membre de l'Union des écrivains tchéco-
    slovaques en 1956

Lumír Salivar, opposant politique, en camp de travail dans les années 1950

Zdena Salivarová, écrivain

Jiří Skopec, étudiant en 1956

Josef Škvorecký, écrivain

Radek Smetana, étudiant en 1956

Jan Sokol, intellectuel, apprenti dans les années 1950

František Svátek, historien

Pavel Tigrid, intellectuel en exil dans les années 1950

Emanuel Weber, opposant politique, en camp de travail dans les années 1950

Václav Žalud, fils d'un ouvrier en grève à Ostrava en 1953, emprisonné par la suite

Emil Zatopek, sportif de haut niveau dans les années 1950

III. Sources imprimées

1. Documents, discours et propagande communistes

XX sjezd Kommunističeskoj partiji Sovětskovo sojuza Stěnografičeskoj otčot (XXe
    Congrès du parti communiste de l'Union soviétique. Compte rendu sténogra-
    phique), 14-25 février 1956, tomes 1 et 2, Moscou, Gosudarstvěnoje izdatělstvo
    političeskoj litěratury, 1956, 610 p. et 559 p.

Beware ! German Revenge-Seekers Threaten Peace, Prague, Orbis, 1959, 78 p.

Czechoslovakia on the Road to Socialism, Prague, Orbis, 1949, 196 p.

Drama devatenáct set padesát šest (Le drame de l'année 1956), Prague, SNPL, 1957, 141 p.

Ke studiu dějin KSČ (Pour l'étude historique du KSČ), Prague, NPL, 1964, 184 p.

KSČ Skutečnosti proti pomluvám (Le KSČ. Des actes et non des promesses), Prague, Svoboda, 1946, 80 p.

Můj poměr ke KSČ Projevy z řad pracující inteligence (Ma relation au KSČ. Opinions de l'intelligentsia), Prague, KSČ, 1946, 88 p.

Nová mysl, numéro spécial « XX. sjezd Komunistické strany Sovětského svazu » (XXᵉ Congrès du PCUS), février 1956.

Nová mysl, numéro spécial « Celostátní konference KSČ » (Conférence nationale du KSČ), juin 1956.

BAREŠ (Gustav), *Klement Gottwald*, Prague, Svoboda, 1946, 32 p.

FIERLINGER (Zdeněk), *Od Mnichova po Košice 1939-1945* (De Munich à Košice), Prague, Práce, 1946, 430 p.

GOTTWALD (Klement), *O politice komunistické strany Československa v dnešní situaci* (Sur la politique du KSČ dans les circonstances actuelles), Prague, ÚV KSČ, 1945, 23 p.

GOTTWALD (Klement), *Le Programme de reconstruction nationale du cabinet Gottwald*, Prague, Orbis, 1946, 86 p.

GOTTWALD (Klement), *Kupředu, zpátky ni krok!* (En avant, plus un pas en arrière !), Prague, Orbis, 1948, 80 p.

GOTTWALD (Klement), *O československé zahraniční politice* (Sur la politique étrangère de la Tchécoslovaquie), Prague, Redakce světových rozhlasů, 1948, 72 p.

GOTTWALD (Klement), *Se Sovětským svazem na věčné časy 1935-1948* (Avec l'URSS pour toujours), Prague, Orbis, 1948, 230 p.

GOTTWALD (Klement), *Klement Gottwald 1949-1950*, Prague, Svoboda, 1951, 430 p.

GOTTWALD (Klement), *Spisy XII 1945-1946* (Œuvres, tome XII : 1945-1946), Prague, SNPL, 1955, 400 p.

GOTTWALD (Klement), *Spisy XIII 1946-1947* (Œuvres, tome XIII : 1946-1947), Prague, SNPL, 1957, 448 p.

GOTTWALD (Klement), *Spisy XIV 1947-1948* (Œuvres, Tome XIV : 1947-1948), Prague, SNPL, 1958, 479 p.

GOTTWALD (Klement), *Spisy XV 1948-1949* (Œuvres, tome XV : 1948-1949), Prague, SNPL, 1961, 344 p.

GOTTWALD (Klement), SLÁNSKÝ (Rudolf), *K palčivým otázkám dne* (Sur les questions brûlantes du jour), Prague, Svoboda, 1945, 8 p.

MATĚJKA (Jaroslav), *Gottwald*, Prague, Svoboda, 1971, 315 p.

NEJEDLÝ (Zdeněk), *T. G. Masaryk*, Prague, Svoboda, 1946 (1ʳᵉ éd. 1938), 55 p.

NEJEDLÝ (Zdeněk), *Komunisté Dědici velkých tradic českého národa* (Les communistes. Héritiers des grandes traditions de la nation tchèque), Prague, ČS spisovatel, 1950, 107 p.

SLÁNSKÝ (Rudolf), *Současné problémy a úkoly KSČ* (Les problèmes et les tâches actuelles du KSČ), Prague, ÚV KSČ, 1945, 24 p.

SLÁNSKÝ (Rudolf), *Co je komunistická strana ?* (Qu'est-ce que le parti communiste ?), Prague, ÚV KSČ, 1945, 22 p.

SLÁNSKÝ (Rudolf), *Vedoucí silou ve státě musí být pracující lid* (La force dirigeante de l'État doit être le peuple travailleur), Prague, Svoboda, 1945, 15 p.

ZÁPOTOCKÝ (Antonín), *Tvoříme nový řád* (Nous créons un nouvel ordre), Prague, Práce, 1947, 66 p.

ZÁPOTOCKÝ (Antonín), *Na prahu roku 1955* (À l'aube de l'année 1955), Prague, Orbis, 1955, 20 p.

ZÁPOTOCKÝ (Antonín), *Na prahu roku 1956* (À l'aube de l'année 1956), Prague, Orbis, 1956, 32 p.

2. Discours, textes politiques et propagande non communistes

BENEŠ (Edvard), *The Opening of the Prague Parliament,* Prague, Orbis, 1946, 79 p.

BENEŠ (Edvard), GOTTWALD (Klement), *Na prahu dvouletky* (À l'aube du plan biennal), Prague, Orbis, 1947, 47 p.

MASARYK (Jan), *Statement on the Foreign Policy of Czechoslovakia*, Prague, Orbis, 1947, 53 p.

MASARYK (Jan), *Ani opona, ani most...* (Ni un rideau, ni un pont), Prague, Vladimír Žikeš, 1947, 63 p.

PEROUTKA (Ferdinand), *Tak nebo tak* (De toutes les façons), Prague, Fr. Borový, 1947, 227 p.

3. Mémoires, témoignages et entretiens, communistes et non communistes, portant sur la Tchécoslovaquie

BENEŠ (Edvard), *Paměti* (Mémoires), Prague, Orbis, 1947, 519 p.

ČERNÝ (Václav), *Paměti 1945-1972* (Mémoires), Brno, Atlantis, 1992, 672 p.

DAIX (Pierre), *Prague au cœur*, Paris, Julliard, 1968, 314 p.

FROLÍK (Joseph), *The Frolík Defection*, Londres, Leo Cooper, 1975, 184 p.

FUČÍK (Bedřich), BARTOŠEK (Karel), *Zpovídání. Pražské rozhovory 1978-1982* (Confessions. Entretiens praguois 1978-1982), Toronto, Sixty-Eight Publishers, 1989, 168 p.

HROMÁDKO (Ota), *Jak se kalila voda* (L'eau est devenue trouble), Cologne, Index, 1982, 317 p.

KAPLAN (Karel), *Dans les archives du Comité central*, Paris, Albin Michel, 1978, 367 p.

KAVAN (Rosemary), *Freedom at a Price. An Englishwoman's Life in Czechoslovakia*, Londres, Verso, 1985, 278 p.

KOHOUT (Pavel), *From the Diary of a Counter-revolutionary*, New York, McGraw-Hill, 1972, 309 p.

KOSATÍK (Pavel), *Osm žen z Hradu. Manželky presidentů* (Huit femmes au Château. Les épouses des présidents), Prague, Mladá Fronta, 1993, 343 p.

KOVÁLY (Heda), KOHÁK (Erazim), *The Victors and the Vanquished*, New York, Horizon Press, 1973, 274 p.

LIEHM (Antonín), *Trois générations*, Paris, Gallimard, 1970, 330 p.

LÖBL (Eugen), GRÜNWALD (Leopold), *Die Intellektuelle Revolution*, Düsseldorf, Econ Verlag, 1969, 308 p.

LOEBL (Eugène), *Le Procès de l'aveu* Prague 1952, Paris, France-Empire, 1977, 287 p.

LONDON (Artur), *L'Aveu*, Paris, Gallimard, 1968, 631 p.

LONDON (Artur), *Aux sources de* L'Aveu, Paris, Gallimard, 1997, 105 p.

MARGOLIUS KOVÁLY (Heda), *Under a Cruel Star. A Life in Prague 1941-1968*, Cambridge, Plunkett Lake Press, 1986, 192 p.

OREN (Mordekhai), *Prisonnier politique à Prague* (1951-1956), Paris, Julliard, 1960, 380 p.

OXLEY (Andrew), PRAVDA (Alex), RITCHIE (Andrew) (dir.), *Czechoslovakia. The Party and the People*, Londres, Penguin Press, 1973, 303 p.

PACHMAN (Luděk), *Checkmate in Prague*, Londres, Faber and Faber, 1975, 216 p.

PELIKÁN (Jiří), *S'ils me tuent...*, Paris, Grasset, 1975, 293 p.

REALE (Eugenio), *Avec Jacques Duclos au banc des accusés à la réunion constitutive du Kominform à Szklarska Poręba (22-27 septembre 1947)*, Paris, Plon, 1958, 207 p.

RIPKA (Hubert), *Le Coup de Prague*, Paris, Plon, 1949, 372 p.

SKILLING (H. Gordon), « Journey to Prague 1948 », *Kosmas*, 5, (1), été 1986, 139-156.

SKILLING (H. Gordon), « Journey to Prague 1950 », *Kosmas*, 6, (1), été 1987, p. 127-144.

SKILLING (H. Gordon), *Listy z Prahy* (Lettres de Prague), Toronto, Sixty-Eight Publishers, 1988, 199 p.

SLÁNSKÁ (Josefa), *Rapport sur mon mari*, Paris, Mercure de France, 1969, 222 p.

ŠLINGOVÁ (Marian), *Truth Will Prevail*, Londres, Merlin Press, 1968, 126 p.

SMUTNÝ (Jaromír), *Svědectví prezidentova kancléře* (Témoignage du bureau de la présidence), Prague, Mladá fronta, 1996, 341 p.

ULČ (Otto), *The Judge in a Communist State*, Columbus, Ohio University Press, 1972, 307 p.

4. Autres témoignages, entretiens ou biographies

DEDIJER (Vladimir), *Tito Speaks*, Londres, Weidenfeld & Nicolson, 1953, 456 p.

DESANTI (Dominique), *Les Staliniens*, Verviers, Marabout, 1976, 544 p.

DJILAS (Milovan), *Conversations with Stalin*, New York, Harcourt, Brace & World, 1962, 214 p.

DJILAS (Milovan), *Tito, mon ami, mon ennemi*, Paris, Fayard, 1980, 295 p.

DJILAS (Milovan), *Rise and Fall*, New York, Harcourt & Brace, 1983, 424 p.

DULLES (John Foster), *War or Peace*, New York, Macmillan, 1957 (1re éd., 1950), 274 p.

IGNOTUS (Paul), *Prisonnier politique*, Paris, Hachette, 1962, 303 p.

KARDELJ (Edvard), *Reminescences 1944-1957*, Londres, Blond and Briggs, 1982, 279 p.

KAROL (K. S.), *Visa pour la Pologne*, Paris, Gallimard, 1958, 327 p.

KENNAN (George), *Memoirs 1925-1950*, Londres, Hutchinson, 1967, 583 p.

KENNAN (George), *From Prague after Munich. Diplomatic Papers 1938-1940*, Princeton, Princeton University Press, 1968, 266 p.

LEWIS (Flora), *Pion rouge. L'histoire de Noel Field*, Paris, Gallimard, 1967, 286 p.

LONDON (Lise), *L'Écheveau du temps. Le printemps des camarades*, Paris, Seuil, 1996, 246 p.

NOWAK-JEZIORAŃSKI (Jan), *Wojna w eterze 1948-1956* (La guerre des ondes), Londres, Odnowa, 1986, 302 p.

NOWAK (Jan), *Polska z oddali 1956-1976* (La Pologne à distance), Londres, Odnowa, 1988, 404 p.

TORANSKA (Teresa), *Oni. Des staliniens polonais s'expliquent*, Paris, Flammarion, 1986, 380 p.

5. Documents publiés par l'Institut d'histoire contemporaine de Prague

Sešity Ústavu pro soudobé dějiny (Cahiers de l'Institut d'histoire contemporaine)

Studijní materiály výzkumného projektu Československa 1945-1967 (Documents sur la Tchécoslovaquie)

Dokumenty o perzekuci a odporu (Documents sur la répression et la résistance)

6. Autres documents historiques

1956 kézikönyve I. Kronológia (Ouvrage de référence sur 1956, I : Chronologie), Budapest, 1956-os intézet, 1996, 435 p.

1956 kézikönyve II. Bibliográfia (Ouvrage de référence sur 1956, II : Bibliographie), Budapest, 1956-os intézet, 1996, 311 p.

1956 kézikönyve III. Megtorlás és emlékezés (Ouvrage de référence sur 1956, III : Répression et souvenirs), Budapest, 1956-os intézet, 1996, 391 p.

Prameny k dějinám III. odboje I. (Documents sur l'histoire de la résistance au communisme, vol.1), Prague, Olomouc, Rozstání, 989 p.

Těsnopisecké zprávy o schůzích Národního shromáždění republiky Československé Schůze 80-96 od 29. října 1947 do 11. března 1948 (Compte rendu sténographique des réunions de l'Assemblée nationale tchécoslovaque du 29 octobre 1947 au 11 mars 1948), Prague, 1948, non paginé.

LAZITCH (Branko), *Le Rapport Khrouchtchev et son histoire*, Paris, Seuil, 1976, 191 p.

OSTERMANN (Christian), *The Post-Stalin Succession Struggle and the 17 June 1953 Uprising in East Germany : The Hidden History*, Washington, the National Security Archives, 1996, non paginé.

PROCACCI (Giulano) (dir.), *The Cominform. Minutes of the Three Conferences 1947/1948/1949*, Milan, Fondazione Giangiacomo Feltrinelli, 1994, 1 054 p.

ROSSI (Amalric), *Autopsie du stalinisme*, Paris, Pierre Horay, 1957, 296 p.

SÓLT (Pál) (dir.), *Iratok az igazságszolgáltatás történetéhez 1* (Rapports sur l'histoire de la justice, tome 1), Budapest, Közgazdasági és jogi könyvkiadó, 1992, 756 p.

IV. PUBLICATIONS HISTORIQUES

1. Historiographie communiste

BELDA (Josef), BOUČEK (Miroslav), DEYL (Zdeněk), KLIMEŠ (Miloslav), *Na rozhraní dvou epoch* (Au croisement de deux époques), Prague, Svoboda, 1968, 322 p.

KAPLAN (Karel), *A Victory for Democracy. Czechoslovakia 1945-1948*, Prague, Orbis, 1963, 51 p.

KAPLAN (Karel), *Utváření generální linie výstavby socialismu v Československu* (Le socialisme tchécoslovaque et la formation de sa ligne générale), Prague, Academia, 1966, 296 p.

KAPLAN (Karel), *Znárodnění a socialismus* (Nationalisations et socialisme), Prague, Práce, 1968, 263 p.

KLADIVA (Jaroslav), *Kultura a politika 1945-1948* (Culture et politique), Prague, Svoboda, 1968, 377 p.

2. Sources utilisées sur la question des minorités en Tchécoslovaquie

Der Lebenswille des Sudetendeutschtums. Bericht über die Haupttagung der Sudetendeutschen Partei am 23. und 24. April 1938 in Karlsbad mit der Rede Konrad Henleins, Karlsbad, Verlag Karl H. Frank, 1938, 94 p.

Rozumět dějinám. Vývoj česko-německých vztahů na našem území v letech 1848-1948 (Comprendre l'histoire. L'évolution des relations tchéco-allemandes sur notre territoire dans les années 1848-1948), Prague, Gallery, 2002, 306 p.

Těsnopisecké zprávy o schůzích Prozatímního národního shromáždění republiky Československé Schůze 1-30 od 28. října 1945 do 14. února 1946 (Compte rendu sténographique des réunions de l'Assemblée nationale tchécoslovaque provisoire du 28 octobre 1945 au 14 février 1946), Prague, 1945, non paginé.

Transfer of the German Population from Poland, Varsovie, Western Press Agency, 1966, 55 p.

ASCÁRATE (P. DE), *League of Nations and National Minorities : An Experiment*, Washington DC, Carnegie Endowment for International Peace, 1945, 216 p.

BAREŠ (Gustav) (dir.), *1938. Chtěli jsme bojovat 1. 2.* (1938. Nous voulions combattre, tomes 1 et 2), Prague, NPL, 1963, 428 p. et 454 p.

BAZIN (Anne), *Le Retour de la question allemande dans la vie politique tchèque (1968-1994)*, Paris, IEP (mémoire de DEA), 1994, 90 p.

BAZIN (Anne), « La question des Sudètes : un poids dans les relations germano-tchèques aujourd'hui », *L'Autre Europe*, (34-35), 1997, p. 118-139.

BAZIN (Anne), « Tchèques et Allemands sur la voie d'une difficile réconciliation », *Relations internationales et stratégiques*, (26), été 1997, p. 154-163.

BENEŠ (Edouard), *Problèmes de la Tchécoslovaquie*, Prague, Orbis, 1936, 46 p.

BENEŠ (Edouard), *Munich*, Paris, Stock, 1969, 444 p.

BENEŠ (Edvard), *Nazi Barbarism in Czechoslovakia*, Londres, George Allen & Unwin, 1940, 32 p.

BENEŠ (Edvard), « The Organization of Post-War Europe », *Foreign Affairs*, 20, (2), janvier 1942, p. 235-239.

BENEŠ (Edvard), *Šest let exilu a druhé světové války* (Six ans d'exil et de Seconde Guerre mondiale), Prague, Orbis, 1946, 485 p.

BENEŠ (Edvard), *Odsun Němců* (L'expulsion des Allemands), Prague, Společnost Edvarda Beneše, 1995 (1re éd., 1947), 107 p.

BEUER (Gustav), *New Czechoslovakia and her Historical Background*, Londres, Lawrence & Wishart, 1947, 276 p.

BORSODY (Stephen) (dir.), *The Hungarians : A Divided Nation*, New Haven, Yale Center for International and Area Studies, 1988, 405 p.

BRUEGEL (J. W.), *Czechoslovakia Before Munich*, Cambridge, Cambridge University Press, 1973, 334 p.

BRUEGEL (J. W.), « Allemands et Tchèques : la solution du problème (1945-1946) », *L'Autre Europe*, (10), août 1986, p. 12-20.

DANUBIUS pseud. de MLYNÁRIK (Ján), « Tézy o vysídlení československých Nemcov » (Thèses sur l'expulsion des Allemands tchécoslovaques), *Svědectví*, (57), 1978, p. 371-376.

FIERLINGER (Zdeněk), *Demokracie a otázka národnostní* (La démocratie et la question nationale), Prague, Svaz národního osvobození, 1931, 339 p.

FIERLINGER (Zdeněk), *Dnešní válka jako sociální krise* (La guerre actuelle en tant que crise sociale), Londres, Nová svoboda, (1), 1940, 149 p.

HAHNOVÁ (Eva), *Sudetoněmecký problem : obtížné loučení s minulostí* (Le problème sudéto-allemand : une difficile rupture avec le passé), Prague, Prago Media, 1996, 276 p.

HAUNER (Milan), *Czechs and Germans : Yesterday and Today*, Washington, Woodrow Wilson Center, 1991, 32 p.

JAKSCH (Wenzel), *Europas Weg nach Potsdam*, Munich, Langen Müller, 1990 (1ʳᵉ éd., 1958), 533 p.

LUKES (Igor), *Czechoslovakia Between Stalin and Hitler*, Oxford, Oxford University Press, 1996, 318 p.

LUŽA (Radomír), *The Transfer of the Sudeten Germans*, New York, New York University Press, 1964, 365 p.

MAMATEY (Victor), LUŽA (Radomír) (dir.), *La République tchécoslovaque 1918-1948*, Paris, Librairie du Regard, 1987, 475 p.

PRINZ (Friedrich) (dir.), *Wenzel Jaksch-Edvard Benes. Briefe und Dokumente aus dem Londoner Exil 1939-1943*, Cologne, Verlag Wissenschaft und Politik, 1973.

RIPKA (Hubert), *Likvidace Mnichova* (La liquidation de Munich), Londres, Unwin, 1942, 36 p.

RIPKA (Hubert), *The Future of the Czechoslovak Germans*, Londres, Chiswick Press, 1944, 32 p.

SCHMITZEK (Stanisław), *Truth of Conjecture ? German Civilian War Losses in the East*, Varsovie, ZAP, 1966, 382 p.

SETON-WATSON (R.W.), *La Position de la Tchécoslovaquie en Europe*, Prague, Orbis (Sources et documents tchécoslovaques n° 31), 1936, 38 p.

SMELSER (Ronald M.), *The Sudeten Problem 1933-1938*, Middletown, Wesleyan University Press, 1975, 324 p.

STANĚK (Tomáš), *Perzekuce 1945* (Persécutions 1945), Prague, I.S.E., 1996, 234 p.

VONDROVÁ (Jitka) (dir.), *Češi a sudetoněmecká otázka 1939-1945* (Les Tchèques et la question sudéto-allemande), Prague, Ústav mezinárodních vztahů, 1994, 351 p.

WISKEMANN (Elizabeth), *Czechs and Germans*, Londres, Oxford University Press, 1938, 299 p.

ZAYAS (Alfred DE), *Nemesis at Potsdam*, Londres, Routledge & Kegan, 1977, 268 p.

3. Publications historiques sur la Tchécoslovaquie

Acta contemporanea, Prague, ÚSD, 1998, 470 p.

Stránkami soudobých dějin (Quelques pages d'histoire contemporaine), 288 p.

ACZEL (Tamas), « Budapest-1956 Prague-1968. Spokesmen of Revolution », *Problems of Communism*, 18, (4-5), juillet-octobre 1969, p. 60-66.

AUGUST (Frantisek), REES (David), *Red Star over Prague*, Londres, The Sherwood Press, 1984, 176 p.

BARTON (Paul), *Prague à l'heure de Moscou*, Paris, Pierre Horay, 1954, 355 p.

BARTON (Paul), WEIL (Albert), *Salariat et contrainte en Tchécoslovaquie*, Paris, Marcel Rivière, 1956, 313 p.

BARTOŠEK (Karel), *Les Aveux des archives*, Paris, Seuil, 1996, 465 p.

BENES (Vaclav), « Czechoslovakia », *in* BENES (Vaclav), GYORGY (Andrew), STAMBUK (George) (dir.), *Eastern European Government and Politics*, New York, Harper and Row, 1966, p. 63-99.

BÍLEK (Jiří), PILÁT (Vladimír), « Bezprostřední reakce československých politických a vojenských orgánů na povstání v Maďarsku » (Réaction à chaud des autorités tchécoslovaques politiques et militaires face à la révolution hongroise), *Soudobé dějiny*, 3, (4), 1996, p. 500-511.

BLAIVE (Muriel), « Rok 1956 : Proč byli Češi tak hodní ? Rozhovor s Petrem Pithartem » (1956 : Pourquoi les Tchèques sont-ils restés si calmes ? Entretien avec Petr Pithart), *Listy*, 26, (6), 1996, p. 35-42.

BLAIVE (Muriel), *1956 : Le Rendez-vous manqué de l'histoire ou le retour du Père Noël en Tchécoslovaquie*, Prague, Cefres, 1997, 21 p. [Scénario du film]

BLOOMFIELD (Jan), *Passive Revolution. Politics and the Czechoslovak Working Class 1945-1948*, New York, St Martin's Press, 1979, 290 p.

BRADLEY (John), *Politics in Czechoslovakia 1945-1971*, Washington, University Press of America, 1981, 225 p.

BRISCH (Hans), VOLGYES (Ivan) (dir.), *Czechoslovakia : The Heritage of Ages Past*, New York, Columbia University Press, 1979, 238 p.

BRODSKÝ (Jaroslav), « Czechoslovakia's 231 Club », *East Europe*, 18, (6), juin 1969, p. 23-25.

CHALUPA (Vlastislav), *Communism in a Free Society. Czechoslovakia 1945-1948*, Chicago, Czechoslovak Foreign Institute in Exile, 1958, 87 p.

CHALUPA (Vlastislav), *Rise and Development of a Totalitarian State*, Leiden, H. E. Steinfert Kneese N. V., 1959, 294 p.

DRÁPALA (Milan), *Na ztracené vartě Západu* (Aux confins perdus de l'Occident), Prague, Prostor, 2000, 684 p.

DUCHÁČEK (Ivo), *The Strategy of Communist Infiltration : The Case of Czechoslovakia*, New Haven, Yale Institute of International Studies, 1949, 47 p.

DUCHÁČEK (Ivo), « The February Coup in Czechoslovakia », *World Politics*, 2, (4), juillet 1950, p. 511-532.

DUCHÁČEK (Ivo), « The Strategy of Communist Infiltration : Czechoslovakia, 1944-1948 », *World Politics*, 2, (3), avril 1950, p. 245-272.

DUCHÁČEK (Ivo), « New Course or No Course ? », *Problems of Communism*, 4, (1), janvier-février 1955, p. 12-19.

DUCHÁČEK (Ivo), « Czechoslovakia », *in* Kertész (Stephen D.) (dir.), *The Fate of East-Central Europe*, Notre-Dame, University of Notre-Dame Press, 1956, p. 179-218.

DUCHÁČEK (Ivo), « A "Loyal" Satellite : The Case of Czechoslovakia », *in* Roberts (Henry L.) (dir.), *The Satellites in Eastern Europe*, Philadelphia, AAPSS, p. 115-122.

DUCHÁČEK (Ivo), « Czechoslovakia », *in* Kertész (Stephen D.) (dir.), *East-Central Europe and the World : Developments in the Post-Stalin Era*, Notre-Dame, University of Notre-Dame Press, 1962, p. 95-119.

DUCHÁČEK (Ivo), « Czechoslovakia : The Past Reburied », *Problems of Communism*, 11, (3), mai-juin 1962, p. 22-26.

DUCHÁČEK (Ivo), « Czechoslovakia : A Dull Drama », *Current History*, 44, (261), juin 1963, p. 273-280.

DVOŘÁKOVÁ (Zora), *Z letopisů třetího odboje* (Carnets de la résistance anti-communiste), Prague, Hříbal, 1992, 280 p.

EIDLIN (Fred), « The Two Faces of Czechoslovak Communism », *East-Central Europe*, 10, (1-2), 1983, p. 185-190.

EVANSON (Robert K.), « Regime and Working-Class in Czechoslovakia 1948-1968 », *Soviet Studies*, XXXVII, (2), avril 1985, p. 248-268.

EVANSON (Robert K.), « The Czechoslovak Road to Socialism in 1948 », *East European Quarterly*, 19, (4), hiver 1985, p. 469-492.

EVANSON (Robert K.), « Political Repression in Czechoslovakia, 1948-1984 », *Canadian Slavonic Papers*, 28, (1), mars 1986, p. 1-21.

FEJTÖ (François), *Le Coup de Prague 1948*, Paris, Seuil, 1976, 285 p.

FRIEDMAN (Otto), *The Break-Up of Czech Democracy*, Wesport, Greenwood Press, 1971, 176 p.

GOLDSTÜCKER (Eduard), « The Lessons of Prague », *Encounter*, XXXVII, (2), août 1971, p. 75-82.

GRÉMION (Pierre), *Paris/Prague*, Paris, Julliard, 1984, 367 p.

GRÉMION (Pierre), « Aperçus du communisme franco-tchécoslovaque », *Esprit*, (230-231), mars-avril 1997, p. 92-108.

HAJDA (Jan) (dir.), *A Study of Contemporary Czechoslovakia*, Chicago, WAHRAF, 1955, 637 p.

HEJL (Vilém), *Zpráva o organizovaném násilí* (Rapport sur une violence organisée), Prague, Univerzum, 1990, 352 p.

HEJZLAR (Zdeněk), *Praha ve stínu Stalina a Brežněva* (Prague à l'ombre de Staline et de Brejnev), Prague, Práce, 1991, 200 p.

HOLY (Ladislav), *The Little Czech and the Great Czech Nation*, Cambridge, Cambridge University Press, 1996, 226 p.

HRUBY (Peter), *Fools and Heroes*, Oxford, Pergamon Press, 1980, 265 p.

HRUBY (Peter), « Czechoslovak Politics since 1945 », *East-Central Europe*, 10, (1-2), 1983, p. 191-197.

HRUBY (Peter), *Daydreams and Nightmares. Czech Communist and Ex-Communist Literature 1917-1987*, New York, Columbia University Press, 1990, 362 p.

JANCAR (Barbara Wolfe), *Czechoslovakia and the Absolute Monopoly of Power*, New York, Praeger, 1971, 331 p.

JIRÁSEK (Zdeněk), ŠŮLA (Jaroslav), *Velká peněžní loupež v Československu 1953 aneb 50 :1* (Le grand hold-up monétaire de 1953 en Tchécoslovaquie ou cinquante contre un), Prague, Svítání, 1992, 164 p.

KAPLAN (Karel), *Political Persecution in Czechoslovakia 1948-1972*, Cologne, Index, 1972, 51 p.

KAPLAN (Karel), *Procès politiques à Prague*, Bruxelles, Complexe, 1980, 188 p.

KAPLAN (Karel), *The Overcoming of the Regime Crisis After Stalin's Death in Czechoslovakia, Poland and Hungary*, Cologne, Index, 1986, 119 p.

KAPLAN (Karel), *The Communist Party in Power*, Boulder, Westview Press, 1987, 231 p.

KAPLAN (Karel), *The Short March. The Communist Takeover in Czechoslovakia*, Londres, C. Horst & C°, 1987, 207 p.

KAPLAN (Karel), *Mocní a bezmocní* (Puissants et sans-pouvoir), Toronto, Sixty-Eight Publishers, 1989, 469 p.

KAPLAN (Karel), *Pravda o Československu 1945-1948* (La vérité sur la Tchécoslovaquie 1945-1948), Prague, Panorama, 1990, 248 p.

KAPLAN (Karel), *Report on the Murder of the General Secretary*, Columbus, Ohio State University Press, 1990, 323 p.

KAPLAN (Karel), *Nekrvavá revoluce* (Une révolution non sanglante), Prague, Mladá Fronta, 1993, 448 p.

KAPLAN (Karel), *Největší politický proces Milada Horáková a spol* (Le plus grand procès politique : Milada Horáková et C°), Prague, ÚSD, 1995, 350 p.

KAPLAN (Karel), *Pět kapitol o únoru* (Cinq chapitres sur Février), Brno, Doplněk, 1997, 560 p.

KAPLAN (Morton), *The Communist Coup in Czechoslovakia*, Princeton, Center of International Studies, Princeton University, 1960, 40 p.

KIRALY (Bela), « Budapest-1956 Prague-1968. Parallels and Contrasts », *Problems of Communism,* 18, (4-5), juillet-octobre 1969, p. 52-60.

KIRSCHBAUM (Stanislav J.), « National Opposition under Communism : The Slovaks in Czechoslovakia », *Slovak Studies*, 19, 1979, p. 5-19.

KIRSCHBAUM (Stanislav J.), « Slovak Nationalism in Socialist Czechoslovakia », *Canadian Slavonic Papers*, 22, (2), juin 1980, p. 220-246.

KIRSCHBAUM (Stanislav J.) (dir.), *Reflections on Slovak History*, Toronto, Slovak World Congress, 1987, 181 p.

KIRSCHBAUM (Stanislav J.), « A Century and a half of Czechs-Slovak Relations : A Slovak Perspective », *Slovakia*, 35, (64-65), 1991-1992, p. 61-62.

KIRSCHBAUM (Stanislav J.), « The Czech Question in Slovakia in the Post-War Years », *Slovakia*, 35, (64-65), 1991-1992, p. 97-108.

KOHÁK (Erazim), « The Philosophic Significance of the Czechoslovak Spring of 1968 », *Research Project « The Experience of the Prague Spring 1968 »*, 1981, 25 p.

KORBEL (Josef), *Twentieth Century Czechoslovakia*, New York, Columbia University Press, 1977, 346 p.

KORBEL (Pavel), *The Communist Subversion of Czechoslovakia*, Princeton, Princeton University Press, 1959, 258 p.

KORBEL (Pavel), « Prague and the Slovaks », *East Europe*, 12, (3), mars 1963, p. 6-12.

KOVTUN (George), *Czech and Slovak History. An American Bibliography*, Washington, Library of Congress, 1996, 481 p.

KRATOCHVIL (Antonín), *Žaluji 1.* (J'accuse, tome 1), Prague, Dolmen, 1990, 284 p.

KREJČÍ (Jaroslav), *Social Change and Stratification in Post-War Czechoslovakia*, Londres, MacMillan, 1972, 208 p.

KREJČÍ (Jaroslav), MACHONIN (Pavel), *Czechoslovakia, 1918-1992*, Londres, McMillan, 1996, 266 p.

KRYSTUFEK (Zdenek), *The Soviet Regime in Czechoslovakia*, New York, Columbia University Press, 1981, 340 p.

KUBAT (Daniel), « Patterns of Leadership in a Communist State : Czechoslovakia 1946-1958 », *Journal of Central European Affairs*, 21, (3), octobre 1961, p. 305-318.

KUBAT (Daniel), « Social Mobility in Czechoslovakia », *American Sociological Review*, 28, (2), avril 1963, p. 203-212.

KUHN (Heinrich), *Der Kommunismus in der Tschechoslovwakei*, Cologne, Verlag Wissenschaft und Politik, 1965, 504 p.

KUHN (Heinrich), « Czechoslovakia », *in* Collier (David), Glaser (Kurt) (dir.), *Elements of Change in Eastern Europe*, Chicago, Henry Regnery Company, 1968: p. 156-164.

KUHN (Heinrich), *Biographisches Handbuch der Tschekoslowakei* (2 tomes), Munich, Robert Lerche, 1969, non paginé.

KUSIN (Vladimir), *The Intellectual Origins of the Prague Spring*, Cambridge, Cambridge University Press, 1971, 153 p.

KUSIN (Vladimir), *Political Grouping in the Czechoslovak Reform Movement*, Londres, Macmillan, 1972, 224 p.

LIEHM (A. J.), « East-Central Europe and the Soviet Model », *Problems of Communism*, 30, (5), septembre 1981, p. 50-54.

LOCKHART (Sir Robert Bruce), « Report on Czechoslovakia », *Foreign Affairs*, 33, (3), avril 1955, p. 484-498.

LUŽA (Radomír), « February 1948 and the Czechoslovak Road to Socialism », *East-Central Europe,* 4, (1), 1977, p. 44-55.

MACHONIN (Pavel) (dir.), *Československá společnost* (La société tchécoslovaque), Bratislava, Epocha, 1969, 621 p.

MACURA (Vladimír), *Šťastný věk (symboly, emblémy a mýty 1948-1989)* (La belle Époque. Symboles, emblèmes et mythes), Prague, Pražská imaginace, 1992, 127 p.

MAMATEY (Victor), LUŽA (Radomír) (dir.), *La République tchécoslovaque 1918-1948*, Paris, Librairie du Regard, 1987, 475 p.

MAŇÁK (Jiří), *Komunisté na pochodu k moci 1945-1948* (Les communistes en route vers le pouvoir 1945-1948), Prague, Studie ÚSD, 1995, 73 p.

MARÈS (Antoine), *Histoire des Pays tchèque et slovaque*, Paris, Hatier, 1995, 383 p.

MAREŠ (Václav E.), « Could the Czechs Have Remained Free ? », *Currrent History*, 23, (133), septembre 1952, p. 150-157.

MAREŠ (Václav E.), « Czechoslovakia under Communism », *Current History*, 26, (154), juin 1954, p. 347-354.

MAREŠ (Václav E.), « Czechoslovakia : Moscow's Model Satellite », *Current History*, 36, (212), avril 1959, p. 215-223.

MAREŠ (Václav E.), « Czechoslovakia's Half Century », *Current History*, 52, (308), avril 1967, p. 200-207.

MATTHEWS (John), « Majáles : The Abortive Student Revolt in Czechoslovakia in 1956 », *Working Paper n° 24 of the Woodrow Wilson Center* (Cold War International History Project), septembre 1998.

MYANT (Martin), *Socialism and Democracy in Czechoslovakia 1945-1948*, Cambridge, Cambridge University Press, 1981, 302 p.

PARKER (John), « Power and Politics », *in Czechoslovakia. Six Studies in Reconstruction*, Londres, George Allen & Unwin, 1946, p. 14-20.

PATOČKA (Jan), *Co jsou Češi ?/Was sind die Tschechen ?*, Prague, Panorama, 1992, 240 p.

PAUL (David W.), *The Cultural Limits of Revolutionary Politics*, New York, Columbia University Press, 1979, 361 p.

PELIKÁN (Jiří) (dir.), *The Czechoslovak Political Trials, 1950-1954*, Londres, Macdonald, 1971, 360 p.

PERMAN (D.), *The Shaping of the Czechoslovak State 1914-1920*, Leiden, Brill, 1962, 339 p.

PERNES (Jiří), « Ohlas maďarské revoluce roku 1956 v československé veřejnosti » (Les échos de la révolution hongroise au sein de la société tchécoslovaque), *Soudobé dějiny*, 3, (4), 1996, p. 512-526.

PICK (Otto), « Czechoslovakia – "Stable Satellite" », *Problems of Communism*, 7, (5), septembre-octobre 1958, p. 32-39.

PISTORIUS (Georges), *Destin de la culture française dans une démocratie populaire (1948-1956)*, Paris, Les Îles d'or, 1957, 290 p.

PITHART (Petr), *Osmašedesátý* (L'année 1968), Prague, Rozmluvy, 1990 (1re éd., 1977), 317 p.

PITHART (Petr), PŘÍHODA (Petr) (dir.), *Čítanka odsunutých dějin* (Bréviaire d'une histoire décalée), Prague, Prago Media News, 1998, 268 p.

PITHART (Petr), PŘÍHODA (Petr), OTÁHAL (Milan), *Češi v dějinách nové doby* (Les Tchèques dans l'histoire contemporaine), Prague, Rozmluvy, 1991, 695 p.

PITRONOVÁ (Blanka), *Proces který otřásl Ostravskem* (Le procès qui terrifia Ostrava), Ostrava, Ostravsko-karvinské doly a.s., 1992, 164 p.

PREČAN (Vilém), *V kradeném čase* (À une époque volée), Prague-Brno, ÚSD-Doplněk, 1994, 620 p.

RADOSTA (Petr), *Proti-komunistický odboj* (La résistance anti communiste), Prague, Egem, 1993, 160 p.

RECHCÍGL (Miloslav Jr.), *Czechoslovakia Past and Present*, La Haye, Mouton, 1968, 1889 p.

RECHCÍGL (Miloslav Jr.) (dir.), *The Czechoslovak Contribution to World Culture*, La Haye, Mouton, 1964, 682 p.

REISKÝ DE DUBNIC (Vladimír), *Communist Propaganda Methods. A Case Study on Czechoslovakia*, New York, Praeger, 1960, 287 p.

RICE (Condoleezza), *The Soviet Union and the Czechoslovak Army 1948-1983*, Princeton, Princeton University Press, 1984, 303 p.

RODNICK (David), *The Strangled Democracy. Czechoslovakia 1948-1969*, Lubbock, The Caprock Press, 1970, 214 p.

RUPNIK (Jacques), « La classe ouvrière en Tchécoslovaquie », *in* Mink (Georges), Rupnik (Jacques) (dir.), *Structures sociales en Europe de l'Est*, tome 2 : *Transformation de la classe ouvrière*, Paris, La Documentation française, (4511-4512), 1979, p. 159-185.

RUPNIK (Jacques), *Histoire du parti communiste tchécoslovaque*, Paris, Presses de la FNSP, 1981, 288 p.

RUPNIK (Jacques), « The Roots of Czech Stalinism », *in* Samuel (Raphael), Stedman Jones (Gareth) (dir.), *Culture, Ideology and Politics*, Londres, RKP, 1983, p. 302-320.

RUPNIK (Jacques), « Un rendez-vous manqué : l'année 1956 vue de Prague », *L'Autre Europe*, (11-12), 1986, p. 12-16.

SCHMIDT (Dana Adams), *Anatomy of a Satellite*, Boston, Little, Brown and Company, 1952, 512 p.

SCHWARTZ (Karl-Peter), *Tschechen und Slowaken*, Vienne, Europaverlag, 1993, 240 p.

SETON-WATSON (R. W.), *Czechoslovakia in its European Setting*, Oxford, Clarendon Press, 1946, 20 p.

SETON-WATSON (R. W.), *A History of the Czechs and Slovaks. « People of whom we know nothing »*, Hamden, Archon Books, 1965 (1re éd ., 1943), 413 p.

SKILLING (H. Gordon), « People's Democracy, the Proletarian Dictatorship and the Czechoslovak Path to Socialism », *The American Slavic and East European Review*, 10, (2), avril 1951, p. 100-116.

SKILLING (H. Gordon), « The Prague Overturn in 1948 », *Canadian Slavonic Papers*, 4, 1959, p. 88-114.

SKILLING (H. Gordon), « Gottwald and the Bolshevization of the Communist Party of Czechoslovakia (1929-1939) », *Slavic Review*, 20, (4), décembre 1961, p. 641-655.

SKILLING (H. Gordon), « Czechoslovakia », *in* Bromke (Adam) (dir.), *The Communist States at the Crossroads*, New York, Praeger, 1965, p. 87-106.

SKILLING (H. Gordon), « Communism and Czechoslovak Traditions », *Journal of International Affairs*, 20, (1), 1966, p. 118-136.

SKILLING (H. Gordon), « The Fall of Novotný in Czechoslovakia », *Canadian Slavonic Papers*, 12, (3), automne 1970, p. 225-242.

SKILLING (H. Gordon), « Czechoslovakia », *in* Bromke (Adam), Rakowska-Harmstone (Teresa) (dir.), *The Communist States in Disarray, 1965-1971*, Minneapolis, University of Minnesota Press, 1972, p. 62-71.

SKILLING (H. Gordon), *Czechoslovakia's Interrupted Revolution*, Princeton, Princeton University Press, 1976, 924 p.

SKILLING (H. Gordon) (dir.), *Czechoslovakia 1918-1988*, New York, St Martin's Press, 1991, 232 p.

SLÁMA (Jiří), KAPLAN (Karel), *Parlamentní volby v Československu v letech 1935, 1946 a 1948* (Les élections parlementaires de 1935, 1946 et 1948 en Tchécoslovaquie), Prague, FSÚ, 1991, 104 p.

ŠNAJDER (Bohuslav), *Proces proti dvanácti milionům* (Le procès de douze millions d'habitants), Prague, Tvorba (3), 1990, 144 p.

STEINER (Eugen), *The Slovak Dilemma*, Cambridge, Cambridge University Press, 1973, 229 p.

STONE (Norman), STROUHAL (Eduard) (dir.), *Czechoslovakia : Crossroads and Crises*, Londres, The MacMillan Press, 1989, 336 p.

STRÖBINGER (Rudolf), *Vražda generálního tajemníka* (Meurtre d'un secrétaire général), Brno, Lidová demokracie, 1991, 112 p.

SUDA (Zdeněk), *The Czechoslovak Socialist Republic*, Baltimore, The John Hopkins Press, 1969, 180 p.

SUDA (Zdeněk), *Zealots and Rebels. A History of the Communist Party of Czechoslovakia*, Stanford, Hoover Institution Press, 1980, 412 p.

SZULC (Tad), *Czechoslovakia Since World War II*, New York, The Viking Press, 1971, 503 p.

TÁBORSKÝ (Eduard), « Benešosy moskevské cesty » (Les voyages de Beneš à Moscou), *Svědectví*, 23, (89-90), 1990, p. 61-84.

TÁBORSKÝ (Eduard), « Beneš a náš osud » (Beneš et notre destin), *Svědectví*, 23, (89-90), 1990 : p. 85-118.

TABORSKY (Edward), *President Edvard Beneš Between West and East, 1938-1948*, Stanford, Hoover Institution Press, 1981, 299 p.

TABORSKY (Edward), « Slovakia under Communist Rule, "Democratic Centralism" versus National Autonomy », *Journal of Central European Affairs*, 14, (3), octobre 1954, p. 255-263.

TABORSKY (Edward), « Czechoslovakia in the Khrushchev-Bulganin Era », *The American Slavic and East-European Review*, 16, (1), février 1957, p. 50-65.

TABORSKY (Edward), « The Noncommunist "Parties" in Czechoslovakia », *Problems of Communism*, 8, (2), mars-avril 1959, p. 20-26.

TABORSKY (Edward), « Nationalism versus Proletarian Internationalism in the Communist Party of Czechoslovakia », *Journal of Central European Affairs*, 19, (4), janvier 1960, p. 402-410.

TABORSKY (Edward), « Czechoslovakia's March to Communism », *Problems of Communism*, 10, (2), mars-avril 1961, p. 34-41.

TABORSKY (Edward), *Communism in Czechoslovakia 1948-1960*, Princeton, Princeton University Press, 1961, 628 p.

TIGRID (Pavel), *Marx na Hradčanech* (Marx au Château de Prague), New York, Svědectví, 1960, 124 p.

TIGRID (Pavel), *Le Printemps de Prague*, Paris, Seuil, 1968, 280 p.

TIGRID (Pavel), « The Prague Coup of 1948 : The Elegant Takeover », *in* Hammond (Thomas T.) (dir.), *The Anatomy of Communist Takeovers*, New Haven, Yale University Press, 1975, p. 399-432.

TIGRID (Pavel), *Amère révolution*, Paris, Albin Michel, 1977, 286 p.

TUČEK (Milan), *Zpráva o vývoji sociální struktury české a slovenské společnosti 1945-1993* (Rapport sur le développement de la structure sociale tchèque et slovaque), Prague, Sociologický ústav (« Working Paper »), 1996, 83 p.

ULČ (Otto), « Pilsen : The Unknown Revolt », *Problems of Communism*, 14, (3), mai-juin 1965, p. 46-49.

ULČ (Otto), « Koestler Revisited », *Survey*, (72), été 1969, p. 108-121.

ULČ (Otto), *Politics in Czechoslovakia*, San Fransisco, W. H. Freeman, 1974, 181 p.

UTITZ (Bedřich), *Neuzavřená kapitola. Politické procesy padesátých let* (Un chapitre encore ouvert. Les procès politiques des années 1950), Prague, Lidové nakladatelství, 1990, 135 p.

VÁHALA (Rastislav), *Smrt generála* (Mort d'un général), Prague, Melantrich, 1992, 192 p.

WAGNER (Francis S.), *Toward a New Central Europe*, Astor Park, Danubian Press, 1970.

WOLCHIK (Sharon L.), « Czechoslovakia », *in* Taras (Raymond C.) (dir.), *Handbook of Political Science Research on the USSR and Eastern Europe. Trends from the 1950s to the 1990s*, Wesport, Greenwood Press, 1992, p. 55-79.

ZENKL (Peter), « On "Human Rights" in Czechoslovakia », *Journal of Central European Affairs*, 14, (3), octobre 1954, p. 264-269.

ZINNER (Paul E.), « Problems of Communist Rule in Czechoslovakia », *World Politics*, 4, (1), octobre 1951, p. 112-129.

ZINNER (Paul E.), *Communist Strategy and Tactics in Czechoslovakia, 1918-1948*, New York, Praeger, 1963, 264 p.

ZINNER (Paul E.), « Czechoslovakia », *in* Király (Béla K.), Jónás (Paul) (dir.), *The Hungarian Revolution of 1956 in Retrospect*, New York, Columbia University Press, 1978, p. 113-126.

4. Publications historiques sur l'Europe centrale et orientale

ARON (Raymond), « Une révolution antitotalitaire : Hongrie 1956 », *Commentaire*, 8, (28-29), février 1985, p. 426-439.

BAINVILLE (Jacques), *Les Conséquences politiques de la paix*, Paris, L'Arsenal, 1995 (1re éd., 1919), 174 p.

BAKKER (Edwin), *Minority Conflicts in Slovakia and Hungary ?*, Cappelle sur Ijssel, Labyrint Publication, 1997, 279 p.

BARTON (Paul), *Conventions collectives et réalités ouvrières en Europe de l'Est*, Paris, Éditions ouvrières, 1957, 287 p.

BARTON (Paul), *Misère et révolte de l'ouvrier polonais*, Paris, Force ouvrière, 1971, 160 p.

BARTOŠEK (Karel), « La terreur et l'établissement du système stalinien en Europe centrale », *Communisme*, (26-27), 1990, p. 94-102.

BÉKÉS (Csaba), *Az 1956-os magyar forrodalom a világpolitikában* (La révolution hongroise de 1956 dans la politique internationale), Budapest, 1956-os intézet, 1996, 184 p.

BETHELL (Nicolas), *Gomułka, His Poland and His Communism*, Londres, Longman, 1969, 296 p.

BRANKOV (Lazar), « Affaire Rajk : le témoignage d'un survivant », *Communisme*, (26-27), 1990, p. 29-44.

BROGAN (Patrick), *The Captive Nations in Eastern Europe : 1945-1990*, New York, Avon Books, 1990, 281 p.

BUHLER (Pierre), *Histoire de la Pologne communiste*, Paris, Karthala, 1997, 808 p.

CARRÈRE D'ENCAUSSE (Hélène), *La Déstalinisation commence*, Bruxelles, Complexe, 1984, 209 p.

CHARLTON (Michael), *The Eagle and the Small Birds. Crisis in the Soviet Empire : From Yalta to Solidarity*, Chicago, University of Chicago Press, 1984, 192 p.

CHIAMA (Jean), SOULET (Jean-Charles), *Histoire de la dissidence*, Paris, Seuil, 1982, 511 p.

CONQUEST (Robert), *Power and Policy in the USSR 1945-1960*, New York, Harper & Row, 1961, 471 p.

COURTOIS (Stéphane), « Archives du communisme : mort d'une mémoire, naissance d'une histoire », *Le Débat*, (77), novembre-décembre 1993, p. 145-156.

DRACHKOVITCH (Milorad M.), LAZITCH (Branko), *The Comintern : Historical Highlights*, New York, Praeger, 1966, 430 p.

DUPLAN (Christian), GIRET (Vincent), *La Vie en rouge*, tome 1, Paris, Seuil, 1994, 557 p.

DZIEWANOWSKI (M. K.), *The Communist Party of Poland*, Cambridge, Harvard University Press, 1976, 419 p.

DZIEWANOWSKI (M. K.), *Poland in the Twentieth Century*, New York, Columbia University Press, 1977, 309 p.

FEJTÖ (François), *Dictionnaire des partis communistes et des mouvements ouvriers*, Tournai, Casterman, 1971, 235 p.

FEJTÖ (François), *Histoire des démocraties populaires*, tome 1 : *L'Ère de Staline*, Paris, Seuil, 1979 (1ʳᵉ éd., 1952), 382 p.

FEJTÖ (François), *Histoire des démocraties populaires*, tome 2 : *Après Staline 1953-1971*, Paris, Seuil, 1979, 379 p.

FEJTÖ (François), *Budapest, l'insurrection*, Bruxelles, Complexe, 1990, 217 p.

FÜLÖP (Mihály), *A befejezetlen béke* (La paix inachevée), Budapest, Héttorony, 1994, 237 p.

GLUCHOWSKI (Leo), « Krushchev's Second Speech », *Cold War International History Project Bulletin*, (10), mars 1998, p. 44-60.

GLUCKSTEIN (Ygael), *Les Satellites européens de Staline*, Paris, Les Îles d'or, 1953, 334 p.

GOSZTONY (Péter) (dir.), *Histoire du soulèvement hongrois 1956*, Paris, Horvath, 1966, 384 p.

GOSZTONY (Péter), *Magyarország a második világháborúban III* (La Hongrie dans la Seconde Guerre mondiale, tome 3), Munich, Herp, 1986.

HEGEDÜS (András B.), « The Petőfi Circle : The Forum of Reform in 1956 », *in* Cox (Terry) (dir.), *Hungary 1956 – Forty Years On*, Londres, Frank Cass, 1997 : p. 108-133.

HOENSCH (Jörg K.), *A History of Modern Hungary 1967-1986*, Londres, Longman, 1988, 320 p.

HODOS (George H.), *Show Trials 1948-1954*, New York, Praeger, 1987, 195 p.

KENDE (Pierre), « Hongrie : la vie politique depuis 1945 », Paris, *Encyclopedia Universalis*, vol. 11, 1990.

KENDE (Pierre), POMIAN (Krzysztof), *1956 Varsovie-Budapest*, Paris, Seuil, 1978, 268 p.

KERSTEN (Krystyna), *The Establishment of Communist Rule in Poland, 1943-1948*, Berkeley, University of California Press, 1991, 535 p.

KERTÉSZ (Stephen D.), *Diplomacy in a Whirlpool. Hungary Between Nazi Germany and Soviet Russia*, Notre-Dame, University of Notre-Dame Press, 1953, 273 p.

KING (Robert), *Minorities under Communism*, Cambridge, Harvard University Press, 1973, 326 p.

KOLENDO (Ireneusz), MICHOWICZ (Janina), *Świat i Polska 1944-1989* (Le monde et la Pologne 1944-1989), Łódź, Uniwersytet łódzki, 1991, 98 p.

KRACAUER (Siegfried), BERKMAN (Paul), *Satellite Mentality. Political Attitudes and Propagande Susceptibilities of Non-Communists in Hungary, Poland and Czechoslovakia*, New York, Praeger, 1956, 194 p.

KUNDERA (Milan), « Un Occident kidnappé ou la tragédie de l'Europe centrale », *Le Débat*, (27), novembre 1983, p. 3-22.

LAZITCH (Branko), *Les Partis communistes d'Europe 1919-1955*, Paris, Les Îles d'or, 1956, 254 p.

LAZITCH (Branko), *Tito et la révolution yougoslave 1937-1956*, Paris, Fasquelle, 1957, 279 p.

LEWIS (Paul G.), *Central Europe Since 1945*, Londres, Longman, 1994, 352 p.

LITVÁN (György) (dir.), *The Hungarian Revolution of 1956*, Londres, Longman, 1996, 221 p.

LOWENTHAL (Richard), « Revolution Over Eastern Europe », *Problems of Communism*, 5, (6), novembre-décembre 1956 : p. 4-9.

McCAULEY (Martin) (dir.), *Communist Power in Europe 1944-1949*, Londres, Macmillan, 1977, 242 p.

MARCOU (Lilly), *Le Kominform*, Paris, Presses de la FNSP, 1977, 345 p.

MARCOU (Lilly), *Le Mouvement communiste international depuis 1945*, Paris, PUF, 1980, 128 p.

MARIE (Jean-Jacques), NAGY (Balazs), *Pologne-Hongrie 1956*, Paris, EDI, 1966, 368 p.

MASTNY (Vojtech), *East European Dissent*, tome 1 : *1953-1964*, New York, Facts on File, 1972, 292 p.

MASTNY (Vojtech), *Russia's Road to the Cold War*, New York, Columbia University Press, 1979, 409 p.

MOLNÁR (Miklós), *A Short History of the Hungarian Communist Party*, Boulder, Westview Press, 1978, 168 p.

MOLNÁR (Miklós), *De Béla Kun à János Kádár. Soixante-dix ans de communisme hongrois*, Paris, Presses de la FNSP, 1987, 335 p.

MYANT (Martin), *Poland : A Crisis for Socialism*, Londres, Lawrence and Wishart, 1982, 254 p.

NOWAK (Jan), « Poláci a Maďaři v roce 1956 » (Les Polonais et les Hongrois en 1956), *Soudobé dějiny*, 3, (4), 1996, p. 527-534.

PACZKOWSKI (Andrzej), « L'ouverture des archives : profits et dangers. Le cas polonais », *in* Mink (Georges), Szurek (Jean-Charles) (dir.), *Cet étrange post-communisme*, Paris, La Découverte, p. 199-209.

POMIAN (Krzysztof), *Pologne : défi à l'impossible ? De la révolte de Poznań à « Solidarité »*, Paris, Éditions ouvrières, 1982, 240 p.

ROLLET (Henri), *La Pologne au XXe siècle*, Paris, Pedone, 1984, 603 p.

ROUGEMONT (Denis de), « Les joyeux butors du Kremlin », *Preuves*, (66), août 1956, p. 3-16.

RUPNIK (Jacques), *L'Autre Europe. Crise et fin du communisme*, Paris, Odile Jacob, 1990, 386 p.

SCHECTER (Jerrold L.) (dir.), *Khrushchev Remembers*, Boston, Little, Brown and Cie, 1990, 219 p.

SCHÖPFLIN (George), *Politics in Eastern Europe 1945-1992*, Oxford, Blackwell, 1993, 327 p.

SETON-WATSON (Hugh), *Nationalism and Communism*, Londres, Methuen, 1964, 253 p.

SETON-WATSON (R. W.), *Eastern Europe Between the Wars 1918-1941*, Cambridge, Cambridge University Press, 1946, 445 p.

SKILLING (H. Gordon), *Communism National and International. Eastern Europe after Staline*, Toronto, University of Toronto Press, 1964, 168 p.

SKILLING (H. Gordon), *The Governments of Communist Eastern Europe*, New York, Thomas Y. Crowell Company, 1966, 256 p.

STAAR (Richard F.), *The Communist Regimes in Eastern Europe*, Stanford, Hoover Institution Press, 1971, 304 p.

SUGAR (Peter F.) (dir.), *A History of Hungary*, Bloomington, Indiana University Press, 1990, 432 p.

TIGRID (Pavel), *Révoltes ouvrières à l'Est 1953-1981*, Bruxelles, Complexe, 1981, 192 p.

TŘÍSKA (Jan), « Varna, Playground of the Balkans », *East Europe*, 12, (6), juin 1963, p. 16-20.

TURLEJSKA (Maria) pseud. de SOCHA (Łukasz), *Te pokolenia żałobami czarne... Skazani na śmierć i ich sędziowie 1944-1954* (Les générations assombries par le deuil. Les condamnés à mort et leurs juges 1944-1954), Londres, Aneks, 1989, 449 p.

ULAM (Adam B.), « The Cominform and the People's Democracies », *World Politics*, 3, (2), janvier 1951, p. 200-217.

ULAM (Adam B.), *Titoism and the Cominform*, Cambridge, Harvard University Press, 1952, 243 p.

ULAM (Adam B.), *Expansion and Coexistence. The History of Soviet Foreign Policy 1917-1967*, Londres, Secker & Warburg, 1968, 775 p.

VÁLI (Ferenc A.), *Rift and Revolt in Hungary*, Cambridge, Harvard University Press, 1961, 590 p.

VIDA (István), « The World of the Hungarian Workers in 1956 », *in* Lomax (Bill) (dir.), *Hungarian Workers' Councils in 1956*, New York, Columbia University Press, 1990, p. 287-301.

WERTH (Nicolas), « De la soviétologie en général et des archives russes en particulier », *Le Débat*, (77), novembre-décembre 1993, p. 127-144.

ZINNER (Paul E.) (dir.), *National Communism and Popular Revolt in Eastern Europe*, New York, Columbia University Press, 1956, 563 p.

5. Autres publications

COMBE (Sonia), *Archives interdites*, Paris, Albin Michel, 1994, 327 p.

FEJTÖ (François), *The French Communist Party and the Crisis of International Communism*, Cambridge, MIT Press, 1967, 225 p.

FURET (François), *Le Passé d'une illusion*, Paris, Robert Laffont, 1995, 580 p.

GADDIS (John Lewis), *We Now Know. Rethinking Cold War History*, Oxford, Clarendon Press, 1997, 425 p.

GRÉMION (Pierre), Preuves, *une revue européenne à Paris*, Paris, Julliard, 1989, 590 p.

GRÉMION (Pierre), *Intelligence de l'anticommunisme*, Paris, Fayard, 1995, 647 p.

HOLT (Robert T.), *Radio Free Europe*, Minneapolis, University of Minnesota Press, 1958, 249 p.

KOVRIG (Bennett), *The Myth of Liberation. East-Central Europe in US Diplomacy and Politics since 1941*, Baltimore, John Hopkins University Press, 1973, 360 p.

KRIEGEL (Annie), « Les communistes français et le pouvoir », *in* Perrot (Michelle), Kriegel (Annie), *Le Socialisme français et le pouvoir*, Paris, EDI, 1966, p. 93-217.

KRIEGEL (Annie), *Les Communistes français*, Paris, Seuil, 1968, 320 p.

KRIEGEL (Annie), *Communismes au miroir français*, Paris, Gallimard, 1974, 253 p.

KRIEGEL (Annie), COURTOIS (Stéphane), *Eugen Fried*, Paris, Seuil, 1997, 451 p.

MILLER (Lynn H.), PRUESSEN (Ronald W.) (dir.), *Reflections on the Cold War*, Philadelphia, Temple University Press, 1974, 207 p.

POMIAN (Krzysztof), « Totalitarisme », *XXᵉ siècle. Revue d'histoire,* (47), juillet-septembre 1995, p. 4-23.

POMIAN (Krzysztof), « Quel XXᵉ siècle ? », *Le Débat*, (93), janvier-février 1997, p. 41-75.

SEMELIN (Jacques), *La Liberté au bout des ondes*, Paris, Belfond, 1992, 347 p.

SOKAL (Alain), BRICMONT (Jean), *Impostures idéologiques*, Paris, Odile Jacob, 1997, 276 p.

SPERBER (Manès), « Psychological Reflections on Terror », *Survey*, (72), été 1969, p. 91-107.

STEVEN (Stewart), *Operation Splinter Factor*, Philadelphia, J. B. Lippincott, 1974, 249 p.

VAŠÍČEK (Zdeněk), *L'Archéologie, l'histoire, le passé*, Sceaux, Kronos B. Y., 1994, 255 p.

6. Économie de l'Europe centrale et orientale

ALTON (Thad P.) (dir.), *Czechoslovakia : I. Extension of Growth Indexes to 1965 II. Personal Consumption Index, 1937 and 1948-1965*, New York, Research Project on National Income in East Central Europe, 1968, 36 p.

ALTON (Thad P.) (dir.), *Index of Personal Consumption in Poland, 1937 and 1946-1967*, New York, Research Project on National Income in East Central Europe, 1973, 54 p.

ALTON (Thad P.) (dir.), *Personal Consumption in Hungary, 1938 and 1947-1965*, New York, Research Project on National Income in East Central Europe, 1968, 90 p.

DOUGLAS (Dorothy W.), *Transitional Economic Systems. The Polish-Czech Example*, New York, Monthly Review Press, 1972, 373 p.

FEIWEL (George), *New Economic Patterns in Czechoslovakia*, New York, Praeger, 1968, 591 p.

FEIWEL (George), *Poland's Industrialization Policy : A Current Analysis*, New York, Praeger, 1971, 749 p.

MICHAL (Jan M.), *Central Planning in Czechoslovakia*, Stanford, Stanford University Press, 1960, 274 p.

MYANT (Martin), *The Czechoslovak Economy 1948-1988*, Cambridge, Cambridge University Press, 1989, 316 p.

PEŠEK (Boris), *Czechoslovak Monetary Policy : 1945-1953*, PhD Dissertation, University of Chicago, 1956, 206 p.

STALLER (George), *Czechoslovak Industrial Production 1948-1972*, New York, L. W. International Financial Research, 1975, 43 p.

STEVENS (John N.), *Czechoslovakia at the Crossroads. The Economic Dilemmas of Communism in Postwar Czechoslovakia*, New York, Columbia University Press, 1985, 349 p.

STRMISKA (Zdeněk), VAVRÁKOVÁ (Blanka), « La mobilité sociale dans une société socialiste : l'expérience tchécoslovaque », *Revue d'études comparatives Est-Ouest*, 7, (1), 1976, p. 129-184.

INDEX

Publications de l'IHTP aux Éditions Complexe

Jean-Pierre RIOUX (dir.), *La Vie culturelle sous Vichy*, 1990.

Jean-Pierre RIOUX, Jean-François SIRINELLI (dir.), *La Guerre d'Algérie et les intellectuels français*, 1991.

Denis PESCHANSKI, Michael POLLAK, Henry ROUSSO (dir.), *Histoire politique et sciences sociales*, 1991.

Jean-Marc BERLIÈRE, Denis PESCHANSKI (dir.), *Pouvoirs et polices au xxᵉ siècle*, 1997.

Dans la collection « Histoire du temps présent »

Antoine DE BAECQUE, Christian DELAGE (dir.), *De l'histoire au cinéma*, 1998.

Michel TREBITSCH, Marie-Christine GRANJON (dir.), *Pour une histoire comparée des intellectuels*, 1998.

Jean-Pierre LEVY (avec la collaboration de Dominique VEILLON), *Mémoires d'un franc-tireur. Itinéraire d'un résistant (1940-1944)*, 1998.

Marie-Françoise LÉVY (dir.), *La Télévision dans la République. Les années 50*, 1999.

Henry ROUSSO (dir.), *Stalinisme et nazisme. Histoire et mémoire comparées*, 1999.

Pierre BROCHEUX (dir.), *Du conflit d'Indochine aux conflits indochinois*, 2000.

Geneviève DREYFUS-ARMAND, Robert FRANK, Marie-Françoise LÉVY, Michelle ZANCARINI-FOURNEL (dir.), *Les Années 68. Le temps de la contestation*, 2000.

Florent BRAYARD (dir.), *Le Génocide des Juifs entre procès et histoire (1943-2000)*, 2000.

Myriam CHIMÈNES (dir.), *La Vie musicale sous Vichy*, 2001.

Raoul NORDLING (avec la collaboration de Victor VINDE), *Sauver Paris. Mémoires du consul de Suède (1905-1944)*, édition présentée et annotée par Fabrice Virgili, 2002.

Marc-Olivier BARUCH, Vincent DUCLERT (dir.), *Justice, politique et République. De l'affaire Dreyfus à la guerre d'Algérie*, 2002.

Christian DELACROIX, François DOSSE, Patrick GARCIA, Michel TREBITSCH (dir.), *Michel de Certeau. Les chemins d'histoire*, 2002.

Stéphane AUDOIN-ROUZEAU, Annette BECKER, Christian INGRAO, Henry ROUSSO (dir.), *La Violence de guerre, 1914-1945. Approches comparées des deux conflits mondiaux*, 2002.

Pieter LAGROU, *Mémoires patriotiques et Occupation nazie*, 2003.

Benny MORRIS, *Victimes. Histoire revisitée du conflit arabo-sioniste*, 2003.

François BÉDARIDA, *Histoire, critique et responsabilité*, 2003.

Nicole RACINE, Michel TREBITSCH (dir.), *Intellectuelles. Du genre en histoire des intellectuels*, 2004.

Sarah FISHMAN, Laura LEE DOWNS, Ioannis SINANOGLOU, Leonard V. SMITH, Robert ZARETSKY (dir.), *La France sous Vichy. Autour de Robert O. Paxton*, 2004.

Philippe BUTON, *La Joie douloureuse. La Libération de la France*, 2004.

Mark MAZOWER, *Le Continent des ténèbres. Une histoire de l'Europe au XXᵉ siècle*, 2005.

Achevé d'imprimer
en avril 2005
sur les presses de l'imprimerie Tournai Graphic
en Belgique (UE)

En couverture : Jiří Kolář,
Hôtel de ville de la vieille ville

© Éditions Complexe, 2005
SA Diffusion Promotion Information
24, rue de Bosnie
1060 Bruxelles

 n° 975